ANGÉLIQUE

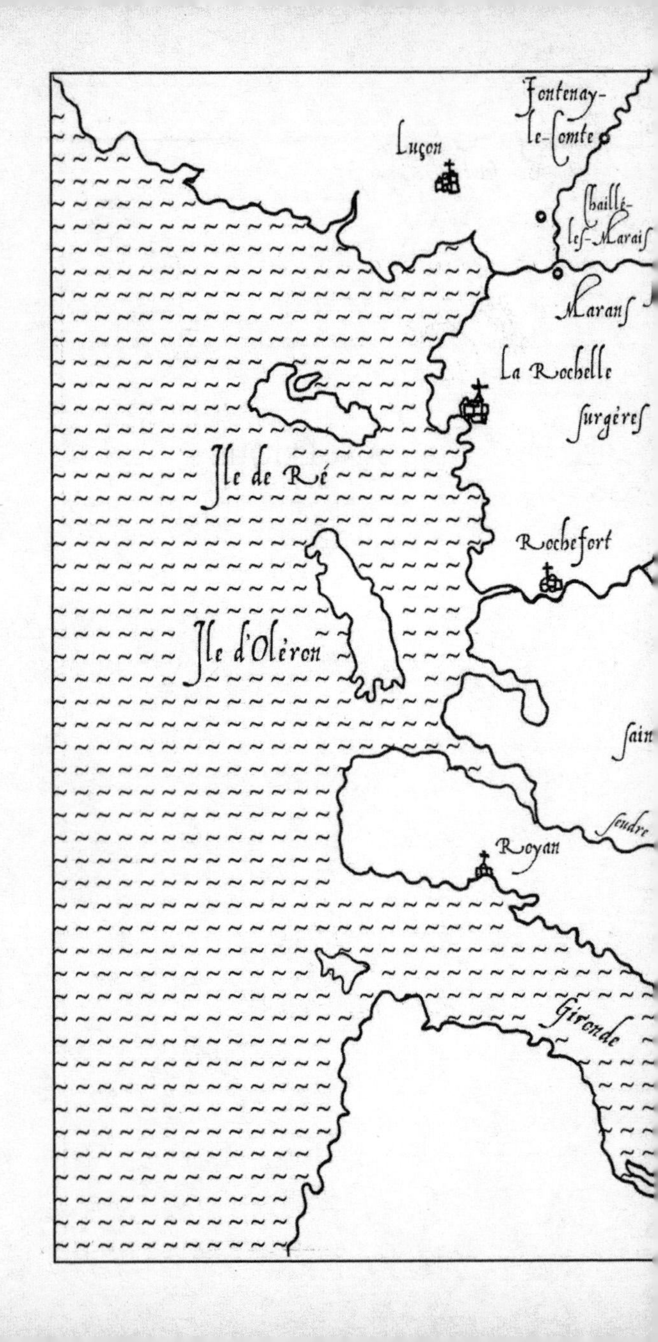
Fontenay-le-Comte
Luçon
Chaillé-les-Marais
Marans
La Rochelle
Surgères
Ile de Ré
Rochefort
Ile d'Oléron
Royan
Seudre
Gironde

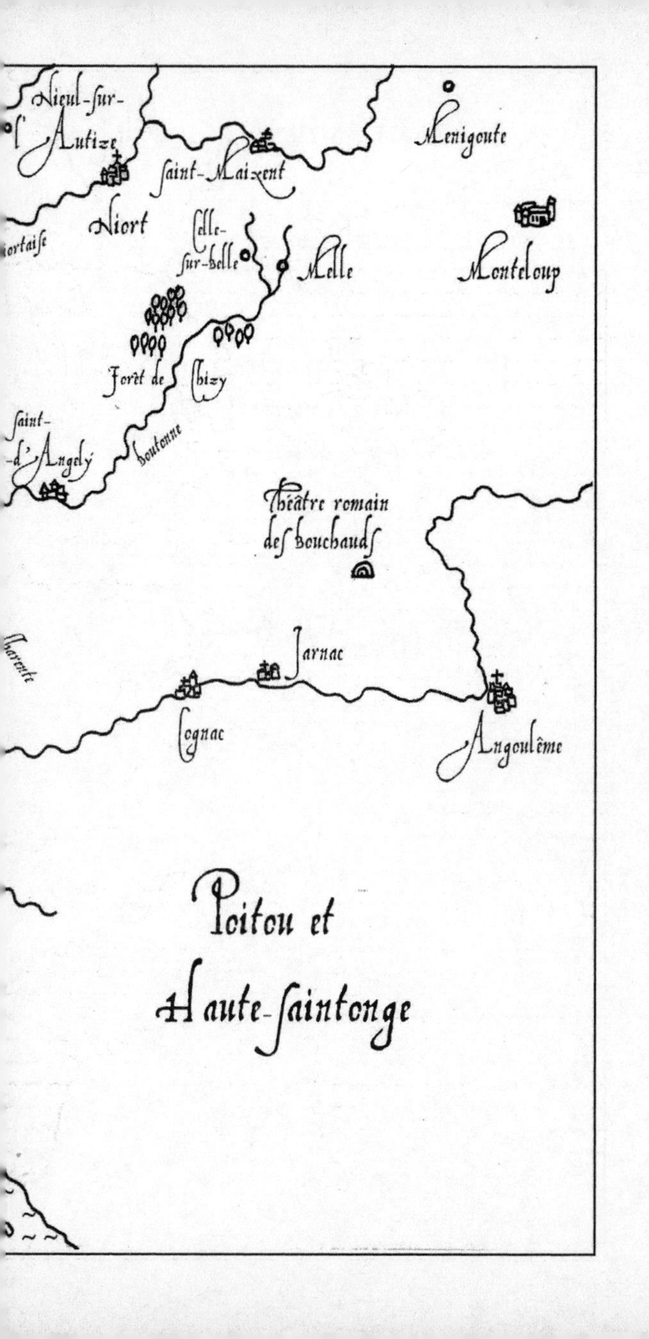
Nieul-sur-
l'Autize
Saint-Maixent
Menigoute
Niort
Celle-
sur-Belle
Melle
Monteloup
Forêt de Chizy
Saint-
-d'Angely
Boutonne
Théâtre romain
des Bouchauds
Jarnac
Cognac
Angoulême
Poitou et
Haute-Saintonge

L'INTÉGRALE *ANGÉLIQUE*

1. *Marquise des Anges*
2. *La Fiancée vendue*
3. *Fêtes royales*
4. *Le Supplicié de Notre-Dame*
5. *Ombres et Lumières*
6. *Le Chemin de Versailles*

ANNE GOLON

ANGÉLIQUE

Marquise des Anges

roman

ARCHIPOCHE

www.archipoche.com

Si vous souhaitez recevoir notre catalogue
et être tenu au courant de nos publications,
envoyez vos nom et adresse, en citant ce livre,
aux éditions Archipoche,
34, rue des Bourdonnais 75001 Paris.
Et, pour le Canada, à
Édipresse Inc., 945, avenue Beaumont,
Montréal, Québec, H3N 1W3.

ISBN 978-2-35287-159-0

Avant-propos

Lorsqu'en 1953 j'entrepris d'une plume rapide le premier tome des aventures d'Angélique, à Versailles, je ne doutais pas, dès les premiers mots, de l'accueil fervent que lui ferait le public. J'étais trop optimiste pour imaginer les avatars inouïs qui attendaient mon œuvre.

J'avais déjà publié quelques livres. L'idée de raconter la vie d'une femme, depuis l'enfance, dans son décor historique m'inspirait. Le XVIIe siècle m'attira comme un continent inconnu. Je ne le quittai plus. Les tomes se succédèrent : *Angélique et le Roi*, *Indomptable Angélique*, *Angélique se révolte*, *Angélique et son Amour*, puis *Angélique et le Nouveau Monde*, en 1967, qui partait à la découverte d'un domaine oublié à l'époque, l'Amérique du XVIIe siècle, qui n'a jamais cessé de me passionner. Six nouveaux livres révélèrent ce Nouveau Monde où mon mari et moi nous étions embarqués, en 1964, pour un voyage de trois mois à la recherche de ses origines : *La Tentation d'Angélique*, *Angélique et le Complot des Ombres*, *Angélique et la Démone*, *Angélique : la Route de l'Espoir*, *La Victoire d'Angélique*. Angélique était devenue une sœur pour moi.

Depuis, *Angélique* a été traduite en vingt-sept langues, accompagnant des lecteurs de tous âges et de tous pays. *La Victoire d'Angélique*, paru confidentiellement en 1985, fut annoncé comme l'ultime tome de la série. Plus aucun volume ne devait paraître, laissant également orphelins les spectateurs des cinq films de Bernard Borderie qui, presque chaque été, comblaient encore les rêves de vacanciers en mal de capes et d'épées.

Les plus célèbres auteurs ont connu l'oubli, que l'on appelle aussi « traversée du désert ». S'y ajoute parfois la pauvreté. *Angélique* et son auteur ont souffert l'un et l'autre. Comprendrai-je un jour les raisons de cet effacement, qui faillit bien être définitif ? De la profondeur de cet oubli, voici une preuve manifeste. En 1993, je me présentai devant un représentant du Syndicat national des auteurs-compositeurs, dont je souhaitais l'appui, et déposai devant lui la pile des treize volumes d'*Angélique*. « Je croyais que c'était un film », m'avoua-t-il.

Dans le désert, entre deux tempêtes de sable et de découragement, on voit cependant très clair et très loin. Au cours de cette traversée, je n'ai jamais cessé d'espérer. Je voulais qu'un jour *Angélique* renaisse dans son propre pays, elle qui avait fait aimer la France à des millions de lecteurs dans le monde. Et je voulais qu'elle reparaisse intégralement. Pourquoi ? D'abord et surtout parce que j'avais découvert, en relisant mes livres, que des changements et des coupes avaient été pratiqués sur mon texte, sans que j'en eusse jamais été avertie. Ces modifications, multiples dans les derniers tomes, altéraient, notamment, le caractère de mon héroïne.

Par exemple, quand Angélique, enfant, s'échappe du couvent, traverse la ville de Poitiers assombrie par une épidémie de peste, gagne la campagne pour chercher des plantes pouvant guérir sa petite sœur ; mais revient trop tard : Madelon, est morte. Cet épisode, révélateur du caractère d'Angélique, avait disparu de la « version française » et d'autres passages dès les premiers tomes, avaient été censurés. Il est vrai qu'en 1953 je ne songeais pas au danger d'évoquer, par exemple, les sorcières guérisseuses ou les herbes permettant d'éviter les « enfants maudits ». Enfin, à mon insu, des mots, des verbes, des rythmes avaient été substitués aux miens, innombrables.

En rétablissant mes textes d'origine, j'ai éprouvé le besoin d'enrichir mon œuvre à la lumière de ce que la vie et mes études du Grand Siècle m'avaient enseigné. J'ai également souhaité y semer les éléments annonciateurs du tome inédit dont je poursuis l'écriture : *Le Royaume de France*, qui verra se produire les bouleversements prédits et s'interroger un couple encore jeune à la recherche d'un abri pour son existence, une fois de plus menacée, où leurs jeunes enfants pourront commencer une vie nouvelle.

Cette intégrale d'*Angélique* est aussi pour moi l'occasion de donner plus de relief à un personnage dont je n'avais, au départ, qu'une idée schématique : le XVIIe siècle, si riche de passions et d'événements. Siècle de découvertes et de bouleversements pour le peuple et pour les princes. Siècle de guerres, de danses, de chansons, de bonne chère, siècle de rois et de gueux, siècle du Louvre et des tavernes. Siècle où une femme, dans les pires circonstances, conserverait ce plaisir d'exister qui honore l'espèce humaine. Et pour tous, l'amour, espoir de la consolation.

Une vie a mille explications. Le mystère d'un être, lorsqu'il est révélé, éclaire tout son passé. Une réalité que l'on croyait simple, que l'on appelait accident, fatalité, justice ou complot, se révèle dans toute son ampleur et sa complexité, à l'échelle des peuples et du monde. On se retourne et l'on s'interroge, à l'instar d'Angélique aux rives encore sauvages de Gouldsboro, en Nouvelle-France.

Jetant un regard sur les étapes de sa vie, qu'y voit-elle ? Un sens nouveau, dont elle perçoit les appels exigeants. Pourquoi deux êtres qui s'aimaient follement furent-ils séparés si brutalement ? Le bonheur a-t-il toujours besoin de justifications ? Et le malheur ?

Angélique, dans sa nouvelle vie, trouvera-t-elle des réponses à ces questions, sous-jacentes tout au long de ses aventures ? Elles apparaissent dès ce premier tome, *Marquise des Anges*, où déjà s'inscrivent les thèmes d'une vie passionnément liée à la « mouvance de l'événement » et au « phénomène de l'âme », comme se désignaient alors la science psychologique et la philosophie.

À quelles forces Angélique, et tous les personnages qui l'entourent, devront-ils encore se mesurer ?

ANNE GOLON
Mars 2009

Première partie

Monteloup

Chapitre premier

1646

— Nourrice, demanda Angélique, pourquoi Gilles de Retz tuait-il tant de petits enfants ?

— Pour le démon, ma fille. Gilles de Retz, l'ogre de Machecoul, voulait être le seigneur le plus puissant de son temps. Dans son château ce n'étaient que cornues, fioles, marmites pleines de bouillons rouges et de vapeurs affreuses. Le diable demandait le cœur d'un petit enfant offert en sacrifice. Ainsi commencèrent les crimes. Et les mères atterrées se montraient du doigt le donjon noir de Machecoul, environné de corbeaux tant il y avait de cadavres d'innocents dans les oubliettes.

— Les mangeait-il tous ? interrogea Madelon, la petite sœur d'Angélique, d'une voix tremblante.

— Pas tous, il n'aurait pu, répondit la nourrice.

Penchée sur le chaudron où le lard et le chou mijotaient, elle tournait la soupe quelques instants en silence. Hortense, Angélique et Madelon, les trois filles du baron de Sancé de Monteloup, la cuillère dressée près de leurs écuelles, attendaient la suite du récit avec angoisse.

— Il faisait pis, reprit enfin la conteuse, d'une voix pleine de rancune. Tout d'abord il faisait amener devant lui le pauvret – ou la pauvrette – effrayé, appelant sa mère à grands cris. Le seigneur allongé sur un lit se repaissait de son effroi. Ensuite il obligeait d'accrocher l'enfant au mur à une sorte de potence qui le serrait à la poitrine et au cou et qui l'étouffait, pas assez cependant pour qu'il mourût. L'enfant se débattait comme un poulet pendu, ses cris s'étranglaient, les yeux lui sortaient de la tête, il devenait bleu. Et dans la grande salle on n'entendait que les rires des hommes cruels et les gémissements de la petite victime. Alors Gilles de Retz le faisait décrocher ; il le prenait sur ses genoux, appuyait le pauvre front d'angelot contre sa poitrine. Il parlait doucement, le rassurait. Tout cela n'était pas grave, disait-il. On avait voulu s'amuser, mais maintenant c'était fini. L'enfant aurait des dragées, un beau lit de plume, un costume de soie comme un petit page. L'enfant se rassurait. Une lueur de joie brillait dans son regard plein de larmes. Alors subitement le seigneur lui plongeait sa dague dans le cou. Mais le plus affreux se passait lorsqu'il enlevait de très jeunes filles.

— Que leur faisait-il ? demanda Hortense.

C'est alors que le vieux Guillaume, assis au coin de l'âtre, en train de râper une carotte de tabac, intervint, grommelant dans sa barbe jaunâtre :

— Taisez-vous donc, vieille folle ! Moi qui suis un homme de guerre, vous arrivez à me retourner le cœur avec vos sornettes.

La lourde Fantine Lozier lui fit face avec vivacité.

— Sornettes !… On voit bien que vous n'êtes pas poitevin, tant s'en faut, Guillaume Lützen. Pour peu que vous remontiez vers Nantes, vous ne tarderez pas à rencontrer le château maudit de Machecoul. Cela fait deux siècles que les crimes ont été commis et les gens se signent encore en passant aux alentours. Mais vous n'êtes pas du pays, vous ne connaissez rien aux aïeux de cette terre.

— Beaux aïeux s'ils sont tous comme votre Gilles de Retz !

— Gilles de Retz était si grand dans le mal qu'aucun pays, hors le Poitou, ne peut se vanter d'avoir possédé un tel criminel ! Et lorsqu'il mourut, jugé et condamné à Nantes mais battant sa coulpe et demandant pardon à Dieu, toutes les mères dont il avait mangé et torturé les enfants prirent le deuil.

— Voilà qui est fort ! s'exclama le vieux Guillaume.

— Et voilà comme nous sommes, nous, gens du Poitou. Grands dans le mal, grands dans le pardon !

Farouche, la nourrice rangea des pots sur la table et embrassa le petit Denis avec fougue.

— Certes, poursuivit-elle, j'ai peu fréquenté l'école, mais je sais distinguer ce qui est conte de veillée et récit des temps passés. Gilles de Retz fut un homme qui exista vraiment. Il se peut que son âme erre encore du côté de Machecoul, mais son corps a pourri dans cette terre. C'est pourquoi on ne peut en parler à la légère comme des fées et des lutins qui se promènent autour des grandes pierres dressées dans les champs. Encore qu'il ne faille pas trop se moquer de ces esprits malins…

— Et des fantômes, Nounou, peut-on s'en moquer ? demanda Angélique.

— Il vaut mieux pas, ma mignonne. Les fantômes ne sont pas méchants, mais la plupart sont tristes et susceptibles, et pourquoi ajouter par des moqueries aux tourments de ces pauvres gens ?

— Pourquoi pleure-t-elle, la vieille dame qui apparaît au château ?

— Le saura-t-on jamais ? La dernière fois que je l'ai rencontrée, il y a six ans, entre l'ancienne salle des gardes et le grand couloir, je crois qu'elle ne pleurait plus, peut-être à cause des prières que monsieur votre grand-père avait fait dire pour elle dans la chapelle.

— Moi, j'ai entendu son pas dans l'escalier de la tour, affirma Babette, la servante.

— C'était un rat sans doute. La vieille femme de Monteloup est discrète et ne veut point déranger. Peut-être fut-elle aveugle. On le pense à cause de cette main qu'elle tend en avant. Ou bien elle cherche quelque chose. Parfois elle s'approche des enfants endormis et passe la main sur leur visage.

La voix de Fantine baissait, devenait lugubre.

— Peut-être cherche-t-elle un enfant mort.

— Bonne femme, votre esprit est plus macabre que la vue d'un charnier, protesta encore le père Guillaume. Possible que votre seigneur de Retz soit un grand homme dont vous vous honorez d'être payse… à deux siècles de distance et que la dame de Monteloup soit fort honorable, mais moi je dis que ce n'est pas bon d'affoler ces mignonnes qui en oublient de remplir leurs petits ventres tant vous les effrayez.

— Ah ! cela vous va de faire le sensible, soldat grossier, grivois du diable ! Combien de petits ventres de mignonnes semblables n'avez-vous pas transpercés avec votre pique lorsque vous serviez l'empereur d'Autriche sur les champs d'Allemagne, d'Alsace et de Picardie ? Combien de chaumières n'avez-vous pas fait griller en fermant la porte sur toute la famille à rôtir ? N'avez-vous donc jamais pendu de manants ? Tant et tant que les branches des arbres en cassaient. Et les femmes et les filles, ne les avez-vous pas violées jusqu'à les faire mourir de honte ?

— Comme tout le monde, comme tout le monde, ma bonne. C'est la vie du soldat. C'est la guerre. Mais ces petites filles que nous voyons là, leur vie est faite de jeux et d'histoires riantes.

— Jusqu'au jour où les soldats et les brigands passeront comme nuées de sauterelles sur le pays. Alors la vie des petites filles devient la vie du soldat, de la guerre, de la misère et de la peur…

Amère, la nourrice ouvrait un grand pot de grès plein de pâté de lièvre et beurrait des tartines qu'elle distribuait à la ronde sans oublier le vieux Guillaume.

— Moi, qui vous parle… moi, Fantine Lozier, écoutez, mes enfants.

Hortense, Angélique et Madelon, qui avaient profité de la discussion pour sécher leurs écuelles, levèrent le nez de nouveau, et Gontran, leur frère de dix ans, quitta le coin noir où il boudait et se rapprocha. C'était maintenant l'heure de la guerre et des pillages, des soudards et des brigands, les uns et les autres confondus dans le même éclat rouge d'incendie, de bruits d'épées et de cris de femmes…

— Guillaume Lützen, vous connaissez mon fils qui est charretier de notre maître le baron de Sancé de Monteloup dans ce château ici même ?

— Je le connais, c'est un fort beau garçon.

— Eh bien ! tout ce que je puis vous dire de son père, c'est qu'il faisait partie des armées de M. le cardinal de Richelieu lorsque celui-ci se rendit à La Rochelle pour exterminer les protestants. Moi, je n'étais pas huguenote et j'avais toujours prié la Vierge pour demeurer sage jusqu'au mariage. Mais, lorsque les troupes de notre roi très-chrétien Louis XIII furent passées sur le pays, le moins qu'on puisse dire c'est que je n'étais plus pucelle. Et j'ai appelé mon fils Jean-la-Cuirasse en souvenir de tous ces diables dont l'un d'eux est le père et dont les cuirasses pleines de clous m'ont déchiré la seule chemise que je possédais en ce temps-là. Quant aux brigands et aux bandits que la faim a jetés sur les routes tant de fois, je pourrais vous tenir éveillés toute une nuit à vous conter ce qu'ils m'ont fait dans la paille des granges tandis qu'ils rôtissaient les pieds de mon homme sur l'âtre afin de lui faire avouer où était son magot. Et moi, à l'odeur, je croyais qu'ils étaient en train de faire griller le cochon.

Là-dessus la grande Fantine se mit à rire, puis se versa de la piquette de pommes pour rafraîchir sa langue desséchée d'avoir tant parlé.

Ainsi la vie d'Angélique de Sancé de Monteloup commença sous le signe de l'Ogre, des fantômes et des brigands.

Pour tous, Fantine Lozier était parée d'un nom rassurant : Nourrice. On pouvait se demander où étaient les enfants de Fantine Lozier tandis qu'elle assistait, auprès des nombreux enfants de Sancé, la baronne leur mère qui ne pouvait les nourrir... Sans doute peuplaient-ils aussi la grande cuisine toute bruissante de récits et odoriférante de savoureuses soupes et ragoûts dans de vastes chaudrons.

Et de même, où était-il cet homme, « son » homme, qui tant de fois avait eu les pieds rôtis par les brigands ? Peut-être lui aussi se trouvait-il dans les communs du château où quelques palefreniers et valets peu nombreux veillaient aux chevaux et aux corvées d'eau, de bois et d'étable de la gentilhommière.

La nourrice avait dans les veines un peu de ce sang maure que les conquérants arabes, les Sarrasins, ont porté, vers le VIIIe siècle, jusqu'au seuil du Poitou.

Angélique avait sucé ce lait de passion et de rêves où se concentrait l'esprit ancien de sa province, terre de marais et de forêts ouverte comme un golfe aux vents tièdes de l'océan. Elle avait assimilé pêle-mêle un monde de drames et de féerie. Elle en avait pris le goût et une sorte d'immunité contre la peur. Avec pitié, elle regardait la petite Madelon qui tremblait ou son aînée Hortense, fort pincée et qui, cependant, brûlait d'envie de demander à la nourrice ce que les brigands lui avaient fait dans la paille des granges.

Angélique, à sept ans, devinait fort bien ce qui s'était passé dans la grange. Combien de fois n'avait-elle pas conduit la vache au taureau ou la chèvre au bouc ? Et son ami le jeune berger Nicolas lui avait expliqué que, pour avoir des petits, les hommes et les femmes font de même. Ainsi la nourrice avait eu Jean-la-Cuirasse. Mais ce qui troublait Angélique c'était que, pour parler de ces choses, la nourrice prît tour à tour un ton de langueur et d'extase ou de la plus sincère horreur. Cependant il ne fallait pas chercher à comprendre la nourrice, ses silences, ses colères. Il suffisait qu'elle fût là, vaste et mouvante avec ses bras puissants, la corbeille de ses genoux ouverte sous sa robe de futaine, et qu'elle vous accueillît comme un oiselet pour vous chanter une berceuse ou vous parler de Gilles de Retz.

Plus simple était le vieux Guillaume Lützen qui parlait d'une voix lente à l'accent rocailleux. On le disait suisse ou allemand. Voici quelques années on l'avait vu venir boitant et marchant pieds nus sur la voie romaine. Il était entré au château de Monteloup et avait demandé une écuelle de lait. Il était resté, depuis, domestique à tout faire, réparant, bricolant, et le baron de Sancé lui faisait porter des lettres aux amis voisins, le faisait recevoir le sergent des aides quand celui-ci venait réclamer les impôts. Le vieux Guillaume écoutait longuement le sergent, puis lui répondait dans son patois de montagnard suisse ou de paysan hessois, et l'autre s'en allait, découragé.

Lui aussi avait ses récits pour éblouir les enfants. C'était plutôt le retour de l'été qui excitait sa verve, car c'est à la bonne saison que les soldats font la guerre. Car c'est alors que les grands généraux quittent la cour des rois où ils ont dansé et mené la belle vie et rejoignent leurs armées qui émergent de leurs quartiers d'hiver. On ne savait jamais vers quel ennemi on allait marcher et se battre.

Lützen désignait l'Est, la direction du soleil levant. Il parlait d'une entité inconnue : les Impériaux. Et puis, au-delà il y avait un empereur, comme du temps des Romains, puis au-delà encore il y avait les Turcs.

D'ailleurs, il avait connu une guerre qui se faisait hiver comme été, et cette guerre-là durait toujours. Les territoires étaient tellement ravagés qu'il y avait désormais moins d'êtres humains que de loups sur les lieux. Il avait tellement marché jusqu'à ce qu'il puisse rencontrer un pays où il n'y avait pas de guerre.

Était-il venu des champs de bataille du Nord ou de l'Est ? Et par quel hasard ce mercenaire étranger semblait-il descendre de Bretagne lorsqu'on l'avait rencontré ? Tout ce qu'on connaissait de lui c'est qu'il avait été à Lützen sous les ordres du condottiere Wallenstein et qu'il avait eu l'honneur de percer la panse du gros et magnifique roi de Suède Gustave-Adolphe lorsque celui-ci, égaré dans le brouillard, au cours de la bataille, était tombé sur les piquiers autrichiens.

Dans le grenier où il habitait, on voyait luire au soleil, entre les toiles d'araignées, sa vieille armure et son casque, dans lequel il buvait encore son vin chaud et mangeait parfois sa soupe. Sa pique immense, trois fois haute comme lui, servait à gauler les noix à la saison. Mais pardessus tout Angélique lui enviait sa petite râpe à tabac, d'écaille et de marqueterie, qu'il appelait sa « grivoise » selon la coutume des militaires allemands au service de la France qu'on nommait eux-mêmes « grivois ».

Dans la vaste cuisine du château, tout au long de la soirée, des portes s'ouvraient et se fermaient. Portes sur la nuit d'où venaient, dans une forte odeur de fumier, des valets, des servantes, et le charretier, Jean-la-Cuirasse, aussi muet que sa mère était bavarde. Les chiens aussi se faufilaient, les deux longs lévriers Mars et Marjolaine, les bassets crottés jusqu'aux yeux.

De l'intérieur du château, les portes livraient passage à l'accorte Nanette qui s'exerçait au métier de chambrière en espérant qu'elle apprendrait assez de bonnes manières pour quitter ses maîtres pauvres et aller servir chez M. le marquis du Plessis-Bellière, à quelques lieues de Monteloup. Allaient et venaient également les deux chambrillons, la tignasse dans les yeux, portant le bois pour la grande salle et l'eau pour les chambres. Puis Mme la baronne apparaissait. Elle avait un doux visage flétri par l'air des champs et par ses nombreuses maternités. Elle portait une robe de serge grise et un capulet de laine noire, car l'atmosphère de la grande salle où elle se tenait entre le grand-père et les vieilles tantes était plus humide que celle de la cuisine.

Elle demandait si la tisane de M. le baron était bientôt prête et si le bébé avait tété sans se faire prier. Elle caressait au passage la joue d'Angélique à demi endormie et dont les longs cheveux d'or bruni s'étalaient sur la table et brillaient à la lueur du feu.

— Voici l'heure d'aller au lit, fillettes. Pulchérie va vous conduire.

Et Pulchérie, l'une des vieilles tantes, se présentait, toujours docile. Elle avait voulu assumer le rôle de gouvernante près de ses nièces, n'ayant trouvé ni mari ni couvent pour la recevoir, faute de dot. Parce qu'elle se rendait utile, au lieu de geindre et de piquer de la tapisserie à longueur de journée, on la traitait avec un peu de mépris et moins d'attentions que l'autre tante, la grosse Jeanne.

Pulchérie rassemblait ses nièces. Les servantes coucheraient les plus jeunes, et Gontran, le garçon sans précepteur, irait quand il le voudrait rejoindre sa paillasse sous les combles.

À la suite de la maigre demoiselle, Hortense, Angélique et Madelon gagnaient la salle du château où le feu et trois chandelles dissipaient à peine des amas d'ombre, accumulés par les siècles sous les hautes voûtes moyenâgeuses. Étendues sur les murs, quelques tapisseries essayaient de les protéger de l'humidité, mais elles étaient si vieilles et si mangées des vers qu'on ne distinguait rien des scènes qu'elles représentaient, à part les yeux hagards de livides personnages qui vous surveillaient avec reproche.

Les petites filles faisaient leur révérence à M. leur grand-père. Il était assis devant le feu, dans sa houppelande noire garnie de fourrure pelée. Mais ses mains si blanches, posées sur le pommeau de sa canne, étaient royales. Il portait un vaste feutre noir, et sa barbe coupée carrée, comme celle de feu notre roi Henri IV, reposait sur une petite collerette godronnée qu'Hortense jugeait, en cachette, absolument démodée.

Une seconde révérence à la tante Jeanne, dont la lèvre boudeuse ne daignait pas sourire, et c'était le grand escalier de pierre humide comme une grotte. Les chambres étaient glaciales l'hiver, mais fraîches l'été. On n'y pénétrait que pour se mettre au lit. Celui où dormaient les trois fillettes régnait comme un monument dans le coin d'une pièce dévastée, dont tous les meubles avaient été vendus au cours des dernières générations. Le dallage, couvert de paille l'hiver, était cassé en maints endroits. On montait jusqu'au lit par un escabeau de trois marches. Ayant revêtu leur camisole et leur bonnet de nuit, et après avoir à genoux remercié Dieu de Ses bienfaits, les trois demoiselles de Sancé de Monteloup grimpaient jusqu'à leur couche de bonne plume et se glissaient sous leurs couvertures percées. Angélique cherchait aussitôt le trou du drap correspondant à celui de la couverture par lequel elle passerait son pied rose et remuerait les orteils pour faire rire Madelon.

La petite était plus tremblante qu'un lapin à cause des histoires que racontait Nounou. Hortense aussi, mais elle n'en disait rien, car c'était l'aînée. Seule Angélique goûtait cette crainte avec une joie exaltée. La vie était faite de mystères et de découvertes. On entendait les souris grignoter dans les boiseries, les chouettes et les roussettes voleter dans les combles des deux tours en poussant des cris pointus. On entendait les lévriers se plaindre dans les cours, un mulet de la prairie venir frotter sa teigne au pied des murailles.

Et parfois, les nuits de neige, on entendait les hurlements des loups descendant de la sauvage forêt de Monteloup vers les lieux habités. Ou encore, à partir des premiers soirs du printemps, parvenaient jusqu'au château les chants des paysans du village qui dansaient quelque rigodon au clair de lune…

Chapitre deuxième

PULCHÉRIE PLEURAIT PARFOIS lorsqu'elle songeait à Angélique. Elle voyait en elle l'échec non seulement de ce qu'elle pensait être une éducation traditionnelle mais aussi de sa race et de sa noblesse perdant toute dignité pour cause de pauvreté.

Dès l'aube, la petite s'enfuyait, cheveux au vent, à peine plus vêtue qu'une paysanne d'une chemise, d'un corselet et d'une jupe déteinte, et ses petits pieds aussi fins que ceux d'une princesse étaient durs comme de la corne car elle expédiait sans façon ses chaussures dans le premier buisson venu, afin de trotter plus légèrement. Si on la rappelait, elle tournait à peine son visage rond et doré par le soleil où brillaient deux yeux d'un bleu-vert, de la couleur de cette plante qui pousse dans les marais et qui porte son nom.

— Il faudrait la mettre au couvent, gémissait Pulchérie.

Mais le baron de Sancé, taciturne et rongé de soucis, haussait les épaules. Comment aurait-il pu mettre sa seconde fille au couvent alors que déjà il ne pouvait y envoyer l'aînée, qu'il avait à peine quatre mille livres de revenus annuels et qu'il lui fallait donner cinq cents livres pour l'éducation de ses deux fils aînés chez les Augustins de Poitiers ?

❦

Du côté des marais, Angélique avait pour ami Valentin, le fils du meunier.

Du côté des forêts, c'était Nicolas, l'un des sept enfants d'un laboureur et qui déjà était berger chez M. de Sancé.

Avec Valentin elle allait en barque, en « niôle » au long des chemins d'eau bordés de myosotis, de menthe et d'angélique.

Valentin cueillait à pleins rameaux cette plante haute et drue à l'odeur exquise. Il allait ensuite la vendre aux moines de l'abbaye de Nieul qui en faisaient, avec la racine et les fleurs, une liqueur de médecine, et avec les tiges de la confiserie.

Il recevait en échange des scapulaires et des chapelets dont il se servait pour les lancer à la tête des enfants des villages protestants qui s'enfuyaient alors en hurlant comme si le diable lui-même leur eût craché au visage. Son père le meunier déplorait ces étranges manières. Bien qu'il fût catholique, il affichait la tolérance. Et qu'avait donc besoin son fils d'entretenir un commerce de bottées d'angélique alors qu'il recevrait en héritage la charge de meunier, et qu'il n'aurait qu'à s'installer dans le confortable moulin, bâti sur pilotis au bord de l'eau ? Mais Valentin était un garçon difficile à comprendre. Déjà taillé en hercule pour ses douze ans, plus muet qu'une carpe, il avait un regard vague et les gens qui étaient jaloux du meunier le disaient presque idiot.

Nicolas, le berger bavard et hâbleur, entraînait Angélique à la cueillette des champignons, des mûres et des myrtilles.

Avec lui elle allait ramasser les châtaignes. Il lui creusait dans le bois de noisetier des pipeaux.

Ces deux garçons étaient jaloux à s'entretuer des faveurs d'Angélique. Elle était si jolie déjà que les paysans la regardaient comme la vivante incarnation des fées qui habitaient le gros dolmen du Champ Sorcier.

Elle avait des idées de grandeur.

— Je suis marquise, déclarait-elle à qui voulait l'entendre.

— Ah oui ? Et pourquoi donc ?

— Parce que j'ai épousé un marquis, répondait-elle.

Le « marquis », c'était tour à tour Valentin ou Nicolas, ou l'un des quelques garnements, pas plus méchants que des oiseaux, qu'elle traînait derrière elle à travers prés et bois.

Elle disait encore si drôlement :

— Je suis Angélique, je mène en guerre mes petits anges.

D'où lui vint son surnom : la petite marquise des Anges.

Presque chaque année, le passage des colporteurs rompait l'intimité un peu endormie du bocage tout en lui apportant de quoi renouveler ses rêves et ses passions secrètes.

Il y en avait deux.

L'un, baptisé l'Auvergnat car les gens de cette corporation viennent souvent des montagnes, nanti d'une charrette couverte à âne ou à mulet, bien garnie d'une grande variété de mercerie, de vaisselle, d'étoffes, réquisitionnait l'attention d'un village de maison en maison pour une bonne journée. C'était lui qui apportait les almanachs de l'année, de sorte qu'on était à peu près certain de voir apparaître sa carriole vers la mi-décembre. Il avait des clients qu'il connaissait, non par leurs noms, mais par leur emplacement ou les lieux de rendez-vous où pouvaient se traiter de bonnes affaires.

L'autre, un homme des montagnes lui aussi, peut-être savoyard, était moins assuré. Les jours passant, une certaine anxiété s'installait. Enfin on voyait une fille de la campagne galoper à travers les prés en criant : « Il a son coffre ! »

C'était un petit homme aux sourcils charbonneux, au teint basané. Il allait à pied.

Il était coiffé d'un turban aux soies déteintes, piqué d'une plume avachie par les intempéries, mais qui retrouvait chaque année du panache. Sa pèlerine lui descendait jusqu'aux chevilles. Il portait sur le dos un panier presque aussi haut que lui dans lequel il y avait de la bimbeloterie et quelques pièces d'étoffe et, en bandoulière, le soutenant de son bras gauche, le fameux coffre. En fait, il n'était jamais venu sans son coffre, mais l'on craignait toujours que, par une malchance qui vous endeuillerait l'âme pour une bonne année, il n'eût déjà vendu le contenu de ce coffre avant de parvenir à Monteloup.

De sa main droite le colporteur présentait ses petits livres bleus tirés de son coffre, faisant claquer les feuillets au vent comme d'une crécelle de lépreux. Mais, loin de faire fuir, il faisait accourir. Et c'était le bonheur ! Sous les toits des chaumières ou sous les voûtes des vastes cuisines des châteaux s'ouvrait un temps de découvertes qui rassemblait tous les esprits.

Hortense connaissait son heure de gloire. Assise à la grande table elle lisait à haute voix, Angélique et Nanette collées à elle de chaque côté, déchiffrant tout bas pour leur compte. Et quel succès si, dès l'ouverture du livret, après l'avoir feuilleté, elle pouvait annoncer qu'on y trouverait la suite d'un récit commencé précédemment : *Aucassin et Nicolette*, la geste de Roland le preux et de son épée Durandal, Charlemagne à la barbe fleurie, le roi Arthur, les chevaliers de la Table Ronde…

La couverture était faite de ce papier d'emballage bleu dont les épiciers protégeaient leurs pains de sucre blanc pour la vente. On pouvait supposer qu'un lot non utilisé de ce papier, oublié chez l'un d'eux, avait dû donner à ce libraire-imprimeur de Troyes l'idée de créer des brochures bon marché pour le public des campagnes aux enfants desquelles, bon an mal an, curés et maîtres d'école essayaient d'apprendre à lire. Enfants qui, en grandissant, n'avaient jamais la possibilité d'acheter des gazettes comme dans les villes ou bien des livres imprimés, reliés de cuir, œuvres de luxe bien trop chères, inaccessibles à des paysans attachés au labeur incessant de la terre et condamnés à la saignée ruineuse des divers impôts.

Apparemment, l'imprimeur avait laissé à ses commis le choix de décider de quelle nourriture intellectuelle on allait charger ces feuillets sous couverture de papier bleu que reliaient, par deux trous, deux brins de chanvre.

Puisé dans les entrepôts de la librairie où s'empoussiéraient des éditions anciennes à l'inspiration démodée, le choix des commis se révéla heureux. Le succès fut immédiat, complet et les colporteurs revenaient sans cesse se fournir, s'informant sur les nouveautés, mais aussi avec toute une liste de personnages préférés à remettre en scène. On y trouvait donc toutes les légendes premières, plus, dans un joyeux fracas de lames d'épées immenses entrecroisées, les exploits de héros auxquels on pouvait rêver, sans craindre d'être déçu par leur lâcheté ou de les voir démériter.

Ainsi, à la fois bercés et exaltés par les récits fabuleux, tous sentaient éclore en eux l'âme encore pure des provinces anciennes. Dans ce silence, ils ressentaient avec délices la protection des épaisses murailles alentour, la défense fidèle de l'antique demeure dressée dans les ténèbres comme une île noire et rocailleuse entre les deux entités premières de la création, les eaux des marais comblant le golfe marin d'où s'étaient retirés les flots saumâtres de l'océan, et le moutonnement obscur de l'immense forêt celtique qui recouvrait les promontoires du bout du monde.

L'une des murailles du château de Monteloup regardait du côté des marais. C'était la partie la plus ancienne, construite par un lointain seigneur de Ridoué de Sancé, compagnon de Godefroi de Bouillon au XIIe siècle. Elle était flanquée de deux grosses tours, aux chemins de ronde en tuiles de bois. Quand Angélique en faisait l'escalade avec Gontran, ils s'amusaient à cracher dans les mâchicoulis par lesquels les soldats du Moyen Âge avaient jeté des seaux d'huile bouillante sur leurs assaillants. Les murailles prenaient racine dans un petit promontoire de calcaire au-delà duquel commençaient les marais. Jadis, au temps des premiers hommes, la mer s'était avancée jusque-là. En se retirant elle avait laissé un réseau de rivières, de chenaux, d'étangs, maintenant encombrés de verdure et de saules, royaume de l'anguille et de la grenouille où les paysans ne circulaient qu'en barques. Les hameaux et les huttes étaient construits sur les îles de l'ancien golfe. Pour avoir parcouru cette province des eaux, M. le duc de La Trémoille, qui fut l'hôte un été du marquis du Plessis et qui se piquait d'exotisme, l'appela Venise verte.

La vaste prairie liquide, le marais doux, s'étendait de Niort et Fontenay-le-Comte jusqu'à l'océan. Elle rejoignait un peu avant Marans, Chaillé et même Luçon, les marais amers, c'est-à-dire les terres encore salées. Enfin c'était le rivage avec sa barrière blanche de sel précieux, disputé âprement par les douaniers et les contrebandiers.

Si la nourrice ne contait guère d'histoires de gabelous et de faux sauniers qui passionnaient tout le marais, c'est qu'elle était du côté de la terre et se montrait fort méprisante pour ces gens qui vivent les pieds dans l'eau et sont d'ailleurs tous protestants.

Du côté de la terre, le château de Monteloup ouvrait une façade plus récente, percée de nombreuses fenêtres. À peine si un vieux pont-levis aux chaînes rouillées garnies de poules et de dindons séparait l'entrée principale des prairies où paissaient les mulets. Sur la droite il y avait le pigeonnier seigneurial avec son toit de tuiles rondes et une métairie. Les autres métairies se trouvaient au-delà du fossé. Plus loin on apercevait le clocher du village de Monteloup.

Et puis la forêt commençait dans un moutonnement serré de chênes et de châtaigniers. Cette forêt pouvait vous mener sans un trou de clairière jusqu'au nord de la Gâtine et du Bocage vendéen ; presque jusqu'à la Loire et l'Anjou, pour peu que vous eussiez le goût de la traverser de part en part sans peur des loups ou des bandits.

Celle de Nieul, la plus proche, appartenait au seigneur du Plessis. Les gens de Monteloup y envoyaient leurs troupeaux de porcs et c'étaient des procès sans fin avec le régisseur du marquis, le sieur Molines, aux mains rapaces. Il s'y trouvait aussi quelques sabotiers et charbonniers, et une sorcière du nom de Mélusine.

Jamais Angélique n'oublierait ce jour où, pour la première fois, elle avait rencontré la sorcière Mélusine. Elle folâtrait avec ses petits compagnons en des expéditions guerrières où des chevaliers en veine d'exploits se fabriquaient des épées de joncs et de roseaux. Il y avait longtemps de cela. Elle ne devait pas avoir plus de cinq ou six ans, mais elle était déjà assez agile pour escalader les arbres de branche en branche. L'un d'eux avait crié : « Un nid là-haut !... » Comme elle tendait la main vers le nid une voix avait ordonné :

— Arrêtez ! Arrêtez, méchants enfants ! Il est interdit de détruire la nature !...

L'injonction était lancée dans le patois du pays, mais Angélique avait cru d'abord à une apparition de l'Au-delà – peut-être la Dame Blanche – en apercevant cette femme entourée de lumière qui se tenait au pied de l'arbre. Ceux qui grimpaient avec elle et les autres en bas, tous avaient détalé en criant : « La sorcière !... LA SORCIÈRE !... »

Angélique descendant à son tour était restée seule avec l'apparition. Elle se souvenait. Celle-ci lui souriait. Elle lui avait pris les deux mains et avait passé son long doigt blanc sur les paumes de la petite fille comme pour y dessiner un signe ou y lire quelque chose. Puis elle avait dit en français : « Pourquoi fais-tu cela ? Regarde les pauvres parents là-haut comme ils sont affolés. » Et elle lui avait montré les deux oiseaux, le père et la mère, qui battaient des ailes autour de l'arbre en poussant des cris désespérés et auxquels elle n'avait pas pris garde.

De ce jour elle avait aimé suivre Mélusine car elle comprenait ce que celle-ci lui apprenait. Par ce nom, la sorcière de la forêt impressionnait et il est vrai qu'elle avait quelque chose d'étrange. Quand on l'apercevait de loin, traversant les clairières, on aurait dit qu'elle glissait sur la mousse sans toucher terre. L'hiver parfois, elle venait au seuil des portes demander une écuelle de lait en échange de quelques plantes médicinales.

À son exemple, Angélique cueillait des fleurs et des racines, les faisait sécher, bouillir, les écrasait, les enfermait en sachets dans le secret d'une retraite que seul connaissait le vieux Guillaume. Pulchérie pouvait l'appeler des heures sans qu'elle reparût.

Très soigneusement, tout ce qui concernait ses rapports avec Mélusine, leurs rencontres, leurs découvertes, Angélique le recueillait dans un coin d'elle-même – de sa pensée, de son cœur – où il n'y avait personne d'autre qu'elles deux.

Mélusine, la sorcière.

Son domaine, c'était la forêt domaniale.

Avec sa bande, Angélique, toute marquise des Anges qu'elle se désignait, n'avait jamais vraiment dépassé la limite de ce qu'on appelait les communaux, ce très vaste territoire où les gens des villages avaient autorisation ou non de venir ramasser le bois tombé pour les foyers et de mener pâturer les porcs. On n'allait pas plus loin. Sauf elle, Angélique, avec Mélusine. Car au-delà c'était la forêt inconnue, avec ses rochers moussus, ses eaux glauques et cachées sous la voûte de plantes aquatiques aux longues tiges, exactement la forêt où se déroulaient les récits épiques des almanachs et des petits livres bleus.

Rien ne garantissait qu'on n'y rencontrerait pas des chevaliers bardés de fer, ou en tout cas quelque dragon oublié du temps de Merlin, crachant des flammes ou non. Jusqu'alors la province ne pouvait se vanter de posséder dans son calendrier de saints patrons protecteurs d'héroïques vierges en robe blanche pour venir enchaîner le dragon et le mener en dehors du pays, au moins jusqu'au bord du gouffre où il aurait la bonne grâce de se précipiter.

Or, dans ces profondeurs interdites, seule Mélusine errait.

Elle y avait entraîné Angélique. Et spontanément l'enfant avait compris que de ses promenades avec Mélusine elle ne parlerait jamais à quiconque.

Le vieux Lützen ne connaissait que sa cachette dans les soubassements du château où elle rangeait et faisait sécher ses plantes à l'instar de son amie. Elle sentait que le secret était nécessaire. Les gens du pays avaient très peur de la vieille femme. Même Nicolas, le vantard, s'enfuyait en l'apercevant, en criant : « La sorcière ! La sorcière ! » Comme tous les autres. Ce qui ne les empêchait pas, lorsqu'ils étaient malades, de se glisser comme en se cachant aux abords de la falaise où elle logeait, ou d'envoyer un gamin, pour obtenir quelques médecines. Ils disaient aussi qu'elle était différente des autres sorcières et qu'on ne savait pas d'où elle était venue.

Ses cheveux blancs étaient retenus par un bandeau, qu'elle garnissait parfois de fleurs, ce qu'Angélique trouvait très joli ! Elle chantonnait souvent. Et se promenait sans bruit parmi les herbes et les arbres, tenant à la main son petit panier de racines de chèvrefeuille tressées dans lequel elle mettait quelques fruits cueillis, quelques feuilles, quelques pétales. Peu à peu elle avait convié la fillette à des récoltes plus graves, mais qu'il fallait entourer de mystères et d'étranges prières récitées.

C'est pourquoi, de ce qu'elle vivait avec Mélusine Angélique ne racontait rien. C'était comme une autre vie où elle était seule avec la sorcière, les plantes et les bêtes des bois, et qu'elle rangeait précieusement en elle-même comme dans « le coffre aux merveilles », comme dans la chambre interdite du manoir enchanté et qui n'appartenait qu'à elle.

Un jour elle serait aussi savante que Mélusine, pensait-elle, et elle guérirait tout le monde.

C'était donc une tradition dans le pays que les sorcières des campagnes se nommassent Mélusine. Demande de protection de la part des sorcières ou contre elles, il était normal de s'adresser à la grande figure célèbre, presque divinisée, de la fée Mélusine dont les bienfaits se répandaient depuis toujours sur les provinces de l'Ouest. Son histoire tragique inspirait de la mélancolie à la nourrice qui ne la racontait pas volontiers.

La fée Mélusine avait été fille d'un certain Élénas, roi d'Albanie. Devenue par son mariage avec le prince Raymond de Forez celle qu'on nomma aussitôt la Mère des Lusignan, elle devint peu à peu Merlusique, puis Mélusine. Après des années de bonheur était venu le drame. Drame d'autant plus désastreux qu'il eût pu être évité.

La nourrice disait que si le mari de la fée Mélusine avait causé le malheur de sa famille, son propre malheur ainsi que celui, éternel, de sa femme, la plus belle de toutes qu'il adorait, ce n'était pas parce qu'il avait cessé de l'aimer, ou bien parce qu'il s'était mis à en aimer une autre, ou que ce fut elle qui lui cachât un sentiment pour un autre, ou bien même comme on y croyait communément, parce qu'il avait cédé à un sentiment dévorant de curiosité, mais parce que ce bel homme amoureux était un étourdi !

Et, ce disant, Fantine Lozier coulait un regard de son œil noir du côté d'Angélique. Étourdi ! Tous les malheurs peuvent être en réserve dans ce vocable et se répandre sur la terre comme de la boîte de Pandore !

Rentrant un soir au logis, dans un de ses merveilleux châteaux qu'il tenait de sa merveilleuse femme, avec quelques amis rencontrés en chemin et qu'il voulait honorer de son hospitalité fastueuse, il avait oublié la recommandation qu'elle lui avait faite de ne jamais, le samedi, essayer de pénétrer dans ses appartements… Et il était entré… avec ses compagnons de beuverie… et ils avaient découvert l'horrible spectacle : la femme magnifique qui s'ébattait dans l'eau d'un grand bassin avait une queue de poisson.

Se voyant découverte, la femme-monstre avait poussé un cri terrible – un cri d'agonie – et, dans un grand déploiement d'éclaboussures, s'était enfuie par la fenêtre, à travers la nuit et l'espace où elle était désormais condamnée à errer à jamais. Car, en plus de la révélation de ce qui devait demeurer caché, la découverte la condamnait à ne pouvoir mourir de mort naturelle, c'est-à-dire à vivre éternellement. Ce qui, quoi qu'on en pense, est bien ce qui peut arriver de plus terrible à un être vivant !

Et, bien qu'à la réflexion, disait la nourrice, un tel manque de mémoire de la part d'un prince de renom tel que ce Raymond de Forez, premier seigneur de Lusignan et du Poitou, puisse apparaître exagéré et suspect, il n'en restait pas moins que, s'il n'avait pas vraiment oublié la promesse solennelle qu'il avait faite à sa femme, il ne l'avait pas prise au sérieux, et avait décidé de passer outre ce soir-là pour ébaudir ses visiteurs, il était étourdi septante fois sept fois.

« Car rien n'est plus nuisible au bonheur d'un ménage que de prendre à la légère les recommandations d'une femme qu'on aime et à laquelle on tient », concluait la nourrice.

Elle ajoutait que, malgré ses malheurs, la fée Mélusine avait continué à veiller sur sa province de prédilection. On lui devait les châteaux de Parthenay, de Morvant, de Marmande et d'Issoudun, ainsi que la bonne santé de familles de très haut lignage telles que les Lusignan, évidemment, et d'autres descendants dont le nom se transmettait dans le secret des terroirs.

Mme de Sancé, traversant les cuisines pour se rendre au potager, avait cru bon de rectifier quelques détails à propos de la fée Mélusine. Certes les Lusignan représentaient une famille considérable, mais on ne pouvait pas dire qu'ils descendaient d'une fée qui de plus se transformait en femme-poisson.

— Madame, ils ont été rois de Chypre et de Jérusalem, avait exposé la nourrice qui était imbattable sur le sujet des Lusignan.

— Certes, mais…

— Et après son mariage avec Raimondin elle est devenue la tige, l'ancêtre des maisons de Lusignan, de Luxembourg et de Bohême. Ceci a été affirmé dans beaucoup de livres, madame, et depuis des siècles. On le trouve même certifié dans la bibliothèque bleue de Troyes.

— Ce n'est pas une référence, émit Mme de Sancé. Et puis de toute façon, Fantine, une famille, même de très haut lignage, ne peut pas avoir pour ancêtre une fée…

— Que madame la baronne veuille bien me pardonner, proférait la nourrice en se redressant avec beaucoup de dignité, mais si madame la baronne renie la filiation d'une famille à laquelle je crois que la famille de monsieur le baron est aussi apparentée, c'est que madame la baronne ne se considère pas comme de la province du Poitou… Et puis, regardez donc celle-là, glissait-elle à mi-voix avec un coup d'œil furtif vers Angélique, qui peut dire qu'elle n'a pas pour aïeule une fée ? Même au village on commence à l'appeler ainsi : la petite fée… Et cela se répète que ses mains possèdent un charme pour calmer la douleur. Qui souffre de la tête, ou les bébés de leurs percées de dents, l'appelle, elle pose sa petite main sur leur front, leurs joues et ils sont soulagés… Que madame la baronne s'informe…

Mme de Sancé ainsi sollicitée jetait un regard sur sa nichée dont les yeux candides lui demandaient, sans le savoir, de ne pas douter des certitudes de la nourrice et elle ne pouvait s'empêcher de sourire, attendrie, les trouvant tous beaux et charmants. Avec un petit soupir elle reprenait son panier et son grand chapeau de jardin, car c'était elle qui présidait aux destinées du potager et du verger, ce qui l'absorbait beaucoup mais lui permettait, malgré la pauvreté, de fournir à sa nombreuse maisonnée une nourriture saine et variée, ce qui était l'essentiel.

❦

Cette année-là, au début de l'été, la nourrice Fantine commença d'attendre les brigands et les armées. Le pays pourtant paraissait paisible, mais la nourrice, qui devinait tant de choses, « sentait » les brigands dans la chaleur de ce lourd été. On la voyait le visage tourné vers le nord, du côté de la route, comme si le vent poussiéreux eût apporté leur odeur. Il lui suffisait de très peu d'indices pour savoir ce qui se passait au loin, non seulement dans le pays, mais encore dans la province et jusqu'à Paris.

Et comme elle, Angélique les attendait.

Chapitre troisième

CE SOIR-LÀ, ANGÉLIQUE avait décidé d'aller pêcher l'écrevisse avec le berger Nicolas. Sans prévenir, elle avait galopé vers la chaumière des Merlot, les parents de Nicolas. Le hameau de trois ou quatre masures qu'ils habitaient était situé en lisière de la grande forêt de Nieul. Les terres qu'ils cultivaient appartenaient cependant au baron de Sancé.

En reconnaissant la fille du maître, la paysanne souleva le couvercle du chaudron sur le feu et jeta dans la soupe un morceau de lard pour en corser le goût. Angélique posa sur la table une volaille prélevée tout à l'heure dans la basse-cour du château. Ce n'était pas la première fois qu'elle s'invitait ainsi chez les paysans et elle ne manquait jamais d'apporter un petit présent, les châtelains étant presque les seuls à posséder dans le pays pigeonnier et poulailler, par droit seigneurial.

L'homme assis près de l'âtre mangeait du pain noir. Francine, l'aînée des enfants, vint embrasser Angélique. Elle avait deux ans de plus qu'elle, mais, depuis longtemps chargée de petits frères et sœurs et de travaux des champs, elle ne courait plus l'écrevisse et le champignon comme son vagabond de frère Nicolas. Elle était douce, polie, avec de belles joues roses et fraîches, et Mme de Sancé souhaitait la prendre pour chambrière en remplacement de Nanette qui la déconcertait par son insolence.

Lorsqu'on eut mangé, Nicolas entraîna Angélique.

— Viens par l'étable, nous allons prendre la lanterne.

Ils sortirent. La nuit était très noire car l'orage couvait encore. Angélique se souvint plus tard qu'elle avait tourné son visage en direction de la route romaine qui passait à une demi-lieue de là et qu'il lui avait semblé entendre une vague rumeur.

Dans le bois il faisait plus sombre encore.

— N'aie pas peur des loups, dit Nicolas. L'été, ils ne viennent pas jusqu'ici.

— Je n'ai pas peur.

Ils arrivèrent bientôt jusqu'au ruisseau et installèrent les paniers, garnis d'un morceau de lard, au fond de l'eau. Ils les relevaient de temps à autre, ruisselants et chargés en grappes d'écrevisses bleues que la lumière avait attirées. On les jetait dans une hotte apportée à cette intention. Angélique ne pensait pas le moins du monde que les gardes du château de Plessis auraient pu les surprendre et que cela aurait fait scandale de découvrir l'une des filles du baron de Sancé en train de braconner à la lanterne avec un jeune croquant.

Tout à coup, elle se redressa et Nicolas fit de même.

— Tu n'as rien entendu ?

— Si, on a crié.

Les deux enfants restèrent sans bouger un instant, puis retournèrent à leurs paniers. Mais ils étaient préoccupés et bientôt s'arrêtèrent encore.

— Cette fois, j'entends bien. On crie là-bas.

— C'est du côté du hameau.

Rapidement Nicolas ramassa les instruments de pêche et mit la hotte sur son dos. Angélique prit la lanterne. Ils revinrent, marchant sans bruit, par un petit sentier de mousse. Comme ils approchaient de la lisière du bois, ils s'immobilisèrent brusquement. Une lueur rose pénétrait sous les arbres et illuminait les troncs.

— Ce… ce n'est pas le jour, murmura Angélique.

— Non, c'est le feu !

— Mon Dieu, c'est peut-être chez toi que ça brûle ? Viens vite.

Mais il la retint.

— Attends, ça crie trop pour un incendie. Il y a autre chose.

Ils avancèrent à petits pas jusqu'aux premiers arbres. Au-delà, un long pré en pente descendait jusqu'à la première maison qui était celle des Merlot, et un peu plus loin se groupaient au bord du chemin les trois autres chaumières. C'était l'une d'elles qui flambait. Les flammes s'échappant du toit éclairaient une foule grouillante d'hommes qui criaient et couraient, pénétraient dans les chaumières, en ressortaient, chargés de jambons ou tirant les vaches et les ânes.

Leur troupe, venant de la voie romaine, coulait dans le chemin creux comme un fleuve épais et noir. Un flot hérissé de bâtons et de rapières passa sur la ferme Merlot, la submergea, continua en direction de Monteloup. Nicolas entendit crier sa mère. Il y eut un coup de feu. C'était le père Merlot qui avait eu le temps de décrocher son vieux mousquet et de le charger. Mais un peu après il fut traîné dans la cour comme un sac et assommé à coups de bâton.

Angélique vit une femme en chemise traverser la cour d'une maison et s'enfuir ; elle criait et sanglotait. Des hommes la poursuivaient. La femme essayait de gagner les bois. Angélique et Nicolas reculèrent et, se prenant la main, s'enfuirent en trébuchant dans les ronces, à l'abri du bois, puis, se ressaisissant, revinrent à la lisière, fascinés malgré eux par l'incendie et ce cri uniforme, fait de cris mêlés, qui montait dans la nuit. Ils virent que la femme avait été rejointe par ses poursuivants et qu'ils la traînaient à travers la prairie.

— C'est la Paulette, chuchota Nicolas.

Serrés l'un contre l'autre derrière le tronc d'un énorme chêne, ils regardaient haletants, les yeux agrandis, l'horrible spectacle.

— Ils ont pris notre âne et notre porc, dit-il encore.

L'aube vint, pâlissant les lueurs de l'incendie qui déjà s'apaisait. Les brigands n'avaient pas mis le feu aux autres masures. La plupart ne s'étaient pas arrêtés à ce petit hameau sans importance. Les hommes avaient continué vers Monteloup. Ceux qui s'étaient chargés du pillage des quatre maisons quittaient maintenant les lieux de leurs forfaits. On voyait leurs vêtements en guenilles, leurs joues hâves et sombres de barbe. Quelques-uns avaient de grands chapeaux à plumes et l'un d'eux portait même une sorte de casque qui eût pu le faire prendre pour un militaire. Mais beaucoup étaient vêtus d'oripeaux sans forme et sans couleur. Dans le brouillard du matin qu'apportaient les marais, on les entendit s'appeler les uns les autres. Ils n'étaient plus maintenant qu'une quinzaine. Un peu au-delà des Merlot, ils s'arrêtèrent pour se montrer leur butin. À leurs gestes et à leur discussion on voyait qu'ils le trouvaient maigre : quelques draps et mouchoirs pris dans les coffres, des pots, de gros pains, des fromages. Cependant l'un d'eux mordait dans un jambon qu'il tenait par le manche. Les bêtes volées étaient parties devant. Les derniers pillards rassemblèrent en deux ou trois ballots les pauvres objets récoltés et s'éloignèrent sans même jeter un regard derrière eux.

Angélique et Nicolas furent longs à quitter l'abri des arbres. Le soleil brillait déjà et faisait reluire la rosée de la prairie lorsqu'ils se hasardèrent à descendre vers le hameau maintenant étrangement silencieux.

Comme ils approchaient de la ferme des Merlot, un cri de bébé s'éleva.

— C'est mon p'tit frère, chuchota Nicolas. Au moins, lui, il n'est pas mort.

Craignant que quelque bandit ne se fût attardé, ils pénétrèrent sans bruit dans la cour. Ils se donnaient la main, s'arrêtant presque à chaque pas. Ils se heurtèrent d'abord au corps du père Merlot, le nez dans son fumier. Nicolas se pencha, essaya de soulever la tête de son père.

— Dis, p'pa, t'es mort ?

Il se redressa.

— Je crois qu'il est mort. Regarde comme il est blanc, lui qui est toujours si rouge.

Dans la masure, le bébé s'égosillait. Assis sur le lit bouleversé, il agitait ses petites mains avec détresse. Nicolas courut à lui et le prit dans ses bras.

— Merci, Sainte Vierge, il n'a rien, le petiot.

Angélique, les yeux dilatés d'horreur, regardait Francine.

La fillette était étendue sur le sol, blanche et les yeux clos. Elle avait sa robe relevée jusqu'au ventre et du sang coulait entre ses jambes.

— Nicolas, murmura Angélique d'une voix étouffée, qu'est-ce… qu'est-ce qu'ils lui ont fait ?

Nicolas regarda et une expression terrible vieillit son visage.

— Les maudits, les maudits !…

D'un geste brusque, il tendit le bébé à Angélique.

— Tiens-le.

Il s'agenouilla près de sa sœur, rabaissant pudiquement la jupe déchirée.

— Francine, c'est moi, Nicolas. Réponds, tu n'es pas morte ?

Dans l'étable voisine, il y eut des gémissements. La mère parut, geignante et courbée en deux.

— C'est toi, fils ? Ah ! mes pauvres enfants, mes pauvres enfants ! Quel malheur ! Ils ont pris l'âne et le porc et notre petite provision d'écus. J'avais pourtant bien dit à l'homme qu'il fallait l'enterrer.

— M'man, t'as mal ?

— Moi, c'est rien. Je suis une femme, j'en ai vu d'autres. Mais Francine, la pauvrette qui est si sensible, ils sont bien capables de l'en avoir fait mourir.

Elle berçait sa fille dans ses grands bras de paysanne et pleurait.

— Où sont les autres ? interrogea Nicolas.

Après de longues recherches, on finit par découvrir trois autres enfants, un garçon et deux filles, dans la huche où ils s'étaient blottis alors que les pillards, après avoir pris le pain, avaient commencé à violenter leur mère et leur sœur.

Cependant un voisin vint aux nouvelles. Les pauvres gens du hameau se rassemblaient pour faire le compte de leurs malheurs. On n'avait que deux morts à déplorer : le père Merlot et un vieillard qui avait voulu se servir aussi de son mousquet. Les autres paysans avaient été ligotés sur leurs chaises et bâtonnés sans excès. Aucun des enfants n'avait été égorgé et l'un des métayers avait réussi à ouvrir la porte de l'étable à ses vaches qui s'étaient enfuies et qu'on retrouverait sans doute. Mais que de bon linge et de vêtements pillés, de vaisselle d'étain pour garnir l'âtre, disparue, de fromages et de jambons, et même de cet argent si rare, si compté !

La Paulette continuait de pleurer et de crier.

— Six, qu'ils ont été à me passer sur le corps !

— Tais-toi, lui dit brutalement son père. Telle qu'on te connaît à toujours courir les gars dans les buissons, on se doute que ça t'a fait plaisir. Tandis que notre vache qui était pleine ! Je ne la retrouverai pas aussi facilement que tu ne retrouveras un galant.

— Faut s'en aller d'ici, dit la femme Merlot qui tenait toujours Francine évanouie dans ses bras, il peut y en avoir d'autres qui viennent derrière.

— Allons dans les bois avec les bêtes qui restent. On l'a fait autrefois quand les armées de Richelieu sont passées.

— Allons à Monteloup.

— À Monteloup ! Vous pensez bien qu'ils y sont.

— Allons au château, dit quelqu'un.

Chacun approuva aussitôt.

— Oui, allons au château.

L'instinct ancestral les rejetait vers la demeure seigneuriale, la protection du maître qui, au cours des siècles, avait étendu sur leurs travaux l'ombre de ses murailles et de ses donjons.

Angélique, qui portait le bébé, sentit son cœur se serrer d'un obscur remords.

« Notre pauvre château, pensa-t-elle. Il tombe en ruine. Comment pouvons-nous protéger ces malheureux maintenant ? Qui sait si les bandits ne sont pas allés jusque-là ? Et ce n'est pas le vieux Guillaume avec sa pique qui aura pu les empêcher d'entrer. »

— Oui, dit-elle tout haut, allons au château. Mais il ne faut pas venir par la route, ni même par les raccourcis des champs. Si jamais les bandits traînaient par là, on ne pourrait pas arriver jusqu'à l'entrée. La seule chose à faire, c'est de descendre jusqu'aux marais desséchés et d'aborder le château par le grand fossé. Il y a une petite porte dont on ne se sert jamais, mais je connais la façon de l'ouvrir.

Elle n'ajouta pas que cette petite porte à demi comblée par les gravats d'un souterrain lui avait servi à plus d'une évasion et que, dans l'une de ces oubliettes dont les actuels barons de Sancé connaissaient à peine l'existence, se trouvait la cachette où elle préparait des plantes et des philtres comme la sorcière Mélusine.

Les paysans l'avaient écoutée avec confiance. Certains s'avisaient seulement de sa présence, mais ils étaient si bien habitués à considérer Angélique comme une incarnation des fées que son apparition au sein de leur malheur les étonnait à peine. L'une des femmes la débarrassa du bébé qu'elle portait.

Après quoi, Angélique entraîna la petite troupe par un long détour à travers les marais, sous le soleil brûlant, le long du promontoire abrupt qui avait jadis dominé ce golfe du Poitou envahi d'eau marine. Le visage sali de poussière et de boue, elle encourageait les paysans.

Elle les fit pénétrer par l'ouverture étroite de la poterne désaffectée. La fraîcheur des souterrains les saisit et les soulagea, mais l'ombre fit pleurer les enfants.

— Tout doux. Tout doux, rassura la voix d'Angélique. Bientôt nous serons dans la cuisine et Nounou Fantine donnera la soupe.

L'évocation de Nounou Fantine encouragea tout le monde. Derrière la fille du baron de Sancé, les paysans, geignants et trébuchants, grimpèrent les escaliers à demi éboulés, traversèrent des salles comblées de débris où s'enfuyaient des rats. Angélique s'y dirigeait sans hésitation. C'était son domaine.

Quand ils atteignirent le grand vestibule, des bruits de voix les inquiétèrent un instant. Mais Angélique, pas plus que les paysans, n'osait envisager que le château eût pu être attaqué. En se rapprochant du côté des cuisines, l'odeur de la soupe et du vin chaud s'accentua. Il y avait certainement beaucoup de monde par là, mais ce n'étaient pas des bandits, car le ton des conversations était bas, mesuré et même triste.

D'autres paysans du village et des métairies voisines étaient venus déjà se mettre sous la protection des vieilles murailles croulantes.

Lorsque les nouveaux venus parurent, il y eut un cri d'effroi général car on les prit pour des brigands. Mais à la vue d'Angélique, la nourrice s'élança et la saisit dans ses bras.

— Ma gazoute ! Vivante ! Merci, Seigneur ! Sainte Radegonde ! Saint Hilaire ! Merci.

Pour la première fois, Angélique se raidit contre la fougueuse étreinte. Elle venait de mener « ses » gens à travers les marais. Des heures elle avait senti derrière elle ce troupeau pitoyable. Elle n'était plus une enfant ! Presque avec violence, elle se dégagea des embrassements de Fantine Lozier.

— Donne-leur à manger, dit-elle.

Plus tard, comme dans un rêve, elle vit sa mère dont les yeux étaient pleins de larmes et qui lui caressait la joue.

— Ma fille, quelles inquiétudes vous nous avez données !

Pulchérie, consumée comme un cierge, sa couperose enflammée par les pleurs, s'approcha aussi, et son père et son grand-père...

Angélique trouvait très amusant ce défilé de marionnettes.

Elle avait avalé un grand bol de vin chaud et était complètement ivre, plongée dans une torpeur bienheureuse.

Autour d'elle, les gens échangeaient leurs commentaires sur les péripéties de la nuit tragique : l'envahissement du village, les premières maisons brûlées, comment le syndic avait été jeté par la fenêtre de son premier étage qu'il était si fier d'avoir fait construire dernièrement. Ces païens de « picoreurs » avaient de plus envahi la petite église, volé les vases sacrés et attaché le curé avec sa servante sur son propre autel.

Des gens possédés du diable ! Sinon ils n'auraient pas inventé des choses pareilles !

Devant Angélique, une vieille femme berçait dans ses bras sa petite-fille, grande gamine au visage gonflé de larmes.

La grand-mère hochait la tête et répétait sans cesse avec un mélange d'admiration et d'horreur :

— Ce qu'ils ont pu lui faire ! Ce qu'ils ont pu lui faire ! C'est pas croyable !...

On ne parlait que de femmes renversées, d'hommes bâtonnés, de vaches enlevées, de chèvres emmenées. Le sacristain avait retenu son âne par la queue tandis que deux bandits le tiraient par les oreilles. Et celui qui criait le plus fort dans tout ceci, c'était bien encore le pauvre animal !

Enfin beaucoup de gens avaient réussi à s'enfuir. Les uns vers les bois, les autres vers les marais, la plupart vers le château. Il y avait assez de place dans les cours et les salles pour ranger les bêtes sauvées à grand-peine. Malheureusement, leur fuite avait attiré dans cette direction quelques pillards et malgré le mousquet de M. de Sancé la chose aurait pu mal finir, si le vieux Guillaume n'avait eu soudain une idée de génie. S'arc-boutant aux chaînes rouillées du pont-levis, il avait réussi à le relever. Comme des loups cruels mais peureux, les bandits avaient reculé devant le pauvre fossé d'eau pourrie.

On avait vu alors un spectacle étrange. Le vieux Guillaume, debout près de la poterne, criant des injures dans sa langue et tendant le poing vers l'ombre où s'enfuyaient des silhouettes déguenillées. Tout à coup, l'un des hommes là-bas s'était arrêté et lui avait répondu. Et ça avait été un bizarre dialogue entre eux, à travers la nuit toute rouge de l'incendie, dans cette langue tudesque qui vous râpait l'échine à vous faire trembler.

On ne savait pas exactement ce que Guillaume et son compatriote avaient pu se dire. Toujours est-il que les brigands n'étaient pas revenus et que dès l'aube ils s'étaient éloignés du village. On considérait Guillaume comme un héros, on se reposait à son ombre militaire.

L'incident prouvait en tout cas que la bande qui avait paru composée de gueux campagnards ou de miséreux des villes comportait aussi des déserteurs venus du Nord.

Il y avait de tout dans ces armées que les princes levaient pour le service du roi : Wallons, Italiens, Flamands, Lorrains, Liégeois, Espagnols, Allemands, tout un monde que des Poitevins paisibles ne pouvaient imaginer. Bientôt certains affirmèrent qu'il y avait même parmi les bandits un Polaque, un de ces sauvages que le condottiere Jean de Werth menait naguère en Picardie égorger les enfants à la mamelle.

On l'avait vu. Il avait un visage tout jaune, un bonnet de fourrure et sans doute une énorme capacité amoureuse, car à la fin de la journée toutes les femmes du village assuraient l'avoir subi.

On reconstruisit les maisons brûlées du village. C'était vite fait : de la boue entremêlée de paille et de roseau donnait un pisé assez solide. On alla aux moissons qui n'avaient pas été pillées et qui furent bonnes, ce qui consola bien des gens. Seules deux petites filles, dont Francine, ne purent se remettre des violences que les brigands leur avaient fait subir. Elles eurent une grande fièvre et moururent.

On disait que la maréchaussée de Niort avait envoyé quelques soldats à la poursuite de cette bande de pillards qui paraissait isolée et mal commandée.

Ainsi l'incursion des brigands sur les terres des barons de Sancé ne changea pas grand-chose au train de vie habituel du château. Tout au plus entendit-on grommeler plus souvent le vieux grand-père sur les malheurs qu'avaient entraînés la mort du bon roi Henri IV et l'insubordination des protestants.

— Ces gens personnifient l'esprit de destruction d'un royaume. Jadis j'ai blâmé M. de Richelieu de se montrer si dur, mais il ne l'a pas encore été assez.

Angélique et Gontran, qui étaient ce jour-là les seuls auditeurs de la profession de foi de leur grand-père, se regardèrent d'un air de connivence. L'actualité échappait complètement à ce brave grand-père ! Tous ses petits-enfants adoraient le vieux baron, mais acceptaient rarement ses jugements périmés.

Le petit garçon, qui atteignait maintenant presque douze ans, osa observer :

— Ces brigands, grand-père, n'étaient pas des huguenots. C'étaient des catholiques, mais déserteurs des armées affamées, et des étrangers qui n'étaient pas payés, dit-on, ou encore des paysans ruinés des champs de bataille.

— Ils n'avaient pas alors à venir jusqu'ici. Et puis tu ne me feras pas croire qu'ils n'ont pas été aidés par les protestants. De mon temps l'armée payait mal ses troupes, je le veux bien, mais régulièrement. Crois-moi, tout ce désordre est d'inspiration étrangère, peut-être anglaise et hollandaise. Ils manifestent et se groupent, d'autant plus que l'Édit de Nantes a été trop indulgent pour eux, en leur laissant non seulement le droit de leur confession, mais encore l'égalité des droits civiques…

— Grand-père, qu'est-ce que c'est que ce droit qu'on a laissé aux protestants ? demanda soudain Angélique.

— Tu es trop jeune pour comprendre, petite fille, dit le vieux baron.

Puis il ajouta :

— Les droits civiques représentent quelque chose qu'on ne peut pas enlever aux gens, sans perdre l'honneur.

— Donc, ce n'est pas de l'argent, fit la petite.

Le vieux gentilhomme la félicita :

— C'est bien cela, Angélique, tu comprends vraiment des choses au-dessus de ton âge.

Mais Angélique estimait que le sujet exigeait encore des explications.

— Alors, si les brigands nous pillent complètement et nous laissent nus, ils nous laissent quand même nos droits civiques ?

— Exactement, ma fille, répondit son frère.

Mais il y avait de l'ironie dans sa voix et elle se demanda s'il ne se moquait pas d'elle.

Gontran était un garçon dont on ne savait que penser. Il parlait peu et vivait très seul. Ne pouvant avoir de précepteur ni aller au collège, il devait se contenter, pour ses études, des rudiments intellectuels que lui dispensaient le maître d'école et le curé du village. Le plus souvent il se retirait dans son grenier pour y écraser des cochenilles rouges ou malaxer des argiles de couleur afin d'exécuter d'étranges compositions qu'il baptisait « tableaux » ou « peintures ». Bien que très négligé de sa personne comme tous les enfants de Sancé, il reprochait souvent à Angélique de vivre en sauvageonne et de ne pas savoir tenir son rang.

— Tu n'es pas si bête que tu en as l'air, ajouta-t-il ce jour-là en guise de compliment.

❦

Mais, depuis un instant, le vieux baron tendait l'oreille du côté de la cour d'où venaient des interpellations, des cris mêlés de gloussements de poules épouvantées. Puis il y eut une galopade et enfin des cris plus violents, où l'on reconnut les accents de Guillaume. C'était par un glorieux après-midi de fin d'été et tous les autres habitants de la maison devaient être dehors.

— N'ayez pas peur, mes enfants, dit le grand-père, c'est quelque mendiant que l'on chasse…

Déjà Angélique avait bondi sur le perron et criait :

— On attaque le père Guillaume ! On lui veut du mal !

En clopinant, le baron alla chercher un sabre rouillé et Gontran revint nanti d'un fouet à chiens. Ils arrivèrent à leur tour sur le seuil pour voir le vieux serviteur armé de sa pique et Angélique à son côté.

L'adversaire n'était pas très loin non plus. Il se tenait hors de portée de l'autre côté du pont-levis, mais faisait face encore. C'était un grand gars à l'aspect famélique mais bien vêtu d'un costume sombre, et qui paraissait furieux. En même temps il s'efforçait de retrouver un air compassé et officiel.

Aussitôt Gontran abaissa son fouet et tira son grand-père en arrière en chuchotant :

— C'est le sergent qui vient pour l'impôt. On l'a déjà chassé plusieurs fois…

Le fonctionnaire houspillé, tout en continuant à reculer doucement sans toutefois tourner le dos, reprenait de l'assurance devant l'hésitation des nouveaux renforts. Il s'arrêta à distance respectueuse et, sortant un rouleau de papier de sa poche, très froissé par la bataille, se mit à le dérouler amoureusement, en soupirant. Puis, se contorsionnant beaucoup, il commença à lire une sommation comme quoi le baron de Sancé devait payer sans retard une somme de huit cent soixante-quinze livres, dix-neuf sols et onze deniers pour tailles de métayers en retard, dixième des rentes du seigneur et taille réale, taxes de saillie de juments, « droits de poussière » des troupeaux passant par la route royale et amende pour retard de paiement.

Le vieux seigneur devenait rouge de colère.

— Tu te figures peut-être, faquin, qu'un gentilhomme va payer rien qu'en entendant ce galimatias du fisc, comme un vulgaire vilain le ferait ?

— Vous savez bien que monsieur votre fils a jusqu'ici acquitté assez régulièrement les taxes annuelles, dit l'homme en ployant l'échine. Je reviendrai donc quand il sera là. Mais je vous préviens : demain à la même heure, si, pour la quatrième fois, il n'est pas là et ne paie pas, aussitôt je l'assigne et on vendra votre château et tous vos meubles pour dettes à l'égard du trésor royal.

— Hors d'ici, laquais d'usuriers de l'État !

— Monsieur le baron, je vous avertis que je suis un serviteur assermenté de la loi et puis être désigné aussi comme agent d'exécution.

— Pour l'exécution, il faut un jugement, fulmina le vieil hobereau.

— Votre jugement, vous l'aurez sans mal, croyez-m'en, si vous ne payez pas…

— Comment voulez-vous qu'on vous paie si nous n'avons pas de quoi ! cria Gontran en voyant que le vieillard se troublait. Puisque vous êtes huissier, venez donc constater que les brigands nous ont encore enlevé un étalon, deux ânesses et quatre vaches et que, dans ce que vous réclamez comme dû, la plus grande somme vient des tailles des métayers de mon père. Il a bien voulu payer jusqu'ici pour eux, puisque ces pauvres paysans ne le pouvaient pas, eux, mais lui-même ne doit rien sur cela. D'ailleurs, du fait de la dernière attaque des brigands, nos paysans ont souffert encore plus que nous et ce n'est certes pas aujourd'hui, après ce pillage, que mon père pourra régler votre facture…

L'agent du fisc fut plus apaisé par ce langage raisonnable que par les injures du vieux seigneur. Tout en jetant des regards prudents du côté de Guillaume, il se rapprocha un peu et, d'un ton plus adouci et presque compatissant, mais ferme, il expliqua qu'il ne pouvait que recevoir et signifier des ordres requis de l'intendance fiscale. À son avis, la seule chose qui était capable de retarder la saisie serait que le baron adressât une supplique à l'intendant général du fisc, sous couvert de l'intendant provincial à Poitiers.

— Entre nous, ajouta l'officier judiciaire, ce qui fit grimacer de dégoût le grand-père, entre nous, je vous dirai que même mes simples chefs directs, comme le procureur et le contrôleur des collectes, ne sont pas habilités pour vous accorder dérogation ou dispense. Toutefois, puisque vous êtes de la noblesse, vous devez connaître du monde très haut placé. Alors, conseil d'ami, agissez par là !

— Ce n'est pas moi qui me flatterai de vous citer comme ami, observa sur un ton acerbe le baron de Ridoué.

— Aussi je dis cela pour que vous le répétiez à monsieur votre fils. La misère est pour tout le monde, allez !

Croyez-vous que je m'amuse, moi, quand je fais à tous l'effet d'un revenant et que je ramasse plus d'horions qu'un chien galeux ? Là-dessus, bonsoir la compagnie et sans rancune !

Il remit son chapeau et s'en alla en boitillant et en observant avec chagrin que la manche de sa casaque d'uniforme avait été déchirée dans la bagarre.

En sens inverse, s'éloigna, boitant aussi, le vieux baron.

Derrière lui, venaient Gontran et Angélique, tous deux silencieux. Le vieux Guillaume, maugréant contre des ennemis imaginaires, rapporta son antique lance dans sa tanière de débris historiques.

Le grand-père revenu dans le salon se mit à marcher de long en large et les enfants n'osèrent pas parler pendant longtemps. Enfin la voix de la fillette s'éleva dans la pénombre du soir.

— Dis, grand-père, si les brigands nous ont laissé les droits civiques, est-ce que maintenant ce bonhomme tout noir ne les a pas emportés avec lui ?

— Va rejoindre ta mère, dit le vieillard dont la voix chevrota tout à coup.

Il retourna s'asseoir dans son haut fauteuil de tapisserie usée et ne parla plus.

Après lui avoir fait la révérence, les enfants s'éloignèrent.

❦

Quand Armand de Sancé apprit la réception qui avait été faite au collecteur d'impôts, il soupira et gratta longuement la petite touffe de poils qu'il portait sous la lèvre à la mode de Louis XIII.

Angélique aimait son père d'une affection un peu protectrice. Elle aurait voulu l'aider à ne pas être, comme il disait, « accablé de soucis ».

Pour élever sa nombreuse nichée, ce fils de noble impécunieux avait dû renoncer à tous les plaisirs de sa condition.

Il voyageait rarement, ne chassait même plus, contrairement à ses voisins hobereaux qui n'étaient guère plus riches que lui mais se consolaient de leur misère en passant leur vie à traquer cerfs et sangliers, lièvres et perdreaux à l'occasion.

Tout son temps, Armand de Sancé le consacrait aux soins de ses petites cultures. Il était à peine mieux vêtu que ses paysans et transportait comme eux une odeur puissante de fumier et de chevaux. Il aimait ses enfants. Il s'en amusait et en était fier. Ceux-ci représentaient sa meilleure raison de vivre. Pour lui, il y avait d'abord ses enfants. Et ensuite ses mulets. Pendant un certain temps, le gentilhomme avait rêvé d'installer un petit haras de ces bêtes de somme, moins délicates que des chevaux, plus solides à charger que des ânes. Mais voici que les bandits lui avaient pris son meilleur étalon et deux ânesses. C'était un désastre et il songeait un peu à vendre ses derniers mulets et les parcelles que jusqu'ici il réservait à leur élevage.

Le lendemain de la visite du sergent, le baron Armand tailla avec soin une plume d'oie et s'installa devant son bureau pour rédiger une supplique au roi, afin d'être exempté de ses impôts annuels. Dans cette lettre, il exposa l'état de son dénuement de gentilhomme.

Tout d'abord, il pria de l'excuser de ne pouvoir évoquer que neuf enfants vivants, mais que d'autres naîtraient encore sans doute, car « sa femme et lui étaient encore jeunes et les faisaient volontiers ». Il ajouta qu'il avait à sa charge un père impotent, sans pension, qui était arrivé au titre de colonel sous Louis XIII. Que lui-même avait été capitaine et proposé pour un grade plus élevé, mais qu'il avait dû quitter le service du roi parce que sa solde d'officier de Royal-Artillerie, mille sept cents livres par an, « ne lui avait pas fourni le moyen de se soutenir dans le service ». Il mentionna aussi qu'il avait à charge deux vieilles tantes « dont ni maris ni couvents n'ont voulu, faute de dot et qui ne peuvent que se consumer en humbles besognes ». Qu'il avait quatre domestiques dont un vieux militaire sans pension, nécessaire à son service. Deux de ses garçons plus âgés étaient au collège et coûtaient ainsi cinq cents livres rien que pour leur éducation. Une fille devait être mise au couvent, mais l'on demandait encore trois cents livres.

Il conclut en disant qu'il payait les impôts de ses métayers depuis des années pour les maintenir au sol et néanmoins se trouvait endetté devant ce fisc qui réclamait cent soixante-quinze livres, dix-neuf sols et onze deniers, rien que pour l'année en cours. Or son revenu total se montait à peine à quatre mille livres par an, alors qu'il devait nourrir dix-neuf personnes et garder son rang de gentilhomme, au moment où, pour comble de malheur, des brigands avaient pillé, tué et saccagé sur ses terres, plongeant ses métayers survivants dans une misère accrue. Pour terminer, il demandait de la bonté royale la remise gracieuse des impôts exigés, un secours ou une avance d'au moins mille livres et sollicitait « en grâce du roi », si l'on armait pour l'Amérique ou les Indes, d'employer comme enseigne son « chevalier », son fils aîné, qui était en classe de logique chez les pères augustins, auxquels il devait d'ailleurs une année de pension.

Il ajoutait que, de son côté, il était toujours prêt à accepter n'importe quelle charge compatible avec son état de gentilhomme, pourvu qu'il pût nourrir les siens, attendu que sa terre, même vendue, ne le permettait plus...

Ayant sablé pour la sécher cette longue missive qui lui avait demandé plusieurs heures de labeur, Armand de Sancé écrivit encore un mot à son protecteur et cousin M. le marquis du Plessis-Bellière qu'il chargeait de remettre cette supplique au roi lui-même ou à la reine mère, en l'accompagnant des recommandations susceptibles de la faire agréer.

Il achevait avec courtoisie : « Je souhaite, monsieur, vous revoir bientôt et trouver des occasions dans cette province de pouvoir vous être utile soit en mules de portage dont j'ai de fort belles, soit pour votre table en fruits, châtaignes, fromages et pots de caillé. »

Quelques mois plus tard, le pauvre baron Armand de Sancé eût pu ajouter un nouveau déboire à sa liste.

Certain soir, on entendit le galop d'un cheval dans le chemin, puis sur le vieux pont-levis qui avait retrouvé sa garniture de dindons. Les chiens aboyèrent dans la cour. Angélique, que la tante Pulchérie avait réussi à emprisonner dans sa chambre pour lui faire faire quelques travaux d'aiguille, se précipita à la fenêtre. Elle vit un cheval d'où descendaient deux cavaliers longs et maigres, vêtus de noir, tandis qu'un mulet chargé de malles apparaissait dans le sentier, conduit par un petit paysan.

— Ma tante ! Hortense ! appela-t-elle. Venez voir. Je crois que ce sont nos deux frères Josselin et Raymond.

Les deux fillettes et la vieille demoiselle descendirent précipitamment. Elles arrivèrent dans le salon alors que les écoliers saluaient leur grand-père et la tante Jeanne. Les domestiques accouraient de toutes parts. On était parti chercher M. le baron aux champs et madame au potager.

Les adolescents répondaient d'assez mauvaise grâce à ce tapage de bienvenue.

Ils avaient quinze et seize ans, mais on les prenait souvent pour des jumeaux car ils étaient de la même taille et se ressemblaient. Ils avaient tous deux le même teint mat, les yeux gris et des cheveux noirs et raides qui pendaient sur le col blanc, froissé et sali de leur uniforme. L'expression seule différait. Les traits de Josselin avaient plus de brutalité, ceux de Raymond plus de réserve. Tandis qu'ils répondaient par monosyllabes aux questions de leur grand-père, la nourrice, tout heureuse, déployait une belle nappe sur la table et apportait des pots de pâté, du pain, du beurre et une chaudronnée des premières châtaignes. Les yeux des adolescents brillèrent. Sans plus attendre, ils s'attablèrent et mangèrent avec une voracité et une malpropreté qui remplirent Angélique d'admiration.

Elle remarqua cependant qu'ils étaient maigres et pâles, et que leurs costumes de serge noire montraient la trame aux coudes et aux genoux. Ils baissaient les yeux en parlant.

Aucun n'avait paru la reconnaître. Raymond portait à la ceinture une corne creuse. Elle lui demanda ce que c'était.

— C'est pour mettre l'encre, répondit-il d'un ton rogue.

— Moi, je l'ai jetée, dit Josselin.

Le père et la mère arrivèrent avec les flambeaux. Le baron, malgré sa joie, était un peu inquiet.

— Comment se fait-il que vous voilà, mes garçons ? Vous n'êtes point venus à l'été. N'est-ce pas maintenant un curieux temps de vacances ?

— Nous ne sommes pas venus à l'été, expliqua Raymond, parce que nous n'avions pas un sou pour louer un cheval et même pour prendre le carrosse public qui va de Poitiers à Niort.

— Et si nous sommes là maintenant ce n'est pas parce que nous sommes plus riches..., continua Josselin.

— ... mais parce que les pères nous ont mis dehors, acheva Raymond.

Il y eut un silence contraint.

— Par saint Denis, s'écria le grand-père, quelle sottise avez-vous commise, messieurs, pour qu'on vous fasse une si grande injure ?

— Aucune, mais voilà près de deux ans que les Augustins n'ont pas reçu notre pension. Ils nous ont fait comprendre que d'autres élèves dont les parents étaient plus généreux avaient besoin de nos places...

Le baron Armand se mit à marcher de long en large, ce qui était chez lui signe d'une grande agitation.

— Enfin, ce n'est point possible. Si vous n'avez pas démérité, les pères ne peuvent vous mettre à la porte sans autre forme de procès : vous êtes des gentilshommes ! Pourtant les pères le savent...

Josselin, l'aîné, prit un air mauvais :

— Oui, ils le savent fort bien et je peux même vous redire les paroles de l'économe qu'il nous a données pour tout viatique : il a dit que les nobles étaient les plus mauvais payeurs et que, s'ils n'avaient pas d'argent, ils n'avaient qu'à se passer de latin et de sciences.

Le vieux baron redressa son buste cassé.

— J'ai peine à croire que vous me dites la vérité : songez donc que l'Église et la Noblesse ne font qu'un et que les écoliers représentent la future fleur de l'État. Les bons pères le savent mieux que quiconque !

Ce fut le deuxième garçon, Raymond, se destinant à la prêtrise, qui répliqua, les yeux fixés obstinément à terre :

— Chez les pères on nous a enseigné que Dieu saurait choisir les siens, et peut-être ne nous a-t-il pas jugés dignes…

— Ferme ton sottisier, Raymond, dit son frère. Je t'assure que ce n'est pas le moment de l'ouvrir. Si tu veux devenir moinillon mendiant, libre à toi ! Mais moi, je suis l'aîné et je suis de l'avis de grand-père : l'Église nous doit considération, à nous autres nobles ! Maintenant si elle nous préfère des roturiers, fils de bourgeois et de boutiquiers, libre à elle. Elle aura choisi sa perte et elle s'écroulera !

Les deux barons se récrièrent en même temps.

— Josselin, tu n'as pas le droit de blasphémer ainsi.

— Je ne blasphème pas : je me borne à constater. Dans ma classe de logique dont je suis le plus jeune et second sur trente élèves, il y a exactement vingt-cinq fils de bourgeois et de fonctionnaires qui paient rubis sur l'ongle et cinq gentilshommes dont deux seulement paient régulièrement…

Armand de Sancé voulut se raccrocher à cette mince satisfaction de prestige.

— Il y a donc également deux autres fils de nobles qu'on a renvoyés en même temps que vous ?

— Pas du tout : les parents de ceux qui ne paient pas sont des gens haut placés dont les pères ont peur.

— Je te défends de parler ainsi de tes éducateurs, dit le baron Armand, tandis que son vieux père maugréait comme pour lui-même :

— Heureusement que le roi est mort afin de ne pas voir des choses pareilles !

— Oui, heureusement, grand-père, comme vous dites ! dit en ricanant Josselin. Même que c'est un brave moine qui a assassiné Henri IV.

— Josselin, tais-toi, déclara tout à coup Angélique. Les paroles, ce n'est pas ton fort et quand tu parles, tu ressembles à un crapaud. Et puis d'ailleurs c'est Henri III qui a été assassiné par un moine et non Henri IV.

L'adolescent sursauta et regarda avec surprise la petite fille bouclée qui l'apostrophait tranquillement.

— Tiens, te voilà, toi, grenouille, princesse des marais ! « Marquise des Anges »... Et dire que j'avais même oublié de te saluer, petite sœur.

— Pourquoi m'appelles-tu grenouille ?

— Parce que tu m'as appelé crapaud. Et puis n'es-tu pas toujours à disparaître dans l'herbe et les roseaux des marais ? Serais-tu devenue aussi sage et pimbêche qu'Hortense ?

— J'espère que non, dit Angélique modestement.

Son intervention avait amené une détente.

D'ailleurs les deux frères avaient fini de manger et la nourrice desservait déjà.

L'atmosphère de la maison restait cependant assez lourde. Confusément chacun recherchait une solution à ce nouveau coup du sort. Dans le silence, on entendit hurler le plus jeune bébé. La mère, les tantes et même Gontran profitèrent de ce prétexte « pour aller voir ». Mais Angélique resta entre les deux barons et ses deux aînés revenus de la ville en si pitoyable équipage.

Elle se demandait si c'était cette fois-là qu'on allait perdre l'honneur. Elle avait bien envie de poser la question, mais elle n'osait pas. Cependant ses frères lui inspiraient quelque chose qui ressemblait vaguement à de la pitié méprisante.

Le vieux Lützen, qui était absent au moment de l'arrivée des garçons, apporta de nouveaux flambeaux en l'honneur des voyageurs. Il renversa un peu de cire en embrassant maladroitement l'aîné. Le cadet esquiva avec dédain la rude caresse de bienvenue. Mais, sans se démonter, le vieux soldat n'hésita pas à proclamer son point de vue :

— C'est pas trop tôt que vous soyez rentrés ! D'abord à quoi cela vous sert-il de rabâcher du latin et de ne presque pas savoir écrire votre propre langue ? Quand la Fantine m'a dit que les jeunes maîtres s'en retournaient définitivement, je me suis dit tout de suite que M. Josselin allait enfin pouvoir partir en mer…

— Sergent Lützen, dois-je te rappeler la vieille discipline ? fit soudain, très sec, le vieux baron.

Guillaume n'insista pas et se tut. Angélique était surprise du ton rogue et altéré de son grand-père. Celui-ci se tournait vers l'aîné.

— J'espère, Josselin, que tu as oublié tes projets d'enfant : devenir navigateur ?

— Et pourquoi les oublierais-je, grand-père ? Il me semble même qu'il n'y a pas d'autre solution pour moi maintenant.

— Tant que je vivrai, tu ne seras pas marin. Tout, mais pas cela !

Et le vieillard frappa de sa canne le dallage ébréché.

Josselin paraissait atterré du soudain entêtement de son grand-père sur un projet qui lui tenait à cœur et qui lui avait permis de supporter sans trop de rancune l'expulsion dont il avait été victime. « Finies les patenôtres et les récitations de latin, avait-il pensé. Maintenant je suis un homme et je vais m'embarquer sur un vaisseau du roi. »

Armand de Sancé essaya d'intervenir.

— Voyons, père, pourquoi cette intransigeance ? Ce serait peut-être une solution aussi bonne qu'une autre. Je vous dirai d'ailleurs que, dans la supplique que j'ai dernièrement envoyée au roi, j'avais, entre autres choses, demandé de faciliter un embarquement éventuel de mon fils aîné sur un corsaire ou un bateau de guerre.

Mais le vieux baron s'agitait avec colère. Jamais Angélique ne l'avait vu si fâché, même le jour où il y avait eu l'altercation avec le sergent des impôts.

— Je n'aime pas ces gens dont les pieds brûlent sur le sol de leurs aïeux. Au-delà des mers, ils ne trouvent jamais monts et merveilles, mais des sauvages tout nus, aux bras tatoués. Le fils aîné d'un noble doit servir aux armées du roi. C'est tout.

— Je ne demande pas mieux que de servir le roi, mais sur la mer, répliqua le garçon.

— Josselin a seize ans. Il est temps après tout qu'il choisisse sa destinée, émit son père avec une hésitation.

Une expression de douleur passa sur le visage ridé qu'encadrait la courte barbe blanche. Le vieillard leva la main.

— Il est vrai que d'autres avant lui, dans la famille, ont choisi leur destinée. Faut-il que vous me déceviez aussi, mon fils ? ajouta-t-il d'un ton de grande tristesse.

— Loin de moi l'idée de vous rappeler des souvenirs pénibles, mon père, se défendit le baron Armand. Je n'ai jamais songé moi-même à m'exiler et je suis attaché plus que je ne puis le dire à nos terres du Poitou. Mais j'ai en mémoire combien était dure et précaire ma situation à l'armée. Même noble, on ne peut sans argent accéder aux grades supérieurs. J'étais criblé de dettes et parfois obligé pour subsister de vendre tout mon équipage : cheval, tente, armes, et jusqu'à louer mon propre valet. Vous rappelez-vous toutes les bonnes terres que vous avez dû monnayer pour me maintenir en service ?

Angélique suivait la conversation avec beaucoup d'intérêt. Elle n'avait jamais vu de marins, mais elle était d'un pays où, par les vallées de la Sèvre et de la Vendée, s'engouffrent les grands appels de l'océan. Sur la côte de La Rochelle à Nantes, par Les Sables-d'Olonne, elle savait qu'il y avait des bateaux de pêcheurs qui partaient pour des terres lointaines où l'on rencontrait des hommes rouges comme le feu ou rayés comme des marcassins. On racontait même qu'un matelot breton, du côté de Saint-Malo, avait ramené en France des sauvages à qui les plumes poussaient sur la tête comme aux oiseaux.

Ce soir-là, elle fut longue à s'endormir dans le grand lit de la chambre de la tour.

Une impatience l'habitait. Grandir ! Grandir !

Alors, quand elle serait plus grande, rien ne l'empêcherait de s'embarquer sur la mer pour découvrir les merveilles d'autres pays.

Chapitre quatrième

Mme de Sancé ayant posé un grand chapeau de paille sur son mouchoir de tête s'apprêtait à partir pour le potager lorsqu'un bruit de bagarre l'incita à se rendre dans la salle à manger du château. Elle y trouva Gontran qui se battait avec un petit paysan crotté. Angélique faisait office d'arbitre.

L'expulsion de leur collège de ses deux fils aînés lui pesait encore sur le cœur, et la pauvre dame se mit très en colère.

— Combien de fois faudra-t-il te dire, Gontran, que ces petits croquants ne sont pas une compagnie pour toi – et encore moins pour Angélique. Sors d'ici, toi, garnement !

Le garçon jeta un coup d'œil mauvais à la châtelaine, qui portait une robe de couleur indéfinissable et allait sans bas dans ses chaussures éculées. Puis il se gratta tranquillement la tignasse.

— Faut que je parle à M. le baron d'abord, dit-il. C'est l'intendant du château qui m'envoie. Il a dit que c'était pressé. Voilà son message.

Il tendit une boule de papier qui avait visiblement été une feuille pliée en quatre, sans enveloppe ni sceau. L'intendant du château voisin, le sieur Molines, priait M. le baron de Sancé de passer le voir chez lui pour l'entretenir d'une affaire intéressante et urgente. La baronne froissa nerveusement le papier, puis essaya de le lisser à nouveau.

Quand le gamin fut parti, Mme de Sancé, qui cachait mal son amertume, prit ses enfants à témoin.

— N'est-ce pas inouï, ce temps où nous vivons ? Doit-on tolérer qu'un voisin roturier, ce Molines, un intendant huguenot, se permette tout bonnement de convoquer votre père qui est un authentique descendant de Godefroy de Bouillon ? J'entends déjà mon bon Armand me dire que « cette visite concerne des affaires qui ne regardent pas les femmes », mais j'aimerais savoir quelles affaires honnêtes un noble peut traiter avec le régisseur du château voisin. Encore des histoires de mulets !… Je comprendrais à la rigueur, s'il s'agissait d'élevage de chevaux. Ma famille a toujours été large d'esprit, et nous n'avons jamais rougi de descendre du bienheureux Claude Goufrier qui était maître d'écurie au siècle dernier du roi Henri II. Mais des mulets et des ânes ! Je me demande vraiment si ce ne serait pas mieux pour nous si votre père demandait au roi de rentrer à nouveau à son service. Quand on se rapproche de la Cour, on peut faire fortune en plaisant au roi. Ce serait mieux que de s'accrocher à cette terre et à ces paysans et ces métayers prétentieux qui se croient tout permis… Cette fois, je suis bien décidée à en parler à votre père.

Angélique et Gontran écoutaient leur mère avec quelque étonnement. Ils n'étaient pas habitués à l'entendre parler aussi longtemps et avec autant d'indignation. La plupart du temps, elle était douce, et même réservée, d'un naturel indulgent. Mais l'affront qui avait été fait à ses fils aînés lui avait fait perdre son sang-froid et surgir en elle un ressentiment qui avait dû se développer au fil du temps, des chagrins et des difficultés.

Mme de Sancé réalisa soudain qu'elle s'était emportée devant son fils et sa fille. Ses yeux s'emplirent de larmes.

Gontran et Angélique, embarrassés, évitèrent son regard. Bien qu'ayant grandi en sauvageons, tous les enfants de Sancé se gardaient des manifestations d'humeur, et ces accusations inhabituelles, venant de leur mère, les gênaient. Mme de Sancé chercha à se reprendre.

— Que faites-vous ici, enfants ? Il y a encore du soleil. Vous seriez mieux à courir dans les champs…

Gontran dit d'un ton irrité :

— Mère, il y a cinq minutes, vous nous accusiez de nous comporter en paysans, et maintenant nous devons aller courir avec les bergers.

— Je préfère encore cela à vous voir rester oisifs à la maison ou enfermés dans vos cachettes et que je ne sache pas ce qui se passe. Cette solitude ne vaut rien à votre âge.

— Je peins et je sculpte, dit Gontran avec une fierté tranquille.

Ses yeux s'illuminèrent :

— Voulez-vous que je vous montre mon travail ?

Sans attendre la réponse, il sortit dans le couloir où sa mère et sa sœur le suivirent machinalement.

Gontran courut à son coffre et en sortit un morceau de bois et une feuille de papier. C'était la première fois qu'il se proposait de montrer son travail à la famille. Mais les paroles de sa mère l'avaient touché, sans qu'il s'en rendît compte, et il sentait le besoin de lui changer les idées.

— Regardez. C'est le vieux Guillaume.

En bonne mère de famille qu'elle était, la baronne se pencha sur la racine de poirier sculptée au couteau que son fils lui tendait. La situation la dépassait. Que pouvait-on faire avec ces rejetons impatients et rebelles qui ne se privaient pas d'avoir des idées personnelles sur leur avenir ?

Elle admit que le visage du vieux Guillaume était d'une ressemblance criante, mais pourquoi Gontran voulait-il devenir peintre ? Ce n'était pas une occupation pour un gentilhomme, fût-il cadet de famille. Mme de Sancé savait bien que des artistes renommés vivaient à la Cour ou à Rome, par exemple. Elle les mettait pourtant en esprit sur le même plan que les gens de théâtre ou les bateleurs de foire. Elle ne connaissait aucun noble qui fût peintre.

— Et voilà le portrait d'Angélique, dit le garçon en lui tendant la feuille de papier.

Le dessin coloré montrait un pirate au visage juvénile, auréolé d'une chevelure de flammes et coiffé d'un feutre à plumes, tenant d'une main un pistolet et brandissant un sabre de l'autre.

— Comment peux-tu dire que cela représente ta sœur ? protesta sa mère. Angélique est pourtant jolie ! Si Dieu le veut, il se peut qu'elle trouve un bon parti et entre dans une famille de bonne souche.

— Et si Dieu décide qu'elle sera chef d'une bande de brigands ?

— Gontran ! Parfois je me demande si tu as toute ta raison. Angélique, tu n'as rien à dire contre ce que ton frère vient de déclarer ?

Angélique sourit. En réalité, elle était assez flattée que Gontran la vît en chef de brigands, mais ne voulait pas soulever une nouvelle discussion qui décevrait sa mère.

Elle pressait son nez contre la fenêtre, guettant le retour de son père. Dès qu'elle le vit venir par le chemin boueux, appuyé sur sa canne à pommeau d'argent qui était son seul luxe, elle se faufila dans la cuisine et mit ses chaussures et sa mante. Puis elle rejoignit son père à l'écurie, où le baron ayant été prévenu de la convocation de Molines faisait seller son cheval.

— Puis-je vous accompagner, père ? demanda-t-elle avec sa mine la plus gracieuse.

Il y avait bien une petite intention là-dedans, car elle avait toujours été fascinée par les confins des domaines du Plessis dont le sieur Molines était l'intendant, mais aussi elle aimait vraiment la compagnie de son père, cet homme bon et tranquille, avec son front bruni où les tâches quotidiennes avaient creusé de profondes rides. Il ne put résister et la prit en travers de sa selle.

Angélique était sa fille préférée, il la trouvait belle et rêvait parfois qu'elle se marierait à un duc.

Ce jour d'automne était clair et la forêt toute proche, non encore dépouillée de ses feuilles, déroulait sur le ciel ses frondaisons rouillées.

En passant devant la grille du château du Plessis, Angélique se pencha pour essayer d'apercevoir, au bout de l'allée de marronniers, la vision blanche du ravissant édifice se reflétant dans son étang comme un nuage de rêve. Tout était silencieux, et le château, de style Renaissance, que ses maîtres délaissaient pour vivre à la Cour, semblait dormir dans le mystère de son parc et de ses jardins. Les biches de la forêt de Nieul, à laquelle il s'adossait, passaient dans les allées désertes…

L'habitation du régisseur Molines se trouvait à une demi-lieue plus loin, à l'une des entrées du parc. Beau pavillon de brique rouge à combles d'ardoise bleue, il semblait, dans sa solidité bourgeoise, le gardien avisé d'une construction fragile dont la grâce italienne étonnait encore les gens du pays, accoutumés aux châteaux à donjons et bardés de tours.

Le régisseur était à l'image de sa maison. Austère et cossu, solidement installé dans ses droits et dans son rôle, c'était lui en fait qui semblait le maître de ce vaste domaine du Plessis dont le possesseur était perpétuellement absent.

Tous les deux ans peut-être, à l'automne pour les chasses ou au printemps pour cueillir le muguet, une nuée de seigneurs et de dames s'abattait au Plessis avec leurs carrosses, leurs chevaux, leurs lévriers et leurs musiciens. Quelques jours durant c'était une farandole de fêtes et de distractions, dont s'affolaient un peu les hobereaux du voisinage, conviés surtout pour que cette prétentieuse société s'en moquât. Puis tout le monde repartait pour Paris et la demeure retombait dans son silence, sous l'égide du sévère intendant.

Au bruit des sabots du cheval, Molines s'avança dans la cour de sa maison et s'inclina plusieurs fois avec une souplesse d'échine qui ne lui coûtait pas, car elle faisait partie de ses fonctions. Angélique, qui savait combien l'homme pouvait être dur et arrogant, n'appréciait pas cette politesse outrée, mais le baron Armand en était manifestement très heureux.

— J'étais libre ce matin de mon temps, et n'ai pas cru devoir vous faire attendre, maître Molines.

— Je vous rends grâce, monsieur le baron. Je craignais que vous ne trouviez cavalière ma façon de vous convier par un valet.

— Je ne m'en suis pas offensé. Je sais que vous évitez de venir chez moi à cause de mon père qui persiste à voir en vous un dangereux huguenot.

— Monsieur le baron a l'esprit très pénétrant. En effet, je ne voudrais déplaire à M. de Ridoué, ni à Mme la baronne, qui est très dévote. Aussi je préfère vous aborder chez moi et je pense que vous me ferez l'honneur de partager notre repas ainsi que votre petite demoiselle.

— Je ne suis plus petite, dit vivement Angélique. À la maison il y a encore après moi Madelon, Denis, Marie-Agnès, Albert et un nouveau bébé qui vient de naître.

— Que demoiselle Angélique veuille bien m'excuser. Être l'aînée demande en effet jugement et maturité d'esprit. Je serais heureux que ma fille Bertille vous fréquente, car hélas ! les éducatrices de son école me confirment que c'est une cervelle d'oiseau dont il n'y aura pas grand-chose à tirer.

— Vous exagérez, monsieur, protesta le baron Armand courtoisement.

« Pour une fois je suis de l'avis de Molines », pensa Angélique qui détestait la fille de l'intendant, une petite noiraude sournoise selon elle.

À l'égard de l'intendant, ses sentiments étaient plus vagues. Tout en le trouvant déplaisant, elle avait pour lui une certaine estime, causée sans doute par l'aspect confortable de sa personne et de sa maison. Les vêtements de l'intendant, toujours sombres, étaient de belle étoffe et l'on devait les donner ou plutôt les revendre avant la moindre trace d'usure. Il chaussait des souliers à boucle avec un talon assez élevé, à la nouvelle mode.

Et chez lui, l'on mangeait merveilleusement. Le petit nez d'Angélique frémit lorsqu'ils pénétrèrent dans la première salle, carrelée et luisante de propreté, attenante à la cuisine. Mme Molines plongea dans ses jupes pour une profonde révérence, puis retourna à ses gâteaux.

L'intendant emmena ses hôtes dans un petit bureau où il fit apporter de l'eau fraîche et un flacon de vin.

— Je suis assez gourmet de ce vin, dit-il après avoir levé son verre. C'est le produit d'un coteau qui a été longtemps en friche et qu'avec des soins j'ai pu vendanger le dernier automne. Les vins du Poitou ne valent pas ceux de la Loire, mais ils ont de la finesse.

Il ajouta après un silence :

— Je ne saurais trop vous répéter, monsieur, combien je suis heureux que vous vous soyez rendu en personne à ma convocation. C'est pour moi le signe que l'affaire à laquelle je songe a des chances d'aboutir.

— En somme, vous me soumettez à une sorte d'épreuve ?

— Que monsieur le baron ne m'en veuille pas. Je ne suis pas un homme de haute éducation et n'ai reçu qu'une modeste instruction de village. Mais je vous confesserai que la morgue de certains nobles ne m'a jamais paru une preuve d'intelligence. Or, il faut de l'intelligence pour parler affaires, celles-ci seraient-elles fort modestes.

Le gentilhomme campagnard se renversa sur sa chaise de tapisserie et considéra l'intendant avec curiosité. Il était un peu anxieux de ce qu'allait lui exposer ce voisin dont la réputation n'était pas excellente. Il passait pour très riche. Au début, il s'était montré dur avec les paysans et autres fermiers, mais depuis les dernières années il s'efforçait d'être plus aimable, même envers les manants les plus pauvres. On ne savait pas grand-chose sur les causes de ce revirement et de cette bonté insolite. Les paysans s'en défiaient, mais comme il se montrait désormais arrangeant pour les tailles et autres prestations dont le château était redevable à l'égard du roi et du marquis du Plessis-Bellière, on le traitait avec respect.

Les méchants insinuaient qu'il agissait ainsi pour endetter son maître toujours absent. Quant à la marquise et à son fils Philippe, ils ne s'intéressaient pas plus au domaine que le marquis lui-même.

— Si ce qu'on raconte est vrai, vous seriez simplement en passe de reprendre à votre compte tout le domaine des Plessis, dit un peu brutalement Armand de Sancé.

— Pure calomnie, monsieur le baron. Non seulement je tiens à rester un serviteur loyal de M. le marquis, mais je ne verrais aucun intérêt à ce genre d'acquisition. Pour rassurer vos scrupules, je vous confierai, encore que je ne trahisse aucun secret, que cette propriété est très hypothéquée déjà !

— Ne me proposez pas de l'acheter, je n'en ai pas les moyens…

— Loin de moi une telle pensée, monsieur le baron… Un peu de vin ?…

Angélique, que la conversation ne passionnait point, se glissa hors du bureau et revint vers la grande salle où dans un coin, sur une table très épaisse, Mme Molines s'affairait à rouler la pâte d'une énorme tarte. Elle sourit à la fillette et lui tendit une boîte d'où s'exhalait une délicieuse odeur.

— Tenez, mangez cela, mignonne. C'est de l'angélique confite. Vous en portez le nom. Je la fabrique moi-même avec du beau sucre blanc. Elle est meilleure que celle des pères de l'abbaye qui n'emploient que de la cassonade. Comment voulez-vous que les pâtissiers de Paris apprécient ce condiment lorsqu'il a perdu toute saveur après avoir bouilli grossièrement dans d'énormes cuves mal nettoyées de leurs soupes et de leurs boudins ?

Tout en l'écoutant, Angélique mordait avec délices dans les minces tiges poisseuses et vertes. Ainsi voilà ce que devenaient après leur cueillette ces grandes et fortes plantes de marais dont le parfum, à l'état naturel, avait plus d'amertume. Elle regardait avec admiration autour d'elle. Les meubles étaient brillants.

Dans un coin, il y avait une horloge, cette invention que grand-père disait diabolique. Pour mieux la voir et pour surprendre son murmure, elle se rapprocha du bureau où causaient les deux hommes. Elle entendit son père qui disait :

— Par saint Denis, Molines, vous me déconcertez. On raconte beaucoup de choses sur vous, mais enfin, dans l'ensemble, tout le monde est d'accord pour vous reconnaître une forte personnalité et du flair. Or, j'apprends par votre bouche qu'en réalité vous cultivez les pires utopies.

— En quoi ce que je viens de vous exposer vous paraît-il si déraisonnable, monsieur le baron ?

— Voyons, réfléchissez. Vous savez que je m'intéresse aux mulets, que j'ai réussi par croisement de baudet et jument une assez belle race, et vous m'encouragez à intensifier cet élevage dont vous voudriez vous charger d'écouler les produits. Tout cela est fort bien. Mais là où je ne vous suis pas, c'est quand vous envisagez un contrat de longue durée avec… l'Espagne. Or nous sommes en guerre avec l'Espagne, mon ami…

— La guerre ne durera pas toujours, monsieur le baron.

— Nous l'espérons aussi. Mais on ne peut pas fonder un commerce sérieux sur une espérance de ce genre.

L'intendant eut un demi-sourire condescendant qui échappa au gentilhomme ruiné. Celui-ci reprit avec véhémence :

— Comment voulez-vous commercer avec une nation qui est en guerre avec nous ? Tout d'abord c'est interdit et c'est justice, car l'Espagne est l'ennemi. Ensuite les frontières sont fermées et les communications et péages surveillés. Je veux bien admettre que fournir des mulets à un ennemi, ce n'est pas aussi grave que de fournir des armes, d'autant plus que les hostilités ne se déroulent plus ici, mais en territoire étranger. Enfin j'ai trop peu de bêtes pour que ça vaille la peine d'un trafic quelconque. Cela demanderait fort cher et des années de mise en route. Mes moyens financiers ne me permettent pas cette expérience.

Il n'ajouta pas, par amour-propre, qu'il était même sur le point de liquider son haras.

— Monsieur le baron me fera la grâce de considérer qu'il possède déjà quatre étalons exceptionnels et qu'il lui serait bien plus facile qu'à moi de s'en procurer beaucoup d'autres chez les gentilshommes des environs. Quant aux ânesses, on peut en trouver des centaines à dix ou vingt livres la tête. Mais multiplier la race du baudet, âne étalon, n'est pas le but que je vous propose. Seul le mulet nous intéresse.

— Les juments coûtent cher par saillie…

— Aussi faudra-t-il en acquérir.

— Ce qui coûte encore plus cher !

— Pas si nous nous lançons dans une véritable production de mulets… Je sais qu'il y a du côté de Luçon un éleveur de ces chevaux de trait qu'on appelle aujourd'hui le Poitevin, bien qu'il soit d'origine flamande. Précisément, on les a fait venir il y a plus d'un siècle pour aider à l'assèchement de nos marais. C'est là que nous allons nous fournir de ces belles juments d'un gris clair un peu moucheté, qui plaisent tant à nos vaillants baudets.

Et comme le baron hochait la tête, séduit par le tableau :

— Monsieur le baron, vous qui avez voyagé à travers les autres provinces du royaume quand vous avez servi le roi dans ses armées, vous avez pu constater qu'il n'existe nulle part ailleurs un équidé aussi exceptionnel que le baudet du Poitou, l'âne géant aux oreilles en éventail, au pelage presque laineux qui le revêt comme une houppelande. Voici pourquoi les mulets, produit de son croisement avec la jument couleur de neige grise, sont toujours aussi exceptionnels. Je n'ai pas à vous rappeler, monsieur le baron, le phénomène de la fameuse vigueur hybride.

Sur ce, Angélique vit son père et jusqu'au sévère Molines, renchérir à l'envi sur toutes les qualités, tous les avantages qui faisaient des mulets – race hybride – des animaux d'une résistance à toute épreuve. Certes, le mulet ne pouvait, comme les fiers coursiers, se lancer dans des galops fastueux sur les champs de bataille, mais son petit trot pressé et résolu le menait par monts et vaux sur d'énormes distances, partout où il fallait acheminer, même au sommet des montagnes, charges et hommes, ou tirer précisément aux alentours des champs de bataille, les chariots de vivres et de munitions qui, bien souvent, décidaient du sort des armées. Ne craignant ni la pluie, ni le froid, ni la faim, se contentant d'un chardon sur le bord du chemin s'il le fallait, tel était l'infatigable mulet.

Alors que le cheval, comme chacun sait, est un animal fragile qui demande beaucoup de soins, le mulet résiste à la maladie, aux épidémies, au surmenage... Quelquefois têtu, mais toujours bon pied, bon œil, ce qui garantit la bonne stabilité d'un élevage, si l'on ne peut envisager une rapide augmentation des effectifs, puisque du fait du croisement – toujours les hybrides – les mulets sont stériles.

— Au moins eux, ils n'ont pas à se faire de souci, comme moi, pour leur nombreuse famille, dit le baron qui aimait à en plaisanter.

Angélique écoutait avec intérêt.

Gontran lui avait dit que le baudet du Poitou était l'ancêtre de tous les ânes, et déjà en des temps lointains, l'on voyait sa silhouette bourrue et noire et pourtant galopante, au plafond et aux parois de grandes cavernes souterraines où les premiers hommes dessinaient les animaux qu'ils chassaient alors. Un jour Gontran l'avait emmenée pour lui montrer ces peintures mystérieuses et elle était revenue les cheveux et les vêtements si pleins de sable et de terre que la pauvre Pulchérie n'avait cessé de répéter : « Mais où as-tu été encore te fourrer ?... » Mais elle n'avait rien dit car elle avait promis le secret à Gontran.

Entre les deux hommes la conversation continuait.

— Un petit travail supplémentaire d'assèchement de marais peut améliorer les pâturages, disait Molines, vos mulets de trait étant, nous le disons, très rustiques. Je crois qu'avec vingt mille livres cette affaire pourrait se lancer sérieusement et commencer à marcher d'ici trois ou quatre ans.

Le pauvre baron parut pris de vertige.

— Mâtin, vous voyez grand, vous ! Vingt mille livres ! Vous les croyez donc si précieux, mes malheureux mulets dont tout le monde fait ici des gorges chaudes ? Vingt mille livres ! Ce n'est quand même pas vous qui allez me les avancer, ces vingt mille livres.

— Et pourquoi pas ? dit placidement le régisseur.

Le gentilhomme le dévisagea avec un peu d'effarement.

— Ce serait de la folie de votre part ! Je tiens à vous dire que je n'ai aucun répondant.

— Je me contenterai d'un simple contrat d'association avec parts pour moitié et hypothèque sur cet élevage, mais nous le ferions à titre privé et secret à Paris.

— Si vous voulez le savoir, je crains de n'avoir pas les moyens, d'ici longtemps, de me rendre dans la capitale. Maintenant votre proposition me paraît trop ahurissante et hasardeuse, et je voudrais consulter au préalable quelques amis…

— En ce cas, monsieur le baron, restons-en là tout de suite. Car la clé de notre succès réside dans le secret complet. Sinon, il n'y a rien à faire.

— Mais je ne puis me lancer sans avis dans une affaire qui de plus me paraît être contre l'intérêt de mon propre pays !

— Qui est aussi le mien, monsieur le baron…

— On ne le dirait pas, Molines !

— Alors ne parlons plus de rien, monsieur le baron. Disons que je me suis trompé. Devant vos réussites exceptionnelles, j'estimais que vous seul étiez capable d'installer un élevage en grand et sous votre nom dans ce pays.

Le baron se sentit justement apprécié.

— Ce n'est pas la question…

— Alors, monsieur le baron me permettra-t-il de lui faire observer combien cette question touche de près celle qui le préoccupe, c'est-à-dire le soin d'installer honorablement sa nombreuse famille…

— Vous mériteriez que je vous cravache, car ce sont là des affaires qui ne vous concernent pas !

— Ce sera comme vous le désirez, monsieur le baron. Cependant, encore que mes moyens soient plus modestes que certains ne sont portés à le croire, j'avais pensé ajouter immédiatement – à titre d'avance sur notre future affaire naturellement – un prêt d'une somme analogue : vingt mille livres pour vous permettre de vous consacrer à votre domaine sans souci trop harassant au sujet de vos enfants. Je sais, par expérience, que les travaux n'avancent pas vite lorsque l'esprit est distrait par l'inquiétude.

— Et que le fisc vous harcèle, dit le baron qui avait légèrement rougi sous son hâle.

— Précisément ! Pour que ces prêts entre vous et moi ne paraissent pas suspects, il me semble que nous n'aurions aucun intérêt à divulguer notre accord. J'insiste pour que, quelle que soit votre décision, notre conversation ne soit répétée à personne.

— Je vous entends bien. Mais vous devez comprendre que ma femme doit être mise au courant de la proposition que vous venez de m'exposer. Il s'agit de l'avenir de nos nombreux enfants.

— Excusez-moi, monsieur le baron, de vous poser cette question malséante, mais Mme la baronne pourra-t-elle se taire ? Je n'ai jamais ouï dire qu'une femme savait garder un secret.

— Ma femme a la réputation d'être peu bavarde. De plus, nous ne voyons personne. Elle ne parlera pas si je le lui demande.

À ce moment l'intendant aperçut le bout de nez d'Angélique qui, appuyée au chambranle, les écoutait sans chercher d'ailleurs à se cacher. Le baron se retournant la vit aussi et fronça les sourcils.

— Venez ici, Angélique, fit-il sévèrement. Je crois que vous commencez à prendre la mauvaise habitude d'écouter aux portes. Vous apparaissez toujours aux moments inopportuns et l'on ne vous entend pas venir. Ce sont des manières déplorables.

Molines fixait sur elle un regard pénétrant, mais ne semblait pas aussi contrarié que le baron.

— Les paysans disent que c'est une fée, avança-t-il avec un sourire mince.

Elle s'approcha sans émotion.

— Vous avez entendu notre conversation ? interrogea le baron.

— Oui, père ! Molines a dit que Josselin pourrait partir pour les armées et Hortense pour le couvent si vous faisiez beaucoup de mulets.

— Tu as une curieuse façon de résumer les choses. Maintenant, écoute-moi. Tu vas me promettre de ne parler à personne de cette histoire.

Angélique leva vers lui ses yeux verts.

— Je veux bien… Mais que me donnera-t-on à moi ?

Le régisseur eut un petit rire étouffé.

— Angélique ! s'exclama son père avec un étonnement déçu.

Ce fut Molines qui répondit :

— Prouvez-nous d'abord votre discrétion, mademoiselle Angélique. Si, comme je l'espère, notre association s'organise avec monsieur votre père, il faudra attendre que l'affaire ait prospéré sans embûches et qu'ainsi rien n'ait été divulgué de nos projets. Alors, en récompense, nous vous donnerons un mari…

Elle eut une petite moue, parut réfléchir et dit :

— Bon, je promets.

Puis elle s'éloigna.

Dans la cuisine, Mme Molines, écartant les servantes, enfournait elle-même sa tarte nappée de crème et de cerises.

— Madame Molines, mangerons-nous bientôt ? demanda Angélique.

— Pas encore, ma mignonne. Si vous avez trop faim, je vais vous faire une tartine.

— Ce n'est pas cela, mais je voudrais savoir si j'ai le temps de courir jusqu'au Plessis.

— Certainement. On enverra un gamin vous chercher lorsque la table sera mise.

Angélique partit en courant et, dès le tournant de la première allée, elle enleva ses chaussures et les dissimula sous une pierre où elle les reprendrait au retour. Puis elle s'élança de nouveau, plus légère qu'une biche. Le sous-bois sentait le champignon et la mousse, une pluie récente avait laissé des petites flaques çà et là, elle les franchissait d'un bond. Elle était heureuse. M. Molines lui avait promis un mari. Elle n'était pas très sûre qu'il s'agissait là d'un présent remarquable. Qu'en ferait-elle ?… Après tout, s'il était aussi agréable que Nicolas, ce serait un compagnon toujours présent pour aller pêcher les écrevisses.

Elle commença par enfiler l'allée des marronniers.

Lorsqu'on avait planté ces arbres, venus paraît-il des Indes, ou des jardins de l'empereur de Vienne, via Constantinople, cela avait paru dans le pays d'un luxe inouï !

Les Plessis-Bellière avaient toujours des idées extravagantes ! Mais lorsque au printemps les larges feuilles étoilées se garnissaient de hautes fleurs blanches plantées comme autant de chandelles parfumées, on se déplaçait pour les voir. Leurs fruits ne servaient pas à grand-chose. On les appelait « châtaignes de cheval » car, paraît-il, les Turcs en donnaient à leurs chevaux pour les faire gagner dans les courses. Angélique avait pris l'habitude d'en ramasser parce qu'elle les trouvait beaux, luisants et brun-noir dans leur enveloppe vert tendre et surtout elle en portait à la sorcière Mélusine qui fabriquait avec ces fruits des remèdes pour la fièvre.

Mais ce jour-là elle renonça à s'en remplir les poches. Elle avait hâte d'arriver.

C'était toujours le même enchantement.

Elle vit apparaître, au bout de l'allée, la silhouette du château, détaché en blanc pur sur l'émail bleu du ciel et le bleu plus foncé de l'étang dans lequel il se mirait.

Certainement le château des Plessis-Bellière était une maison de conte de fées car aucune ne lui ressemblait dans le pays. Toutes les gentilhommières des environs étaient, comme Monteloup, grises, moussues, aveugles. Ici, au siècle dernier, un artiste italien avait multiplié fenêtres, lucarnes, portiques. Un pont-levis en miniature franchissait des douves remplies de nénuphars. Aux angles, les tourelles et échauguettes n'étaient là que pour orner. Cependant les lignes de l'édifice étaient simples. Aucune surcharge dans ces arcs liant ces voûtes flexibles, mais une grâce naturelle de plantes ou de guirlandes. Seul au-dessus du porche principal, un écusson frappé d'une chimère tirant sa langue de flamme rappelait la décoration plus tourmentée du début de la Renaissance.

Angélique, avec une agilité surprenante, grimpa jusqu'à la terrasse, puis, s'agrippant aux décors des fenêtres et des balcons, parvint jusqu'au premier étage où une large gouttière lui offrait un support confortable. Alors elle colla son visage au carreau.

Elle était souvent venue jusque-là et elle ne se lassait pas de se pencher sur le mystère de cette chambre close où, dans la pénombre, on voyait luire l'argent et l'ivoire des bibelots sur des meubles de marqueterie, les fraîches couleurs rousses et bleues des tapisseries neuves, l'éclat des tableaux le long des murs. Au fond, il y avait une alcôve à courtepointe damassée. Les rideaux de la courtine brillaient, lourds de cette même soie d'or entremêlée à leur trame. Au-dessus de la cheminée, le regard était attiré par un grand tableau qui confondait Angélique d'admiration. Un monde dont elle avait à peine la prescience était venu s'enclore en ce cadre, monde léger des habitants de l'Olympe, avec leur grâce païenne et libre ; et l'on voyait un dieu et une déesse s'étreindre sous l'œil d'un faune barbu, leurs corps magnifiques, blancs et nus, symbolisant, comme ce château lui-même, une paix élyséenne aux abords de la forêt sauvage.

L'émotion envahissait Angélique jusqu'à l'oppresser.

« Toutes ces choses, pensait-elle, je voudrais les toucher, les caresser dans mes mains. Je voudrais qu'elles soient à moi un jour… »

❦

Sur le chemin du retour, le baron laissa aller son cheval au pas tant il était plongé dans ses réflexions. Angélique se taisait et il avait presque oublié sa présence légère contre lui.

À un moment comme ils parvenaient au sommet d'une petite éminence, le cheval fit halte de lui-même.

Le baron leva les yeux et aperçut au loin, dans la vaste prairie, quelques-uns de ces fameux mulets qui paissaient de concert, et puis, dressé de profil sur le ciel nuageux, un de ces étalons, bel exemplaire du baudet du Poitou dont avait parlé maître Molines. Aussi grand qu'un jeune cheval, mais comme taillé à coups de serpe dans du bois, sa vêture de longs poils brun sombre achevait de donner à sa silhouette rugueuse un aspect primitif, venu de temps très anciens.

— C'est vrai qu'il est beau, dit le baron.

— Il se tient près de la haie, remarqua Angélique. Il y trouve ce qu'il aime le plus, tout ce qui pique, des ronces d'épine noire.

Le cheval s'était remis en route. Peu après ils pénétraient dans la pénombre d'un chemin creux.

— Arrêtons-nous ici.

Ainsi faisaient-ils souvent dans leurs promenades.

Lui s'asseyait sur une pierre moussue, ou un ressaut de racine saillant de la glaise du talus. Le cheval broutait librement l'herbe fine du bas-côté. Angélique parfois s'asseyait aussi. Parfois elle picorait alentour ce que l'endroit pouvait receler d'intéressant pour ses trésors : fruits, fleurs, racines...

Cette fois elle prit dans son petit sac un bâton d'angélique confite que Mme Molines lui avait donné à emporter pour sa collation. Mais avant de se mettre à le manger, elle se tint debout devant son père et le regarda bien en face avec gravité.

— Ne croyez-vous pas, mon père, que c'est dangereux de faire affaire avec un protestant ? Nourrice dit qu'ils ont fait des choses horribles dans les églises. Elle dit qu'elle a une aïeule – ou une aïeule de son aïeule – qui a sauvé ce coffret des reliques de sainte Ursule au moment où les protestants les avaient arrachées de la pierre d'autel et allaient les jeter aux porcs. Elle a gardé le coffret chez elle pendant des années jusqu'à ce qu'on puisse les remettre dans une église non détruite. Sa maison a été bénie. Elle dit que c'était le temps où ils ont attaché le curé de Parthenay à son grand crucifix au-dessus de l'autel et l'ont tué en tirant sur lui à coups d'arbalète. Ils ont cassé à coups de masse la tête de l'Enfant Jésus de la statue de Notre-Dame du Bon Secours, ils ont pendu à l'envers le tableau de la Sainte Vierge que l'on venait vénérer en pèlerinage depuis des siècles. Ils disaient que c'était des idoles et que nous, les catholiques, nous sommes des païens, parce que nous nous prosternons devant elles... Et pourquoi ne pouvons-nous pas jouer avec nos voisins du château de Rambourg parce qu'ils sont protestants ?... Ils n'ont pas l'air bien dangereux... Celui qui est un peu plus grand que Josselin passe son temps à s'exercer à sonner du cor... Cela met grand-père en colère... Il dit qu'ils nous provoquent... Qu'est-ce que vous, vous en pensez, mon père ? Est-ce vrai que nous sommes des païens parce que nous prions devant des statues dans les églises ? Est-ce vrai que ce sont des idoles ?...

Son père l'avait écoutée avec étonnement. Arraché à ses préoccupations du moment, il fit un effort pour lui répondre.

— Des idoles ?... Je ne sais pas. Pour eux, oui, paraît-il... Que veux-tu, chacun son point de vue..., émit-il, abasourdi par sa véhémence...

Il avait cherché en vain à l'interrompre :

— Tout cela... les iconoclastes... ce sont de vieilles histoires. C'est le passé. On ne peut pas tout le temps ressasser le passé. La meilleure façon de ne pas être importuné par de tels souvenirs, c'est de ne plus en parler. C'est d'oublier. J'ai quelques fermiers huguenots sur mes terres... Les seuls à acquitter leur fermage régulièrement... Quant aux Rambourg, nos voisins gentilshommes, ils nous apportent toujours du gibier car je les laisse chasser dans nos forêts... Moi je n'ai jamais eu le temps de dresser faucons ou chiens, ni assez d'argent pour cela... Il faut oublier. Sinon ces vieilles querelles ne finiront jamais. Nounou Fantine vous raconte trop d'histoires folles. Elle doit les pêcher dans cette bibliothèque bleue des colporteurs... Ce n'est pas de la littérature exacte. Je veux dire... conforme à la réalité... Tu comprends ?... Ce sont de vieux récits pour exciter aux exploits guerriers. Enfin, je n'en sais rien... c'est ce que disent ta mère et Pulchérie... Soit, Molines est huguenot, mais c'est un homme de notre temps… et il s'y connaît en mulets…

Il se tut, à bout d'arguments.

Angélique l'avait écouté avec attention.

Elle hocha plusieurs fois la tête avec un sourire d'approbation, et commença de manger sa confiserie. Elle se gardait bien d'insister pour en savoir plus long. Pour deux raisons. Elle commençait à craindre que son père interdise l'entrée au manoir des petits livres bleus, ainsi que des almanachs, si beaux, si pleins d'images de lunes, d'étoiles et de soleils, de dictons et de sentences, de légendes et de miracles et dans lesquels tous les mois de l'année se présentaient comme autant de chars fleuris amenant « monts et merveilles ».

Et puis la réponse quelque peu naïve du baron sur les protestants était bien celle qu'elle avait souhaité entendre de sa bouche. Elle était d'accord avec lui. Toutes ces plaintes et récriminations à propos de statues brisées et de reliques profanées, cela ne les regardait plus. Il y avait autre chose à faire dans la vie que de s'en occuper encore : faire des mulets, par exemple…

Le baron était étonné lui-même d'avoir pris position si nettement, sollicité qu'il avait été par ces questions abruptes d'Angélique. Et au fond, en discutant avec elle, il venait de se rendre compte que ses réticences à passer un accord avec un adepte de la Religion réformée n'avaient d'autres bases sérieuses que ces réflexes anciens des vieilles rancunes perpétrées par ces affreuses guerres de religion du siècle dernier. Guerres fratricides, aussi riches de crimes et d'horreurs de part et d'autre, si l'on y regardait d'un peu près.

Angélique continuait de manger ses bâtons de confiserie collante et verte. Elle s'en mettait partout, mais elle était manifestement si contente et insouciante qu'il ne put se retenir de sourire. C'était encore une enfant, pensa-t-il. Heureusement ! Angélique chantonnait et levait les yeux vers les frondaisons. Il fut surpris de la couleur et de la transparence exceptionnelle de ses prunelles.

« Elle a vraiment les yeux verts », se dit-il.

On prétendait qu'elle était sa préférée parce qu'elle était la plus jolie et que c'était pour cela qu'il l'emmenait avec lui en promenade. Mais les choses ne s'étaient pas passées ainsi. C'était elle qui, même toute petite, était venue le supplier de la prendre sur son cheval. Et en vérité c'était la seule de tous ses enfants qui avait l'air de s'intéresser à ce qu'il disait, lui, le père, qu'il fût question de mulets ou de ces sempiternels soucis d'argent. En tout cas elle essayait de comprendre.

« Au moins, songea son père en la regardant à nouveau qui dansait d'un pied sur l'autre en chantonnant un air de bourrée, elle comprend ce que je lui explique… bien qu'elle soit si jeune. »

Elle lui manquerait lorsqu'elle serait partie pour ce fameux couvent, s'il faisait affaire avec Molines. Mais du moins il serait tranquille pour son éducation.

Pour Angélique aussi ces quelques considérations échangées sur les protestants l'avaient satisfaite. Il y avait longtemps qu'elle voulait demander à son père ce qu'il pensait de tout cela et maintenant elle était rassérénée.

Ce serait une bonne chose pour lui de travailler avec Molines. L'intendant des Plessis-Bellière savait beaucoup de choses et donnait l'impression de savoir ce que tout le monde pensait, riches ou pauvres, catholiques et protestants, nobles et paysans. Maître de la contrée, il l'était.

Et sans en avoir l'air, il l'était aussi, de ces seigneurs étourdis qu'il servait, ces « tout-fous » de Paris, ces Plessis-Bellière qui venaient si rarement s'ébattre dans leur magnifique château blanc de rêve qui se reflétait dans l'étang aux nénuphars.

Chapitre cinquième

En mai, dans ce pays, les garçons, un épi vert à leur chapeau, et les filles, parées de fleurs de lin, s'en vont danser autour des dolmens, ces grandes tables de pierre que la préhistoire a dressées dans les champs. Au retour, on s'égaille un peu, par couples, dans les prés et les sous-bois qui sentent le muguet.

En juin, le père Saulier maria sa fille et ce fut une grande fête. C'était l'unique fermier du baron de Sancé qui, en dehors de lui, n'employait que des métayers.

L'homme, qui faisait au surplus l'office de cabaretier du village, était aisé.

La petite église romane fut garnie de fleurs et de cierges gros comme le poing. M. le baron lui-même conduisit l'épousée à l'autel. Le repas, qui dura plusieurs heures, déborda de boudin blanc et noir, d'andouillettes, de saucisses et de fromages. Il y eut du vin.

Après le repas, toutes les dames du village vinrent selon la coutume faire leurs présents à la jeune mariée.

Celle-ci était chez elle, dans sa nouvelle demeure, assise sur un banc devant une grande table où s'empilaient déjà vaisselle de faïence et d'étain, draps, chaudrons de cuivre et de fonte. Son visage rond, un peu bovin, brillait de plaisir sous une énorme couronne de marguerites.

Mme de Sancé était presque gênée de n'apporter qu'un cadeau modeste : quelques assiettes de belle faïence qu'elle réservait pour ces occasions. Angélique pensa tout à coup qu'à Sancé on mangeait dans des écuelles de paysans. Elle fut à la fois outrée et blessée de cet illogisme ; les gens étaient bizarres ! Ne pouvait-on parier déjà que la villageoise, elle non plus, ne se servirait pas de ces assiettes, les rangerait précieusement dans un coffre, et continuerait à manger dans son écuelle ? Et, au Plessis, il y avait tant d'objets merveilleux que l'on abandonnait ainsi comme dans une tombe !...

Le visage d'Angélique se ferma et elle embrassa la jeune femme du bout des lèvres.

Cependant, autour du grand lit conjugal, les jeunes gens s'assemblaient et plaisantaient.

— Ah ! ma belle, cria l'un d'eux. Tels qu'on vous voit, toi et ton époux, on se doute que le chaudaut sera le bienvenu quand on vous le portera à la première aube.

— Maman, demanda Angélique en sortant, qu'est-ce que ce chaudaut dont on parle toujours aux mariages ?

— C'est une coutume de manants comme de porter des présents ou de danser, répondit-elle, évasive.

L'explication ne contenta pas sa fille qui se promit d'assister au « chaudaut ».

Cependant, sur la place du village, on ne dansait pas encore sous le grand ormeau. Les hommes restaient autour des tables, posées en plein air sur des tréteaux.

Angélique entendit les sanglots de sa sœur aînée qui demandait à rentrer au château, car elle était honteuse de sa robe trop simple et reprisée.

— Bah ! s'écria Angélique, tu te compliques bien la vie, ma pauvre fille. Est-ce que je me plains de ma robe, moi, et pourtant elle me serre et elle est trop courte. Il n'y a que mes souliers qui me font vraiment mal. Mais j'ai apporté mes sabots dans un balluchon et je les mettrai pour mieux danser. Je suis bien décidée à m'amuser !

Hortense insista, se plaignant qu'elle avait chaud et qu'elle n'était pas bien, qu'elle voulait rentrer à la maison.

Mme de Sancé rejoignit son mari qui était assis parmi les notables et le prévint qu'elle se retirait, mais laissait Angélique avec lui. La fillette resta un instant près de son père. Elle avait beaucoup mangé et se sentait somnolente.

Il y avait, autour d'eux, le curé, le syndic, le maître d'école qui était aussi à l'occasion chantre, chirurgien-barbier et sonneur de cloches, et plusieurs cultivateurs appelés « laboureurs » parce qu'ils étaient possesseurs de charrue à bœufs et employaient plusieurs « manœuvriers », formant ainsi une petite aristocratie de village. Faisait aussi partie de ce groupe Arthème Callot, l'arpenteur du bourg voisin délégué provisoirement afin d'aider à l'assèchement du marais proche et faisant, lui, un peu figure de savant et d'étranger, encore qu'il ne fût que du Limousin. Enfin s'étalait le père du marié, Paul Saulier lui-même, éleveur de bêtes à cornes, de chevaux et d'ânes. En fait, ce corpulent paysan du Poitou était le plus important des petits fermiers et, encore que le baron Armand de Sancé fût le « maître », son fermier était certainement plus riche que lui.

Angélique, regardant son père dont le front ne se déridait pas, devinait sans peine ce qu'il pensait. « C'est là encore un signe de l'abaissement des nobles », devait-il songer avec mélancolie.

❦

Cependant un remue-ménage se faisait sur la place autour du grand ormeau, et l'on vit deux hommes, portant chacun sous le bras des sortes de sacs blancs déjà très gonflés, se hisser sur des tonneaux. C'étaient les joueurs de musette.

Un joueur de chalumeau se joignit à eux.

— On va danser ! s'écria Angélique, et elle s'élança vers la maison du syndic où elle avait caché ses sabots à l'arrivée.

Son père la vit revenir bondissant d'un pied sur l'autre et battant des mains selon le rythme des ballades et des rondes qui se danseraient tout à l'heure. Ses cheveux d'or bruni sautaient sur ses épaules. Peut-être à cause de sa robe trop courte et trop étroite, il réalisa tout à coup combien elle s'était subitement développée depuis quelques mois. Elle qui avait toujours été assez frêle paraissait maintenant avoir douze ans ; ses épaules s'étaient élargies, sa poitrine gonflait légèrement la serge usée de sa robe. Un sang riche sous le hâle doré de ses joues lui donnait un éclat vermeil et ses lèvres entrouvertes, humides, riaient sur des petites dents parfaites.

Comme la plupart des jeunes filles du pays, elle avait glissé à l'échancrure de son corsage un gros bouquet de primevères jaunes et mauves.

Les hommes qui étaient là furent eux aussi frappés de son apparition pleine de fougue et de fraîcheur.

— Votre demoiselle devient fort belle fille, dit le père Saulier avec un sourire obséquieux et un regard entendu à ses voisins.

La fierté du baron se teinta d'inquiétude.

« Elle est trop grande maintenant pour se mêler à ces rustres, pensa-t-il tout à coup. C'est elle, plus qu'Hortense, qu'on devrait mettre au couvent… »

Angélique, insouciante des regards et des réflexions qu'elle suscitait, se mêlait gaiement aux jeunes gens et jeunes filles qui accouraient de toutes parts en bande ou par couples.

Elle se heurta presque à un adolescent qu'elle ne reconnut pas sur le coup tant il était bien vêtu.

— Valentin, ma *doué*, s'exclama-t-elle employant le patois du pays qu'elle parlait couramment, ce que tu es beau, mon cher !

Le fils du meunier portait un habit coupé certainement à la ville dans un drap gris de si belle qualité que les basques de sa redingote en semblaient empesées. Celle-ci et le gilet étaient garnis de plusieurs rangées de petits boutons dorés qui étincelaient. Il avait des boucles de métal à ses souliers et à son feutre, et des rosettes de satin bleu comme jarretières à bas. Le jeune garçon paraissait assez gauche et emprunté dans son accoutrement, mais son visage rougeaud éclatait de satisfaction. Angélique, qui ne l'avait pas vu depuis quelques mois à cause de ce voyage à la ville qu'il avait fait avec son père, s'aperçut qu'elle lui atteignait à peine l'épaule et se sentit presque intimidée. Pour dissiper sa gêne, elle lui saisit la main.

— Viens danser !

— Non ! Non ! protesta-t-il. Je ne veux pas abîmer mon beau costume. Moi, je vais aller boire avec les hommes, ajouta-t-il avec suffisance en se dirigeant vers le groupe des notables près desquels venait de s'attabler son père.

— Viens danser ! cria un garçon en saisissant Angélique par la taille.

C'était Nicolas. Ses yeux sombres comme des châtaignes mûres étaient pleins de gaieté.

Ils se firent face et commencèrent à battre la terre en cadence aux sons aigus et aux ritournelles des musettes et du chalumeau. À ces danses qu'on aurait pu croire pesantes et monotones, un sens instinctif du rythme ajoutait une harmonie extraordinaire. Avec les musettes et le chalumeau, le principal instrument en était précisément ce choc sourd des sabots retombant sur le sol dans un ensemble total, et les figures compliquées que chacun exécutait à la seconde précise ajoutaient de la grâce à la perfection du ballet champêtre.

Le soir vint. La fraîcheur soulagea les fronts en sueur.

Tout à l'obsession de la danse, Angélique se sentait heureuse, délivrée de ses pensées. Ses cavaliers se succédaient et dans leurs yeux brillants et rieurs elle lisait quelque chose qui l'exaltait un peu.

La poussière montait comme un pastel léger rosi par le soleil couchant. Le joueur de chalumeau avait les joues comme deux balles et les yeux lui sortaient de la tête à force de souffler dans son instrument. Il fallut s'interrompre, aller aux tables garnies de pichets pour se rafraîchir.

— À quoi pensez-vous, père ? demanda Angélique en venant s'asseoir près du baron qui ne se déridait pas.

Elle était rouge et essoufflée. Il lui en voulut presque d'être insouciante et heureuse alors qu'il se tracassait au point de ne pouvoir plus jouir comme autrefois d'une fête de village.

— Aux impôts, répondit-il en regardant d'un air sombre son vis-à-vis qui n'était autre que le sergent Corne, le commis des Aides que l'on avait mis tant de fois à la porte du château.

Elle protesta :

— Ce n'est pas bien de penser à cela alors que tout le monde s'amuse. Est-ce qu'ils y pensent, eux tous, nos paysans ? Et pourtant ce sont eux qui paient le plus lourdement. N'est-ce pas, monsieur Corne ? cria-t-elle gaiement à travers la table. N'est-ce pas qu'en un jour pareil personne ne doit plus penser aux impôts, même pas vous ?...

Cela fit rire bruyamment. On commençait à chanter et le père Saulier lança le refrain du collecteur-picoreur que le sergent voulut bien écouter avec un sourire bonhomme. Mais ce serait vite le tour de refrains moins innocents auxquels toutes noces autorisent, et Armand de Sancé, de plus en plus inquiet des manières de sa fille qui buvait rasade sur rasade, décida de se retirer.

Il dit à Angélique de le suivre pour prendre congé et qu'ils allaient regagner tous deux le château. Raymond et les derniers enfants accompagnés de la nourrice étaient depuis longtemps rentrés. Seul le fils aîné Josselin s'attardait, un bras passé autour de la taille d'une des plus accortes filles du pays.

Le baron se garda de le rappeler à l'ordre. Il était content de voir que le maigre et pâle collégien retrouvait dans les bras de dame Nature des couleurs et des idées plus saines. À son âge, il y avait longtemps que lui-même avait déjà culbuté dans le foin une solide bergère du hameau voisin. Qui sait ? Peut-être cela retiendrait-il l'aîné au pays ?

Persuadé qu'Angélique le suivait, le châtelain commença à distribuer des adieux à la ronde.

Mais sa fille avait d'autres projets.

Depuis plusieurs heures, elle cherchait le moyen de pouvoir assister à la cérémonie du chaudaut lorsque le soleil se lèverait. Aussi, profitant d'une bousculade, se glissa-t-elle hors de la foule. Puis, prenant ses sabots à la main, elle se mit à courir vers l'extrémité du village dont toutes les habitations étaient désertées, même par les grands-mères. Elle avisa l'échelle d'une grange, y grimpa prestement, retrouva le foin doux et odorant.

Le vin et la fatigue de la danse la faisaient bâiller.

« Je vais dormir, pensa-t-elle. Quand je me réveillerai, ce sera l'heure et j'assisterai au chaudaut. »

Ses paupières se fermaient et elle tomba dans un profond sommeil.

Elle s'éveilla avec une impression agréable de bien-être et de plaisir. L'ombre de la grange était toujours dense et chaude. C'était encore la nuit et l'on entendait au loin les cris des paysans en fête.

Angélique ne comprenait pas très bien ce qui lui arrivait.

Son corps était envahi d'une grande douceur et elle avait envie de s'étirer et de gémir. Elle sentit tout à coup une main qui lentement passait sur sa poitrine, puis descendait le long de son corps, effleurait ses jambes. Un souffle court et chaud lui brûlait la joue. Les doigts tendus rencontrèrent une étoffe raide.

— C'est toi, Valentin ? chuchota-t-elle.

Il ne répondit pas, mais s'approcha encore.

Les fumées du vin et le délicat vertige de l'ombre embrumaient la pensée d'Angélique. Elle n'avait pas peur. Elle le reconnaissait, Valentin, à son souffle lourd, à son odeur, à ses mains même, souvent coupées par les roseaux et les herbes des marais et dont la rugosité sur sa peau la faisait frissonner.

— Tu ne crains plus d'abîmer ton bel habit ? murmura-t-elle avec une naïveté qui n'était pas exempte d'une inconsciente rouerie.

Il grogna et son front vint se blottir contre le cou gracile de la fillette.

— Tu sens bon, soupira-t-il, tu sens bon comme la fleur d'angélique.

Il essaya de l'embrasser, mais elle n'aima pas sa bouche humide qui la cherchait et le repoussa. Il la saisit plus violemment, pesa sur elle. Cette brutalité soudaine en réveillant tout à fait Angélique lui rendit sa conscience. Elle se débattit, essaya de se redresser. Mais le garçon la ceinturait, haletant.

Alors, furieuse, elle le frappa en plein visage de ses poings fermés, en criant :

— Laisse-moi, manant, laisse-moi !

Il la lâcha enfin et elle se laissa glisser de la meule de foin, puis descendit l'échelle de la grange. Elle était en colère et avait de la peine sans savoir pourquoi… Au-dehors des cris et des lumières emplissaient la nuit et se rapprochaient.

« La farandole !… »

Se tenant par la main, les filles et les gars passèrent près d'elle ; Angélique fut entraînée dans le flot. La farandole enfilait les ruelles, sautait les barrières, dévalait les champs dans la demi-lueur du petit jour. Tous, ivres de vin et de cidre, trébuchaient sans cesse, et c'étaient des éboulements et des rires. On revint vers la place ; les tables et les bancs étaient renversés ; la farandole les franchit. Les torches s'éteignaient.

— Le chaudaut ! Le chaudaut, réclamaient maintenant les voix.

On frappait à la porte du syndic qui était parti se coucher.

— Réveille-toi, bourgeois !... Nous allons réconforter les mariés !...

Angélique, qui avait réussi, les bras rompus, à se dégager de la chaîne, vit venir alors un curieux cortège.

En tête marchaient deux personnages cocasses vêtus d'oripeaux et de grelots à la façon des anciens « fous » de roi. Puis, deux jeunes gens portant sur les épaules un bâton auquel était passée l'anse d'un énorme chaudron. Des compagnons les entouraient tenant des pichets de vin et des verres. Tous les gens du village qui avaient encore le courage de se tenir debout, suivaient, et c'était déjà une troupe fort nombreuse.

On pénétra sans plus de manières dans la chaumière des jeunes mariés.

Angélique les trouva gentils, couchés côte à côte dans leur grand lit. La jeune femme était toute rouge. Cependant ils burent sans rechigner le vin chaud mélangé d'épices qu'on leur servait. Mais un des assistants plus ivre que les autres voulut enlever le drap qui les recouvrait pudiquement. Le mari lui envoya un coup de poing. Une bagarre s'ensuivit au cours de laquelle on entendit les cris de la pauvre jeune femme cramponnée à ses couvertures. Bousculée par ces corps en fureur, suffoquée par ces odeurs de vin et de chairs mal lavées, Angélique faillit être jetée à terre et piétinée. Ce fut Nicolas qui la dégagea et l'aida à sortir.

— Ouf ! soupira-t-elle, lorsqu'elle fut enfin à l'air libre. Ça n'est pas drôle, votre histoire de chaudaut. Dis, Nicolas, pourquoi est-ce qu'on leur porte du vin chaud à boire aux mariés ?

— Dame ! Faut bien les réconforter après leur nuit de noces.

— C'est si fatigant que ça ?

— À ce qu'on dit…

Il se mit à rire brusquement. Ses yeux étaient luisants, les boucles de ses cheveux noirs tombaient sur son front brun. Elle vit qu'il était aussi ivre que les autres. Soudain il lui tendit les bras et se rapprocha d'elle en titubant.

— Angélique, t'es mignonne, tu sais, quand tu parles comme ça… T'es si mignonne, Angélique.

Il lui mettait les bras autour du cou. Elle se dégagea sans un mot et s'en alla.

Le soleil se levait sur la place du village dévastée. Décidément la fête était finie. Angélique marchait sur le chemin du château d'un pas mal assuré en méditant avec amertume.

Ainsi, après Valentin, Nicolas lui-même s'était permis d'étranges manières. Elle venait de les perdre tous les deux à la fois. Il lui semblait que son enfance était morte, et à l'idée qu'elle ne retournerait plus dans les marais ou au bois avec ses compagnons habituels, elle avait envie de pleurer.

C'est ainsi que le baron de Sancé et le vieux Guillaume, qui partaient à sa recherche, la rencontrèrent venant vers eux d'une démarche incertaine, la robe déchirée et les cheveux pleins de foin.

— *Mein Gott !* s'écria Guillaume en s'arrêtant, consterné.

— D'où venez-vous ? dit à Angélique le châtelain.

Mais voyant qu'elle était incapable de répondre, le vieux soldat l'enleva dans ses bras et l'emmena vers la demeure.

Soucieux, Armand de Sancé se dit qu'il faudrait trouver absolument le moyen d'envoyer d'ici peu sa seconde fille au couvent. Il n'avait pris encore aucune décision quant à l'affaire proposée par Molines. Il espérait encore que l'aide à laquelle il avait droit lui viendrait d'un autre côté.

Angélique reprit ses esprits le lendemain après avoir dormi près de vingt-quatre heures.

Elle était parfaitement éveillée et sans remords, mais sentait pourtant au fond de son âme comme une blessure.

Elle songea soudain qu'elle s'était brouillée avec Valentin et peut-être aussi avec Nicolas – que les « hommes » étaient donc bêtes ! En outre, elle devait reconnaître que ce ne se serait pas passé ainsi si elle avait écouté son père et quitté la fête avec lui. Pour la première fois, elle admit qu'il pouvait être utile d'écouter les adultes et elle se promit de devenir plus raisonnable.

Pendant qu'elle s'habillait, elle regarda attentivement sa poitrine. Elle avait beaucoup grandi cette année. Ses seins commençaient à se dessiner. « Un jour, j'aurai une poitrine comme Nanette », songea-t-elle. Elle ne savait pas si elle était fière ou effrayée. Toutes ces transformations l'étonnaient et, par-dessus tout, elle avait le sentiment que quelque chose touchait à sa fin. Sa vie libre et familière était menacée. Elle la conduirait vers un autre monde dont elle ne savait encore rien.

« Pulchérie m'a dit l'autre jour que j'allais devenir une jeune fille. J'ai peur de m'ennuyer terriblement », se dit-elle, troublée.

Le bruit d'un galop de cheval l'attira à la fenêtre.

Elle vit son père quitter la cour et n'osa pas l'appeler pour l'accompagner. « Il va sûrement chez Molines, se dit-elle. Ce serait si bien si ces interminables problèmes d'argent cessaient, s'il n'y avait plus à attendre l'aide du roi. Hortense pourrait s'habiller convenablement et trouver un héritier de bonne famille au lieu de faire la tête à la maison. Et Josselin pourrait entrer dans l'armée au lieu de chasser comme le diable avec les fils du baron de Chaillé. Je déteste ces brutes de garçons qu'il fréquente et qui, lorsqu'ils viennent ici, me pincent au point que j'en ai des bleus pendant huit jours. Et père serait heureux. Il pourrait regarder ses mulets toute la journée… »

Ainsi rêvait la fillette, sans se douter des changements que cette nouvelle visite à l'intendant Molines allait apporter.

Certes elle ne doutait pas que son père allait accepter le prêt nécessaire à l'installation du haras. Mais par la suite, et devant le visage fermé et tendu de sa mère, elle comprit que celle-ci avait fait promettre solennellement le secret de ces tractations afin que leurs voisins nobiliaires ne puissent les accuser de déroger à leurs titres de noblesse et d'être dans les mains d'un usurier. Connaissant aussi mieux maître Molines, Angélique devinait qu'il insisterait beaucoup pour que M. de Sancé acceptât les vingt mille livres supplémentaires en avance personnelle, mais le baron était resté ferme, car on ne reparla plus du départ de ses filles au couvent.

Cependant il y eut des changements qui annonçaient des jours meilleurs pour le sauvetage des mulets.

❦

Au château de Monteloup, les paysans vinrent et apportèrent, qui une ânesse, qui un étalon. Le baron vérifiait la dentition des chevaux et leurs sabots, se renseignait sur leur arbre généalogique et n'achetait que peu de bêtes.

Il attendait : on trouverait mieux et plus au marché de Fontenay-le-Comte qui se tiendrait dans trois semaines et auquel il se rendait. Il semblait avoir beaucoup d'argent, car il rassembla les habitants de Monteloup et leur confia qu'il y avait du travail pour tous et qu'il faudrait en outre choisir dans les environs des bûcherons, menuisiers, charpentiers, tailleurs de pierre et maçons.

En peu de temps, l'apparence des écuries derrière le château changea. De nouvelles prairies furent également mises en pâture. Le vieux Guillaume laissa tomber sa tâche la plus importante, la surveillance du jardin et de la cour du château, pour jouer les contremaîtres. Ce faisant, il rajeunit à vue d'œil et cessa presque de boiter.

— Quand, des Romains à Charles le Grand, les soldats n'avaient rien d'autre à faire que de tracer des routes et de construire, il y avait moins de misère dans ce monde, disait le mercenaire à qui voulait l'entendre.

— J'aurais cru que ces soldats s'entendaient plutôt à détruire, répliquait la nourrice.

— Des soldats barbares ou incroyants, oui, ceux-là ne sont bons qu'à massacrer ou à piller. Mais les autres n'aspirent rien qu'à la paix, répondait l'Allemand sans relever l'ironie.

Angélique aimait le vieux guerrier, mais elle regrettait un peu la transformation de son bon ami. Tous ces travaux pacifiques étaient certes magnifiques, mais bien moins que les histoires de guerres et de batailles qu'il lui racontait avant, et que sa nouvelle passion lui faisait oublier. D'un naturel quelque peu prédicateur, comme tous les adeptes de la religion prêchée par Luther, il allait jusqu'à s'échauffer contre le cardinal Mazarin qui n'avait pas voulu arrêter la guerre et avait donc provoqué le mécontentement du peuple.

Le haras des mulets était déjà très beau.

En prévision des inondations, on avait fait venir des chargements entiers de granit pour les fondations, et les bâtiments étaient recouverts de tuiles blondes et roses. Plus de cinq cents ânesses et cinquante étalons un jour pourraient y loger.

Pendant ce temps, le géomètre étudiait un nouveau système d'assèchement pour les terres en bas du château.

Il s'agissait d'assécher la plus grande partie du marais qui, dans les temps anciens, avait assuré la défense du château.

En sa qualité de fée des marais, Angélique s'élevait secrètement contre la profanation de son domaine ; mais depuis le mariage, le taciturne Valentin ne l'avait plus invitée à aller en barque. Il l'abandonnait. Alors le marais pouvait bien disparaître tranquillement ! Seul Nicolas était réapparu, riant de toutes ses dents blanches et sans la moindre gêne. Avec lui, l'enfance reprenait ses droits ; la nature accordait un répit – tout ne se terminait pas en même temps. Le baron rayonnait. Il voulait montrer une bonne fois pour toutes à un bourgeois comme Molines qu'un gentilhomme pouvait réussir dans le domaine du travail. Bientôt, on pourrait s'occuper du château et de la famille, sans devoir de l'argent à personne.

Tous ces travaux apportaient un peu d'aisance aux paysans, et en conséquence il y avait profusion de vivres au château.

Une étape était franchie, même si la vie changeait peu. Les poules se promenaient toujours dans les salles, les chiens salissaient librement les carrelages, et la pluie tombait goutte à goutte dans les chambres. Mme de Sancé avait les mains rouges parce qu'elle ne pouvait s'acheter de nouveaux gants. Josselin, qui chassait le gibier et les filles, ressemblait plus que jamais à un loup et Raymond, plongé dans ses livres, ressemblait à une chandelle se consumant, à l'image de celles qui éclairaient ses nuits studieuses.

Seuls les petits, qui se blottissaient dans la chaleur de la cuisine et le giron de la nourrice, ne se plaignaient pas. Mais Madelon pleurait souvent et devenait morose. Pour elle aussi, ce serait bien de quitter le château. Angélique l'avait prise sous son aile et la tenait des nuits entières dans ses bras. Madelon savait qu'Angélique était très forte et qu'elle ne craignait ni les loup, ni les fantômes. Angélique elle-même ne retrouvait pas son entrain. Tout cela était intéressant mais elle continuait à ressentir l'impression que la plupart des gens étaient devenus fades et quelque peu imbéciles.

❦

Un jour Angélique partit à la recherche de Mélusine.

Il y avait longtemps qu'elle ne l'avait vue. Elle s'était laissé distraire par l'attente de la préparation de la noce dont le pays faisait grand cas et par ces changements apportés au haras.

Elle commença à la chercher à la lisière de la forêt. Remise de ses libations champêtres, elle s'étonnait d'avoir oublié Mélusine. Soit, elle s'était bien amusée au village !

Mais moins que les autres années ou à d'autres fêtes ; celle de l'Arbre de mai, par exemple, ou de la foire aux anguilles. « Ils » l'avaient agacée avec leur chaudaut et « leurs » façons d'avoir l'air de se moquer d'elle chaque fois qu'elle posait une question…

Angélique s'avançait parmi les herbes et les taillis, contente de retrouver la bonne odeur des floraisons nouvelles.

Aujourd'hui, allant de clairières en fourrés, elle essayait de relever sa trace. Le matin, à l'aube, quand elle allait faire sa première cueillette, la sorcière, brisant une branchette, nouant un brin d'herbe, signalait ainsi son chemin. Alors Angélique la retrouvait, trottinant toujours, travaillant encore activement, ou parfois assise, presque invisible parce qu'elle avait le don, comme les bêtes des bois, de se camoufler en se mêlant à l'enchevêtrement des branches, aux couleurs diverses dont les saisons paraient feuilles et mousses.

Pourtant jamais Angélique ne la surprit s'abandonnant au sommeil ou ayant l'air seulement de se reposer.

Ses yeux restaient ouverts, brillants et aux aguets, et c'était souvent eux qu'Angélique distinguait en premier dans la pénombre, alors qu'elle ne percevait pas encore sa présence, Mélusine souriant et disant de sa voix menue et toujours gaie : « Je t'attendais… Allons !… »

Mais ce jour-là et le jour suivant Angélique tourna en vain à travers la forêt, n'osant aller trop loin sans son signal, ni l'appeler car la sorcière lui avait bien recommandé de ne jamais, par la voix, avertir de leur présence.

Elle finit par s'approcher des bords de la falaise au flanc de laquelle s'ouvrait la grotte de la sorcière. Nulle trace aujourd'hui parmi les herbes du plateau de la « fumée du diable » qui faisait fuir les passants. Mais on était au cœur de l'été. Régnait un temps lourd, qui incitait à éteindre les foyers dans les logis.

Angélique s'inquiéta. Et si Mélusine était malade ?

Elle n'avait personne pour s'occuper d'elle. La solitude de la vieille femme lui apparut si totale que c'était presque en soi une maladie dangereuse dont on pouvait mourir. Lorsqu'il n'y a personne, plus personne pour s'occuper de vous, même pour penser à vous, se dit Angélique, la mort peut venir pour un rien. Mélusine est tombée et ne peut plus bouger, que ce soit au fond de la forêt ou dans son antre, le temps va avoir raison d'elle… car elle va mourir de faim. « La vie est une chose si fragile… », lui avait souvent dit Mélusine, en lui expliquant combien peu il faut pour retenir cette chose fragile, mais aussi que ce peu, il le faut. Angélique s'étonnait car elle se sentait si solide, si pleine de vie.

Mélusine n'avait personne.

C'est à peine si l'hiver, quand elle passait dans les hameaux avec son petit panier de plantes, une femme avait le courage de jaillir sur le seuil et de venir en courant et en se sauvant lui tendre une écuelle de lait ou un morceau de pain en échange de ses simples.

Angélique s'approcha du rebord de la falaise et, après examen, commença de descendre en s'accrochant aux lianes et aux touffes de genévriers. On discernait une sorte de trace avec des degrés inégaux, sans doute le chemin abrupt emprunté chaque jour par l'habitante des lieux. Un rebord gazonné, plus bas, devait se situer devant l'ouverture de la grotte. Elle acheva sa descente et sauta sur le terre-plein. La caverne s'ouvrait devant elle, plus ou moins dissimulée par un rideau de feuillages et de branchages.

Quelque chose bougea et Angélique, qui n'était qu'à mi-chemin, entre les broussailles vit le visage de Mélusine qui, attirée par le bruit, la regardait venir d'en bas d'un air malicieux.

— Mélusine ! Je croyais que tu étais malade.

La sorcière eut ce rire espiègle qui la faisait paraître enfantine.

— Malade, moi ! Pourquoi t'inquiéter ? N'ai-je pas tout ce qu'il me faut pour me soigner ?

— Mais tu n'as personne pour t'aider à préparer ces tisanes si tu es trop faible. Il faut toujours quelqu'un pour aider quand on est malade.

Mélusine continuait à la regarder avec un air de plaisanterie contenu. À la fin elle demanda :

— As-tu peur ?

— Non, je n'ai pas peur.

— As-tu peur de regarder en face l'Immonde, le Mal, le signe du démon ?

— Non, je n'ai pas peur, assura Angélique qui continuait à se cramponner aux racines et qui entendait les petits cailloux dégringoler sous ses pieds. Pourquoi ces questions ?

Avec Mélusine rien ne lui faisait peur.

— Alors viens, dit la sorcière. Tu vas m'aider… Et ne démolis pas mon escalier.

Elle pénétra à l'intérieur, d'où Mélusine, la précédant, lui faisait signe. C'était une assez vaste salle avec des recoins sombres remplis de coffres, de paniers d'osier, de meubles de roseaux, beaucoup de pots en terre, de jarres, de flacons.

Dans l'obscurité du plafond, elle devina, perchée sur une branche tordue, la chouette dont on lui avait parlé et qui dormait, hors de l'éclat du jour. Mais elle ne vit pas le chat. Comme elle l'avait supposé, le feu n'était pas allumé. Il y avait cependant une forte odeur de médecines préparées dans des marmites, dans des pots.

Au fond de la pièce, là où il faisait le plus sombre, elle vit, jeté comme un paquet sur une couche de fougères, un homme endormi. Il n'était pas très grand, plutôt râblé, vêtu pauvrement de loques sombres, trop larges pour lui. Ses pieds sortaient nus de ses chausses rapiécées, des pieds de pauvre, bosselés, écorchés. Un peu plus loin elle vit ses souliers, des souliers de marcheur, à gros clous, mais pas trop éculés encore, quoique très fatigués. Comme semblait l'être l'homme étendu, affalé contre la cloison. Pourtant il n'était pas privé de vie et son sommeil profond devait être dû aux mélanges savants que la sorcière lui avait fait avaler. Son visage n'était pas visible car recouvert d'une épaisse compresse de linge blanc.

— Est-ce quelqu'un de nos villages ? demanda Angélique.

La sorcière eut son petit ricanement désenchanté.

— Imagines-tu que je pourrais entraîner ici l'un de ces pauvres dévots, fût-ce pour lui sauver la vie ? Tous seraient déjà en train de battre la campagne en criant que je l'ai enlevé pour le faire bouillir dans la marmite de Satan…

Haussant les épaules à l'évocation de tant de sottises de la part des humains, elle s'agenouilla près de son patient.

Angélique fit de même. À demi penchée, la sorcière resta longtemps à contempler la masse inerte de l'homme, comme à l'écoute de ce qui se tramait en lui.

— Cela fait plusieurs jours, dit-elle enfin, et je sens que tout va s'accomplir.

Elle regarda Angélique et lui prit les mains.

— Tu es encore bien petite… mais tes mains sont fortes et bénéfiques.

Sur le ton d'une confidence elle murmura :

— J'ai endormi le crabe qui, sous sa peau, lui mangeait le visage…

Elle ferma les yeux un instant, puis reprit d'un ton solennel :

— Il va falloir l'amener au jour… Il ne faut pas que l'homme bouge sinon le crabe se réveillera… Tu tiendras la tête.

— Maintenant ?

La sorcière rit et secoua sa chevelure neigeuse.

— Non… Il faut attendre… Encore une nuit. La lune est croissante. Elle attire les forces de la terre et aidera à celle de mes mains… Reviens demain au déclin du jour… Ce sera le moment.

Angélique, croyant qu'elle serait requise pour la nuit, avait commencé à se demander comment elle ferait pour quitter la maison sans qu'Hortense, réveillée, n'ameute tout le château. Mélusine, la devinant, se mit à rire, puis hocha la tête d'un air attendri.

— C'est bien, tu es courageuse… Et prête à tout pour soulager ton prochain !

❦

Un soleil orangé descendait vers l'horizon lorsqu'elle revint le lendemain et répandait une lueur soufrée à l'intérieur de la grotte.

Un bourdonnement incantatoire s'échappait des lèvres à demi fermées de Mélusine.

Elle lui fit signe de s'agenouiller comme elle près de l'homme. Angélique savait quel était son rôle. Ce n'était pas la première fois qu'elle posait ses mains sur la tête d'un malade pour en ôter la souffrance, mais cette fois il fallait lui transmettre l'immobilité. Afin d'être certaine de ne pas bouger, ni même frémir, Angélique décida de ne pas se laisser distraire malgré l'ardente curiosité qu'elle éprouvait d'observer l'opération qu'allait accomplir la guérisseuse et fixa son attention sur un point de la paroi en face d'elle. Cependant elle demeura consciente du mouvement des mains de Mélusine posées sur la compresse et que semblaient soutenir les étranges paroles non prononcées, modulées par le son vibratoire qui s'échappait des lèvres de la femme en transe, et par instants on aurait dit que ce chant venait d'ailleurs, du dehors.

Les sons s'atténuaient. La tête qu'elle tenait, soudain, lui parut plus légère.

— Regarde.

Et ce qu'elle vit sur le linge blanc ouvert ce n'était pas tellement un crabe qu'une énorme araignée noire avec un bec rouge au centre, et des ramifications noirâtres en auréole.

Mélusine demeurait la tête penchée, contemplant l'image avec intensité.

— Tout est venu, murmura-t-elle enfin. Il guérira.

Ce soir-là Angélique aida encore la sorcière à poser des compresses sur la joue tuméfiée. Les odeurs balsamiques étaient fortes. Une vapeur imprégnait les lieux et suffoquait et sans doute, s'échappant au-dehors par l'orifice de la cheminée, traînait sur la lande, inspirant l'effroi à ceux qui passaient par là.

Le feu de Mélusine consuma l'un après l'autre les linges, les emplâtres… Angélique avait oublié le temps. Ce fut Mélusine qui lui rappela que la nuit était là.

Heureusement ce n'était pas la première fois qu'elle rentrait tard de ses escapades. Nounou Fantine lui avait gardé sa soupe au chaud. Elle retourna deux jours encore, aider aux pansements et à la composition des baumes. L'homme était toujours immobile, enfermé dans sa léthargie comme dans un pays lointain.

Un jour il ne fut plus là. Il était reparti guéri.

— Qui était-ce ? redemanda Angélique.

— Un errant !… Un porte-balle sans grande chance… Peu à peu les gens l'auraient fui. On l'aurait pris pour un lépreux, on lui aurait jeté des pierres…

La sorcière regarda Angélique avec une douceur complice.

— Nous avons écarté la mort, dit-elle.

Chapitre sixième

1646

SUIVANT SON HABITUDE, Fantine Lozier, après avoir acheté au colporteur auvergnat un peu de cire et quelques rubans, fut capable d'informer M. le baron des nouvelles les plus importantes concernant la marche du royaume de France.

Un nouvel impôt allait être levé, une bataille était en cours dans les Flandres, la reine mère ne savait plus quoi inventer pour trouver de l'argent et contenter les princes avides. Elle-même, la souveraine, n'était pas à l'aise, et le roi aux boucles blondes portait des chausses trop courtes, ainsi que son jeune frère qu'on appelait le Petit Monsieur, puisque son oncle, Monsieur, Gaston d'Orléans, frère du roi Louis XIII, vivait encore. Cependant, Mgr le cardinal Mazarin entasse bibelots et tableaux d'Italie. La reine l'aime. Le Parlement de Paris n'est pas content. Il écoute le cri du pauvre peuple des campagnes ruiné par les guerres et les impôts. À pleines carrossées et en beaux costumes fourrés d'hermine, ces messieurs du Parlement se transportent au Palais-Royal où vit le petit roi qui atteint sa dixième année, entre la robe noire de sa mère, l'Espagnole, et la robe rouge du cardinal Mazarin, l'Italien.

Ces messieurs du Parlement démontrent que le peuple ne peut plus payer, que les bourgeois ne peuvent plus commercer, qu'on est las d'être taxé pour le moindre bien. Bientôt ne devra-t-on pas payer pour l'écuelle dans laquelle on mange ?

La reine mère ne se laisse pas attendrir. M. Mazarin non plus. Ils savent que ce qui a rendu les messieurs du Parlement si pointilleux sur la misère du peuple, ce sont les décrets récents qui suppriment, pour quatre ans, les gages de tous les magistrats. Des gages qui sont plutôt une rente qui leur est versée pour la seule peine de siéger et de se coiffer de leurs bonnets carrés.

D'une voix bien timbrée quoique un peu hésitante sur la leçon apprise, le petit roi répond à tous ces graves personnages qu'il faut de l'argent pour les armées, pour la paix que l'on va signer… Des sacrifices s'imposent. Un nouvel impôt va naître. Les contrôleurs vont lancer leurs sergents. Les sergents vont menacer, les bonnes gens vont supplier, pleurer, saisir leurs faux pour tuer les commis et les collecteurs, s'en aller sur les routes se joindre aux soldats débandés, les bandits vont venir…

À entendre la nourrice on ne pouvait croire que ce simple colporteur eût pu lui conter tant de choses. On la taxait d'imagination alors que c'était divination. Un mot, une ombre, le passage d'un mendiant trop hardi, d'un marchand inquiet, la mettait sur le chemin de la vérité.

Le baron de Sancé protestait.

— Fantine, ne pourrait-on pas au moins une année vivre sans être livré à la hantise des catastrophes ?…

La nourrice se défendait. Cette fois, M. le baron pouvait l'avoir remarqué, elle n'avait pas dit que les bandits viendraient.

Et, en effet, ils ne vinrent pas.

Au contraire, toujours par la source du colporteur, de bons événements s'annonçaient.

Quittant Paris, laissant derrière lui son Parlement en rébellion, M. le cardinal Julio de Mazarin allait se rendre de l'autre côté du Rhin, en une région nommée Westphalie, pour y signer la fin de la guerre de Trente Ans.

Sous les combles du château, le vieux Lützen fourbit son casque, traque la rouille sur le fer de sa hallebarde.

Toutes les guerres ont des faces hideuses.

Celle qui va s'achever et qui fut la compagne de son existence est bien la plus affreuse Harpie de toutes les guerres. Lützen est prêt à en témoigner. Avec ses éclats de lumière, comme dans toutes les guerres.

Telle brillait dans les brumes la chevelure blonde du roi du Nord qui s'était égaré.

Il y avait du brouillard ce jour-là sur le champ de bataille de Lützen, quelque part en Saxe. Sur son lourd coursier gigantesque, était apparu le roi de Suède, Gustave-Adolphe, grand lui aussi, déjà trop gros. Guillaume le reverrait toujours, happé par des mains, des crocs, des piques, et s'effondrant lourdement parmi ses ennemis. Dont il était lui, Guillaume, mercenaire allemand des armées impériales. Vaincues ce jour-là, à Lützen, malgré la capture et la mort du roi venu du Nord.

Trop gros ou pas, Gustave-Adolphe laisserait dans l'Histoire le souvenir d'un bon stratège et d'un grand conquérant. Et nul ne pourrait oublier jamais les effroyables soudards qui constituaient son armée. Jusqu'en Lorraine, marche de l'Empire germanique, côté France, on les avait vus rôder, dressés sur fond de villages incendiés, de paysans torturés, de femmes éventrées, d'enfants embrochés, silhouettes géantes de guerriers qui maniaient la longue pique aussi bien que les Suisses : les Suédois.

Guillaume les avait combattus, lansquenet sous le commandement d'un grand général, le baron François de Mercy, au service de l'Électeur de Bavière.

En face d'autres grands généraux français : M. de Turenne et ce duc d'Enghien, qui à Rocroi avait mis, la première fois, les tercios espagnols en fuite.

— Nördlingen !

Une défaite de plus. Cela fait partie du métier. Et si le soldat qui s'est bien battu s'en tire vivant, il peut se dire qu'il a gagné.

Mais le lendemain, le baron de Mercy était mort de ses blessures.

C'était un instinct pour tous les mercenaires lassés de combattre, et qui désertaient, de marcher vers l'ouest. Vers le bout de l'Europe en guerre, vers le bout du monde qui s'arrête à la mer mouvante, l'océan inconnu. Ils marchaient vers l'ouest. Autour d'eux le parler allemand s'effaçait derrière le parler français. Des paysages plus verdoyants, plus ondulants, les enveloppaient. Et dans l'Ouest, les saisons se révélaient plus tendres, plus harmonieuses, sans rigueur, comme une ronde autour de l'année.

La petite Angélique aimait les compter sur les doigts : « Mars, avril, mai. Le printemps, les fleurs. Juin, juillet, août. L'été, on moissonne les blés. Septembre, octobre, novembre. L'automne, la forêt est d'or, on cueille les pommes, on vendange, on ramasse les châtaignes. Décembre, janvier, février. L'hiver et son manteau blanc, les grêlons qui fustigent ressemblent à des dragées. »

Le Poitou. De vieilles demeures chaleureuses. Bocage, forêts, marais hermétiques sauf à ceux qui y sont nés. La mer océane n'était pas loin.

Monteloup.

Lützen s'était arrêté.

Deuxième partie

Le vent du monde

Chapitre septième

ANGÉLIQUE, À LA SUITE de ces moments extraordinaires qu'elle avait vécus dans l'antre de la sorcière, commença à se montrer plus disciplinée. Elle prit goût à l'étude.

Elle s'imposa de demeurer au logis afin d'écouter les enseignements que Pulchérie dispensait à ses nièces et neveux selon leurs âges et degré d'application. Grâce à elle, Gontran savait lire.

Angélique se demandait si elle n'avait pas assisté chez Mélusine à un miracle. Bienfait du Ciel dont on parlait à l'église. Elle pensait qu'en reconnaissance, elle devait faire un effort pour enfin consoler sa tante si dévouée.

Celle-ci n'en croyait pas ses yeux en la voyant sagement assise à coudre ou à faire de la broderie ou ses devoirs d'écriture, et elle commença à croire, espérer que ses prières avaient été exaucées. D'autant plus que ses prévisions sur les dispositions naturelles de sa volage nièce à être la plus douée en tout s'avéraient exactes. Angélique brodait fort bien et comme en se jouant. Elle avait moins d'entrain pour la couture, mais s'y livrait avec habileté et rapidité. Ce qui lui était difficile, c'était de rester en place et immobile de longues heures. Le moindre bruit au-dehors l'attirait à la fenêtre.

La cour du château avait toujours été comme la scène d'un théâtre qui offrait d'un jour à l'autre, et parfois d'une heure à l'autre, toutes sortes de spectacles.

Certain jour, alors qu'Angélique regardait à la fenêtre la pluie tomber, elle aperçut avec stupeur de nombreux cavaliers et des carrosses cahotants s'engager dans le bourbier du chemin qui menait au pont-levis. Des laquais en livrée à parements jaunes précédaient les voitures et un chariot qui semblait rempli de bagages, de femmes de chambre et de valets. Déjà les postillons sautaient du haut de leurs sièges pour guider l'attelage à travers l'entrée étroite. Des laquais postés à l'arrière du premier carrosse descendirent et ouvrirent les portières dont les parois vernies portaient des armoiries rouge et or.

Angélique vola à travers l'escalier de la tour et parvint sur le perron pour voir trébucher dans le fumier de la cour un magnifique seigneur dont le feutre emplumé alla à terre. Un coup de canne violent sur le dos d'un laquais et une bordée d'injures accompagnèrent cet incident.

Sautant de pavé en pavé, sur la pointe de ses souliers élégants, le seigneur parvint enfin à l'abri de la salle d'entrée où Angélique et quelques-uns de ses petits frères et sœurs le regardaient.

Un adolescent d'environ quinze ans, vêtu avec la même recherche, le suivait.

— Par saint Denis, où est mon cousin ? s'exclama l'arrivant en jetant un coup d'œil outré autour de lui.

Il aperçut Angélique et s'écria :

— Par saint Hilaire, voici le portrait de ma cousine de Sancé lorsque je la rencontrai à Poitiers, au temps de son mariage. Souffrez que je vous embrasse, petite, comme le vieil oncle que je suis.

Il l'enleva dans ses bras et l'embrassa cordialement.

Reposée à terre, Angélique éternua par deux fois tant était violent le parfum dont les vêtements du seigneur étaient imprégnés.

Elle s'essuya le bout du nez avec sa manche, songea dans un éclair que Pulchérie l'en aurait grondée mais n'en rougit point, car elle ne connaissait pas la honte et la confusion. Aimablement elle fit sa révérence au visiteur en lequel elle venait de reconnaître le marquis du Plessis-Bellière. Puis s'avança pour embrasser le jeune cousin Philippe.

Celui-ci recula d'un pas et jeta un regard horrifié au marquis.

— Mon père, suis-je donc obligé d'embrasser cette… euh… cette jeune personne ?

— Mais oui, blanc-bec, profitez-en au contraire pendant qu'il est temps ! s'écria le noble seigneur en éclatant de rire.

L'adolescent posa précautionneusement ses lèvres sur les joues rondes d'Angélique, puis sortant un mouchoir brodé et parfumé de son pourpoint, il le secoua autour de son visage comme s'il chassait des mouches.

Le baron Armand, crotté jusqu'aux genoux, accourait.

— Monsieur le marquis, quelle surprise ! Pourquoi ne pas m'avoir envoyé un courrier pour me prévenir de votre arrivée ?

— À vrai dire, mon cousin, je comptais me rendre directement en ma demeure du Plessis, mais notre voyage n'a pas été sans déboires : nous avons eu un essieu brisé du côté de Neuchaut. Temps perdu. La nuit vient et nous sommes gelés. Passant près de votre gentilhommière, j'ai pensé vous demander l'hospitalité sans plus d'histoires. Nous avons nos lits et nos garde-robes que les valets dresseront dans les chambres que vous leur désignerez. Et nous aurons ainsi le plaisir de converser sans plus attendre. Philippe, saluez votre cousin de Sancé et toute la charmante troupe de ses héritiers.

Ainsi interpellé, le bel adolescent s'avança d'un air résigné et inclina profondément sa tête blonde en un salut qui avait quelque exagération, étant donné l'aspect rustique de celui auquel il s'adressait. Puis il alla baiser docilement les joues rebondies et sales de ses jeunes parents. Après quoi, il sortit de nouveau son mouchoir de dentelle et le respira d'une mine hautaine.

— Mon fils est un maniéré de la Cour qui n'a pas l'habitude de la campagne, déclara le marquis. Il n'est bon qu'à gratter de la guitare. Je l'avais attaché comme page au service de M. de Mazarin, mais je crains qu'il n'y apprenne la façon d'aimer à l'italienne. N'a-t-il pas déjà assez l'air d'une jolie fille ?... Vous savez en quoi consiste la façon d'aimer à l'italienne ?

— Non, dit naïvement le baron.

— Je vous raconterai cela un jour, loin de ces oreilles innocentes. Mais l'on meurt de froid dans votre entrée, mon cher. Pourrais-je saluer ma charmante cousine ?...

Le baron dit qu'il supposait que ces dames, à la vue des équipages, s'étaient précipitées dans leurs appartements pour s'habiller, mais que son père le vieux baron serait enchanté de le voir.

Angélique nota le coup d'œil méprisant de son jeune cousin au salon délabré et noir. Philippe du Plessis avait des yeux d'un bleu très clair mais aussi froid que de l'acier. Le même regard qui avait effleuré les tapisseries usées, le feu pauvre dans la cheminée et même le vieux grand-père avec sa fraise démodée, se tourna vers la porte, et les sourcils blonds de l'adolescent se levèrent tandis qu'un demi-sourire moqueur se dessinait sur ses lèvres.

Mme de Sancé entrait, accompagnée d'Hortense et des deux tantes. Elles avaient, certes, revêtu leurs meilleurs atours, mais ceux-ci devaient paraître ridicules au jeune garçon, car il se mit à pouffer dans son mouchoir.

Angélique, qui ne le quittait pas des yeux, avait une envie terrible de lui sauter au visage toutes griffes dehors. N'était-ce pas lui plutôt qui était ridicule avec toutes ses dentelles, ses rubans en flots sur l'épaule, et ses manches fendues depuis l'aisselle jusqu'aux poignets afin de laisser voir le linge fin d'une chemise ?

Son père, plus simple, s'inclinait devant ces dames en balayant le carrelage de sa belle plume frisée.

— Ma cousine, excusez ma modeste mise. Je viens au débotté vous demander l'hospitalité d'une nuit. Voici mon chevalier, Philippe. Il a grandi depuis que vous l'avez vu et n'en est pas pour cela plus agréable à vivre. Je vais lui acheter une charge de colonel, l'armée et les batailles lui feront du bien. Les pages actuels de la Cour n'ont aucune discipline.

Tout à coup, le marquis se recula de quelques pas, levant les mains dans un geste d'heureuse surprise et pour la première fois – et peut-être la dernière – les enfants virent quelqu'un regarder leur mère avec admiration.

Car c'était la baronne de Sancé qu'il regardait.

— Ma cousine, avec joie, je retrouve la couleur unique d'eau claire des prunelles de votre famille. C'est vrai ! Lusignan n'est pas loin, où l'aïeule de la lignée de ces grands princes qui furent rois de Chypre et de Jérusalem, la fée Mélusine épouse de Raymond de Forez, premier seigneur du Lusignan en Poitou, a fait bâtir le plus beau de ses châteaux. Je me souviens que les Mayeraie dont vous êtes issue se targuaient d'être un des rameaux de cette importante et des plus anciennes lignées de notre célèbre fée…

Et, tourné vers Angélique :

— Et il semble que vous avez transmis cette couleur unique à l'une de vos filles.

— En plus brillant, le brillant de la jeunesse, dit la baronne qui avait été une femme d'esprit et avait gardé les réactions de son éducation mondaine, laquelle enseignait de ne jamais rester coite devant n'importe quelle déclaration, la plus incongrue soit-elle.

Mais un peu de rose était monté à son teint pâle.

— Ma cousine, vous êtes trop modeste.

— Mon cousin, vous avez toujours été trop galant.

— Mon… mon père, intervint le jeune Philippe en affectant un bégaiement dû à la surprise de ce qu'il venait d'entendre… Vous… voulez-vous dire que ces… personnes ont pour aïeule… une… une fée ?…

— Eh oui ! Et soyez honoré de faire leur connaissance. Car dans la nuit des temps, Mélusine qui épousa Raimondin de Forez devint la tige non seulement des maisons de Lusignan, mais de Luxembourg et de Bohême…

Philippe écarquilla ses yeux bleus.

— Mais c'est… c'est ridicule !

— Ne prenez pas ces grands airs, mon garçon. On voit que vous n'êtes pas né dans cette province, sinon vous seriez un peu moins benêt. Votre mère a eu tort de ne vous nourrir que du lait de Paris. Cela fait des agités sans cervelle comme toute cette populace qui a dressé des barricades pour défendre le Parlement…

On s'exclama :

— Des barricades !…

— Eh oui ! Je vais vous expliquer comment cela se passe. Vous roulez toutes les barriques vides que vous trouvez, vous les remplissez de terre ou de fumier, vous les reliez par des chaînes et vous les disposez en travers des rues. Voilà les barricades… Ainsi la capitale est impraticable… et les Parisiens en sont maîtres.

Il y eut un silence. On ne savait trop si la nouvelle était bonne ou mauvaise. La tante Pulchérie toujours cordiale et attentive à ses hôtes proposa :

— Vous prendrez bien quelque chose. De la piquette ou du lait caillé ? Je vois que vous venez de loin.

— Merci. Nous prendrions volontiers un doigt de vin coupé d'eau fraîche.

— Du vin, il n'y en a plus, dit le baron Armand, mais on va envoyer un chambrillon en quérir chez le curé.

Cependant le marquis s'asseyait et, tout en jouant avec sa canne d'ébène nouée d'une rosette de satin, racontait qu'il arrivait droit de Saint-Germain, que les routes étaient des cloaques, qu'il s'excusait encore de sa tenue modeste.

« Que serait-ce s'ils étaient vêtus somptueusement ? », pensa Angélique.

Le grand-père, que tant de protestations vestimentaires agaçaient, toucha du bout de sa canne les revers des bottes de son visiteur.

— Si j'en crois les dentelles de vos bas de bottes et votre rabat, l'édit que M. le cardinal de Richelieu lança en 1633 pour interdire toutes fanfreluches est bien oublié.

— Peuh ! soupira le marquis, pas assez encore. La régente est pauvre, et austère. Nous sommes quelques-uns à nous ruiner pour maintenir un peu d'originalité à cette Cour dévote. M. Mazarin a le goût du faste, mais il porte robe. Il a les doigts chargés de diamants, mais pour quelques bouts de rubans que les princes s'attachent au pourpoint, il fulmine comme son prédécesseur. Les revers des bottes… oui…

Il croisa ses pieds devant lui et les examina avec autant d'attention que le baron Armand faisait de ses mulets.

— Je crois que cette mode des dentelles aux bottes va cesser brusquement, affirma-t-il. Quelques jeunes seigneurs se sont mis à porter des revers aussi larges que le chapiteau d'une torche, et dont on a tant de peine à fixer la circonférence qu'il faut marcher les jambes écartées comme si l'on souffrait de quelque mal inavouable… Lorsqu'une mode devient terrible, elle disparaît d'elle-même. N'est-ce pas votre avis, ma chère cousine ? demanda-t-il s'adressant à Hortense.

Elle répondit avec une hardiesse et une spontanéité qu'on n'eût pas attendues de cette maigre libellule.

— Oh ! mon cousin, je crois que la mode, tant qu'elle n'a pas disparu, a toujours raison. Cependant, sur ce point de détail, je ne peux vous donner d'avis, car je n'ai jamais vu de bottes comme les vôtres. Vous êtes certainement le plus moderne de nos parents.

— Je me félicite, mademoiselle, de constater que l'éloignement de votre province ne vous empêche pas d'être en avance sur son esprit et sur son étiquette, car, si vous m'estimez moderne, sachez que de mon temps une demoiselle n'aurait pas fait de compliment la première. Mais c'est pourtant ainsi que les choses se passent dans la génération nouvelle… et ce n'est pas désagréable, au contraire. Comment vous appelez-vous ?

— Hortense.

— Hortense, il faudra venir à Paris et fréquenter les ruelles où se réunissent nos savantes et nos précieuses. Philippe, mon fils, méfiez-vous, vous allez peut-être avoir affaire à forte partie pendant votre séjour dans nos bonnes terres du Poitou.

— Par l'épée du Béarnais, s'écria le vieux baron, j'ai beau connaître le latin, un peu d'anglais, baragouiner l'allemand et avoir étudié ma propre langue, le français, je dois reconnaître, marquis, que je ne comprends absolument rien à ce que vous venez de dire à ces dames.

— Ces dames ont compris, c'est le principal quand on parle dentelle, fit gaiement le gentilhomme. Et mes chaussures ? Qu'en pensez-vous ?

— Pourquoi sont-elles si longues et avec un bout carré ? demanda Madelon.

— Pourquoi ? Personne ne pourrait le dire, petite cousine, mais c'est le dernier cri. Et que voilà une mode utile ! L'autre jour, M. de Rochefort, profitant que M. de Condé parlait avec feu, lui planta un clou à chaque extrémité de ses chaussures. Quand le prince voulut s'éloigner, il se trouva cloué au plancher. Songez donc que, si ses chaussures avaient été moins longues, il aurait eu les pieds transpercés.

— On n'a pas créé les chaussures pour faire plaisir aux gens qui plantent des clous dans les pieds des autres, grommela le grand-père. Tout cela est stupide.

— Savez-vous que le roi est à Saint-Germain ? interrogea le marquis.

— Non, dit Armand de Sancé. En quoi cette nouvelle serait-elle extraordinaire ?

— Mais, mon cher, à cause de la Fronde.

Ce verbiage amusait les dames et les enfants, mais les deux hobereaux, habitués aux lenteurs paysannes, se demandaient si leur prolixe parent ne se moquait pas d'eux, selon son habitude.

— La Fronde ? Mais c'est un jeu d'enfants.

— Un jeu d'enfants ! Vous en avez de bonnes, mon cousin. Ce que nous appelons la Fronde à la Cour, c'est tout simplement la révolte du Parlement de Paris contre le roi. Avez-vous jamais entendu chose pareille ! Voilà déjà plusieurs mois que ces messieurs en bonnets carrés se sont pris de bec avec la régente et son Italien de cardinal... Des questions d'impôts dans lesquels leurs privilèges n'étaient même pas atteints. Mais ils se posent en protecteurs du peuple. Et les voilà qui font remontrance sur remontrance. Et la régente sent la moutarde lui monter au nez. Vous avez tout de même entendu parler des agitations qui se sont produites en août dernier ?

— Vaguement.

— Ceci s'est passé à l'occasion de l'arrestation du parlementaire Broussel. La régente le fit arrêter un matin qu'il avait pris médecine. La populace s'étant ameutée au cri d'une servante, Comminges, le colonel des gardes, ne put attendre qu'il fût vêtu et le traîna en robe de chambre de carrosse en carrosse. Il réussit enfin, non sans peine, cet enlèvement qu'on lui avait commandé. Il m'a confié plus tard que cette cavalcade parmi les émeutiers l'eût beaucoup diverti s'il se fût agi d'une agréable demoiselle à enlever plutôt que d'un vieil éploré qui n'y comprenait rien. Toujours est-il que la racaille déçue se mit à faire des barricades à travers les rues. C'est comme vous le savez un jeu que le peuple de Paris adore pour distraire sa colère.

— Et la reine et le petit roi ? demanda avec anxiété la tante Pulchérie qui était sentimentale.

— Que vous dire ? Elle reçut avec beaucoup de hauteur ces messieurs du Parlement, puis céda. Depuis on s'est querellé et réconcilié plusieurs fois. Néanmoins, croyez-m'en, Paris me fait l'effet ces derniers mois d'un chaudron de sorcière bouillonnant de passions. C'est une ville aimable, mais qui cache dans ses tréfonds un nombre incalculable de miséreux et de bandits dont on ne pourrait se débarrasser qu'en les brûlant en tas comme de la vermine. Sans parler des pamphlétaires et des poètes crottés dont la plume pique plus dur que le dard de l'abeille. Paris est inondé de libelles répétant en vers et en prose : « Point de Mazarin ! Point de Mazarin ! » Si bien qu'on les appelle des mazarinades. La reine en trouve jusque dans son lit, et rien n'est plus propre à faire passer une mauvaise nuit et à rendre le teint jaune que ces petits papiers d'allure innocente. Bref, le drame a éclaté. Ces messieurs du Parlement en avaient l'intuition depuis longtemps ; ils craignaient sans cesse que la reine n'enlevât le petit roi hors de Paris et vinrent par trois fois le soir, en grande troupe, demander à contempler le bel enfant dans son sommeil, en réalité pour s'assurer qu'il était toujours là. Mais l'Espagnole et l'Italien sont rusés. Le jour des Rois nous avons bu et festoyé à la Cour avec beaucoup de gaieté et mangé sans arrière-pensée la galette traditionnelle. Vers le milieu de la nuit, alors qu'avec quelques amis je comptais me rendre dans les tavernes, on me donne l'ordre de réunir mes gens, mes équipages, et de gagner une des portes de Paris. De là, me rendre à Saint-Germain. J'y trouve, déjà arrivés, la reine et ses deux fils, leurs dames d'honneur et pages, tout ce beau monde couché sur la paille dans le vieux château à courants d'air. M. Mazarin survient aussi. Depuis, Paris est assiégé par le prince de Condé qui s'est mis à la tête des armées du roi. Le Parlement, dans la capitale, continue à brandir l'étendard de l'insurrection, mais il est bien ennuyé. Le coadjuteur de Paris, le prince de Gondi, qui voudrait prendre la place de Mazarin, est aussi avec les révoltés. Moi, j'ai suivi M. de Condé.

— Vous m'en voyez bien aise, soupira le vieux baron. Jamais, du temps de Henri IV, on n'eût vu pareil désordre. Des parlementaires, des princes en rébellion contre le roi de France, voilà bien encore l'influence des idées d'outre-Manche. Ne dit-on pas que le Parlement anglais a lui aussi brandi la bannière de la sédition contre son roi jusqu'à oser l'emprisonner ?

— On vient même de lui poser la tête sur un billot. Sa Majesté Charles Ier a été exécutée à Londres le mois dernier.

— Quelle horreur ! s'écria toute l'assistance atterrée.

— Comme vous le supposez, la nouvelle n'a rassuré personne à la Cour de France où se trouve d'ailleurs la veuve éplorée du roi d'Angleterre avec ses deux enfants. Aussi a-t-on décidé d'être féroce et intransigeant envers Paris. Précisément je viens d'être envoyé comme adjoint de M. de Saint-Maur pour lever des armées en Poitou. Ce serait bien le diable si, sur mes terres et les vôtres, mon cher cousin, je ne recrutais pas au moins un régiment à offrir à mon fils. Expédiez donc vos paresseux et vos indésirables à mes sergents, baron. On en fera des dragons.

— Faut-il encore parler de guerre ? fit lentement le baron Armand. On eût pu croire que les choses allaient s'arranger. Ne vient-on pas de signer à l'automne un traité en Westphalie qui consacre la défaite de l'Autriche et de l'Empire germanique ?… Nous pensions pouvoir respirer un peu. Et encore j'estime que notre région n'est guère à plaindre si l'on songe aux campagnes de Picardie et des Flandres où restent encore les Espagnols, et qui depuis trente ans…

— Ces gens-là ont l'habitude, dit légèrement le marquis. Mon cher, la guerre est un mal nécessaire, et il est presque hérétique de réclamer une paix que Dieu n'a pas voulue pour nous, pauvres pécheurs. Le tout est d'être parmi ceux qui font la guerre et non parmi ceux qui la subissent… Pour ma part, je choisirai toujours la première formule, à laquelle mon rang me donne droit. L'ennui dans cette affaire, c'est que ma femme est demeurée à Paris… de l'autre côté, oui, avec le Parlement. Je ne pense pas d'ailleurs qu'elle ait un amant parmi ces graves et doctes magistrats qui manquent de brillant. Mais figurez-vous que les dames adorent comploter et que la Fronde les enchante. Elles se sont groupées autour de la fille de Gaston d'Orléans, frère du roi Louis XIII. Elles portent des écharpes bleues en sautoir et même de petites épées avec des baudriers de dentelles. Tout cela est très joli, mais je ne peux m'empêcher d'être inquiet pour la marquise…

— Elle peut recevoir un mauvais coup, gémit Pulchérie.

— Non. Je la crois exaltée, mais prudente. Mes tourments sont d'un autre ordre et, si coup il y a, je pense que c'est plutôt pour moi qu'il serait mauvais. Vous me comprenez ? Des séparations de ce genre sont funestes à un époux qui n'aime pas les partages. Pour mon compte…

Il s'interrompit en toussant violemment, car le valet d'écurie promu au grade de valet de chambre venait de jeter dans la cheminée, pour ranimer le feu, une énorme botte de paille humide. Dans le flot de fumée qui se dégagea alors on n'entendit pendant quelques instants que des quintes de toux.

— Jarnibleu, mon cousin ! s'exclama le marquis lorsqu'il eut retrouvé son souffle. Je comprends votre souci de vouloir respirer un peu. Votre ahuri mériterait une volée de bois vert.

Il prenait gaiement la chose, et Angélique le trouvait agréable malgré sa condescendance. Son bavardage l'avait passionnée. On aurait dit que le vieux château engourdi venait de s'éveiller et d'ouvrir ses lourdes portes sur un autre monde, plein de vie. Et lui au moins croyait à la fée Mélusine comme ancêtre de la famille, et lorsqu'il parlait de Raymond de Forez, l'étourdi conjoint de la dite fée, le nommait familièrement Raimondin, comme seuls pouvaient s'y autoriser des natifs du Poitou.

En revanche, le fils se renfrognait de plus en plus.

Assis, raide, sur sa chaise, ses boucles blondes bien rangées sur son large col de dentelle, il jetait des regards absolument horrifiés à Josselin et à Gontran qui, se rendant compte de l'effet qu'ils produisaient, accentuaient encore leur tenue débraillée jusqu'à se mettre les doigts dans le nez et à se gratter la tête. Leur manège bouleversait positivement Angélique et lui causait un malaise proche de la nausée. Depuis quelque temps d'ailleurs elle se sentait dolente, elle souffrait du ventre et Pulchérie lui avait interdit de manger des carottes crues selon son habitude. Mais ce soir, malgré les nombreuses émotions et distractions qu'apportaient les extraordinaires visiteurs, elle avait l'impression d'être sur le point de tomber malade. Chaque fois qu'elle regardait son cousin Philippe du Plessis, quelque chose lui serrait la gorge, et elle ne savait si c'était de détestation ou d'admiration. Jamais elle n'avait vu un garçon aussi beau.

Ses cheveux, dont la frange soyeuse bombait sur son front, étaient d'un or brillant près duquel ses boucles à elle paraissaient brunes. Il avait des traits parfaits. Son costume de fin drap gris, garni de dentelles et de rubans bleus, seyait à son teint blanc et rose. Certes, on l'eût pris pour une fille sans la dureté de son regard, qui n'avait rien de féminin.

— Où en étions-nous, reprit le marquis tandis que les nappes de fumée se dissipaient lentement… Ah ! oui, je vous parlais de toutes ces folles personnes qui ont entraîné ma femme dans la Fronde… la duchesse de Montbazon, la duchesse de Chevreuse, Mme de Bouillon, la princesse de Condé, femme du prince Louis II, la duchesse de Longueville, sa sœur… En fait les troubles ont été causés par le prince de Marcillac…

— N'est-ce pas le gouverneur du Poitou ?…

— C'était, ce n'est plus… Car le prince de Marcillac, duc de La Rochefoucauld, a décidé de…

— Attention, interrompit le grand-père pointilleux, duc de La Rochefoucauld ! Il ne l'est pas encore. Son père, mon contemporain, est toujours de ce monde que je sache.

— Oui ! Oui et c'est tout le malheur. Marcillac bien en cour, ayant rendu plus d'un service à la régente, a brigué l'honneur d'avoir un « tabouret » pour sa femme. Vous savez ce que cela signifie un tabouret : qu'une dame puisse s'asseoir devant la reine. Cet honneur n'est accordé habituellement qu'aux duchesses, et le duc de Marcillac ne l'étant pas encore en effet, ce lui fut refusé. Mais comble d'humiliation, dans le même temps, le cardinal de Mazarin qui, comme vous le savez, est aimé de la reine, accorda le tabouret à six autres dames de la Cour qui n'y avaient pas plus de titres que la princesse… Croyez-vous qu'un tel affront puisse être supporté sans révolte ?

— Certes non, s'écrièrent les dames en chœur.

— C'est ce qu'a fait Marcillac. Il s'est lancé dans la révolte en rejoignant dans Paris la Fronde du Parlement et en mettant son épée à leur disposition. Entraînant sa maîtresse – ou entraîné par elle, ce n'est pas facile à décider –, la duchesse de Longueville, sœur du prince de Condé…

Il s'interrompit, comme saisi par une vision qui venait de lui apparaître entre mur et plafond, tandis que ses auditeurs ne pouvaient s'empêcher de penser que M. de Marcillac avait une bien curieuse façon de venger l'honneur de sa femme…

— Sa maîtresse…, répéta le marquis d'un air d'extase. Que vous dire d'elle ? Anne-Geneviève de Condé, duchesse de Longueville… Tout en elle tient de l'ange ! Ses cheveux d'or pâle comme une auréole. Son teint d'une rose nacrée, une légèreté dans la démarche, et une langueur dans tous les gestes qui fait espérer qu'elle va se pâmer dans vos bras… et des yeux…

Les mains du marquis papillonnèrent avec expression et les diamants de ses bagues lancèrent des éclairs dans la pénombre du salon.

— Des yeux… turquoise, oui, c'est cela. Turquoise. Elle a l'air d'un ange, d'une douceur angélique et pourtant… Vous… c'est de l'émeraude, précisa-t-il tourné vers la baronne… Elle… turquoise !

Il reprit :

— Anne-Geneviève de Condé, duchesse de Longueville… Côté hommes : Beaufort, le maréchal de Lamotte… Que sais-je ?

— Mais, osa intervenir Pulchérie, qui voulait y voir clair dans ces passions entrecroisées, cette belle personne qui est avec… avec M. de Marcillac est bien une princesse du sang, donc parente de la famille royale.

— Oui et plutôt deux fois qu'une, car les Longueville aussi sont princes du sang.

Il parut chercher, en feuilletant des doigts, dans sa mémoire infaillible.

— Ils descendent de Jean d'Orléans. Tous ses héritiers ont occupé des charges très élevées, gagnèrent des batailles, reçurent le titre de duc. De Charles IX, Léonor de Longueville obtint le titre de princes du sang pour les ducs de Longueville. Les femmes sont très hardies dans ce lignage !… Le dernier récit que l'on m'a transmis de la capitale, c'est que le lendemain de leur arrivée, Mmes de Longueville et de Bouillon se présentèrent à l'Hôtel de Ville pour y loger et diriger ces événements… La place de Grève était pleine de peuple qui poussait des cris de joie et d'admiration… Les échevins refusèrent d'abord. Mais elles s'installèrent quand même à l'Hôtel de Ville. D'une vieille chambre qu'on leur abandonna, elles ont fait en quelques heures un salon où dames en grande toilette et hommes en harnais de guerre se sont rassemblés au son des violons. C'est là que la princesse a accouché quelques jours plus tard d'un fils qui est bien certainement de notre poitevin Marcillac. La ville a sollicité l'honneur d'en être la marraine et il a été appelé Charles-Paris. Bien qu'il déteste La Rochefoucauld et courtise la duchesse de Longueville, Paul de Gondi, seigneur de Retz, l'a baptisé. Et le duc de Longueville, qui comme tout bon mari n'est au courant de rien, lui a donné le titre de comte de Saint-Pol qui appartient à sa famille. C'est d'un romanesque !

— C'est scandaleux ! dit le grand-père.

Dans le silence qui suivit on entendit un sanglot.

— Pourquoi pleures-tu, Madelon ?

Angélique avait compris les raisons de l'émoi de sa cadette.

— C'est parce que vous avez prononcé le nom d'un seigneur de Retz, qui est connu dans le pays comme un grand bandit.

— Ah ! je vois. Il ne s'agit pas du même personnage mais du coadjuteur de l'archevêque de Paris. Il s'agit de la famille des Gondi, mais qui ont quelque droit au titre de Retz, le lieu du côté du fameux château de Tiffauges entrant dans leur apanage. Encore que lui aussi soit un fameux bandit.

— Le coadjuteur de l'archevêque ! Un bandit ! s'écria Pulchérie en joignant les mains.

— Certes. Et il ne se gêne pas pour affirmer qu'il trouve en cette charge une raison de plus à sa vie dépravée car il ne voulait pas de l'état ecclésiastique. On l'y a contraint pour renforcer la position de son oncle l'archevêque de Paris qui se nommait légat de Retz et ma foi, notre François de Gondi s'y est mis. Il fait des sermons admirables et son don de la parole lui a servi à entraîner le peuple dans la

Fronde car il s'est fait aimer des pauvres et de la racaille des bas-fonds, en distribuant des aumônes généreuses.

— Et M. le Prince, qui maintenant n'est plus duc d'Enghien, depuis la mort de son père, demanda le baron Armand qui ne voulait pas être en reste, que fait-il dans tout cela ?

— Eh bien ! comme je vous l'ai dit tout à l'heure et quoiqu'il n'aime pas Mazarin, il s'est prononcé pour le roi, et a suivi la Cour à Saint-Germain…

— Ah ! tout de même…

— Certes il n'aura pas de difficultés à mettre en déroute l'armée levée par les parlementaires, malgré Turenne qui leur a offert ses services, mais il ne faut pas oublier que son frère cadet, le prince de Conti, s'est déjà placé avantageusement auprès des Frondeurs, et auprès de la sirène enjôleuse Anne-Geneviève de Condé, duchesse de Longueville. Pourra-t-il résister aux appels qui lui viennent de Paris ?… Chacun sait que les deux frères sont furieusement amoureux de leur sœur…

— Oh ! firent les dames, choquées.

— Et vous, mon cousin, dit Armand, que ferez-vous si M. le Prince rejoint son frère et sa sœur et la Fronde dans Paris ?

— Bien évidemment, je le suivrai.

— Mais c'est de la trahison ! s'écria le grand-père.

Le marquis du Plessis-Bellière se justifia avec toute la candeur d'un homme retenu par des serments sacrés, des engagements solennels.

— Je ne peux faire autrement !… Je fais partie de sa clientèle…

— Trahison ! répéta le vieux baron en se dressant indigné.

L'assemblée demeurait interdite, partagée, selon les uns et les autres, entre l'ébahissement et l'enchantement causés par toutes ces histoires, une forte envie de rire… ou aussi de pleurer devant la colère du vieillard qui frappait le sol de sa canne.

En maîtresse de maison soucieuse d'éviter des éclats, la baronne annonça que l'on allait passer à table pour le souper.

Armand se précipita afin de prendre le bras de son père et le soutenir. Le marquis offrit le sien à la baronne et l'on forma cortège. Philippe, adressant un coup d'œil moqueur à Angélique, invita Hortense qui se rengorgea. Josselin attrapa Angélique en lui disant :

— Tiens-toi tranquille !

Les autres enfants se donnant la main deux par deux déambulèrent à leur suite. Raymond fermait la marche avec toute la componction d'un aumônier de famille.

L'on parvint ainsi à la salle à manger où chacun prit sa place autour de la table. Ce protocole respecté avait rasséréné le grand-père. On ne pouvait en vouloir au marquis dont la bonne humeur ne se démentait pas. Il était disposé à s'égayer de tout.

Par contre, son fils se renfrognait de plus en plus, et continuait à jeter des regards autour de lui. À cause de lui, la soirée et le repas furent un supplice pour Angélique. Chaque manquement des valets, chaque incommodité, était souligné d'un coup d'œil ou d'un sourire moqueur de l'adolescent.

Jean-la-Cuirasse, qui faisait office de majordome, apporta les plats, la serviette sur l'épaule. Le marquis s'esclaffa, disant que cette façon de porter la serviette ne se pratiquait qu'à la table du roi et des princes du sang, qu'il était flatté de l'honneur qu'on lui faisait, mais qu'il se contenterait d'être servi avec plus de simplicité, c'est-à-dire la serviette enroulée autour de l'avant-bras. Plein de bonne volonté, le charretier s'évertua à entortiller le linge crasseux à son bras velu mais sa gaucherie et ses soupirs ne firent que redoubler l'hilarité du marquis auquel son fils se joignit bientôt.

— Voici un homme que je verrais mieux en dragon qu'en valet de pied, dit le marquis en regardant Jean-la-Cuirasse. Qu'en penses-tu, mon gars ?

Intimidé, le charretier répondit par un grognement d'ours qui ne faisait guère honneur à la langue de sa mère. La nappe, qu'on venait de retirer d'un placard humide, fumait à la chaleur des assiettes de potage. Un des serveurs, voulant faire du zèle, ne cessait de moucher les quelques chandelles et les éteignit plusieurs fois.

Angélique souffrait de colère rentrée. Philippe prenait sa revanche sur l'affaire de la fée Mélusine, aïeule des Lusignan, pour laquelle son père l'avait remis à sa place comme ignorant des traditions poitevines.

Pour comble de disgrâce, le gamin qu'on avait envoyé chercher du vin à la cure revint et raconta, en se grattant la tête, que le curé était parti exorciser des rats dans un hameau voisin, et que sa servante, la Marie-Jeanne, avait refusé de donner le moindre tonnelet.

— Ne vous préoccupez pas de ce détail, ma cousine, intervint très galamment le marquis du Plessis, nous boirons de la piquette de pommes et, si monsieur mon fils ne s'y accoutume pas, il se passera de boire. Mais en revanche veuillez me donner quelques renseignements sur ce que je viens d'entendre. Je comprends assez le patois du pays que j'ai baragouiné en mon temps de nourrice pour avoir compris ce que disait ce jeune manant. Le curé serait parti exorciser des rats !... Qu'est-ce que c'est que cette histoire ?

— Rien de bien étonnant, mon cousin. Les gens d'un hameau voisin se plaignent en effet depuis quelque temps d'être envahis de rats qui mangent leurs grains de réserve, le curé a dû aller là-bas porter l'eau bénite et faire les prières d'usage afin que les esprits malins qui habitent ces animaux se retirent et qu'ils cessent d'être nuisibles.

Le seigneur regarda Armand de Sancé avec quelque stupeur, puis, se renversant sur sa chaise, se mit à rire doucement.

— Je n'ai jamais ouï dire une chose aussi plaisante. Il faudra que je l'écrive à Mme de Beaufort ; ainsi, pour détruire les rats on les asperge d'eau bénite ?...

— En quoi cela est-il risible ? protesta le baron Armand. Tout mal est l'œuvre des esprits mauvais qui se glissent dans l'enveloppe des bêtes pour nuire aux humains. L'année dernière, j'ai eu un de mes champs envahis de chenilles. Je les ai fait exorciser.

— Et elles sont parties ?

— Oui. À peine deux ou trois jours plus tard.

— Quand elles n'avaient plus rien à manger dans le champ.

Mme de Sancé, qui avait pour principe qu'une femme doit se taire humblement, ne put s'empêcher de prendre la parole pour défendre sa foi qu'elle soupçonnait d'être attaquée.

— Je ne vois pas en quoi, mon cousin, des exercices sacrés n'auraient pas d'influence sur des bêtes malfaisantes.

Notre Seigneur lui-même n'a-t-il pas fait entrer des démons dans un troupeau de porcs ainsi que le raconte l'Évangile ? Notre curé insiste beaucoup sur ce genre de prières.

— Et combien le payez-vous par exorcisme ?

— Il demande peu, et on le trouve toujours prêt à se déranger et à venir quand on l'appelle.

Cette fois, Angélique surprit le regard de connivence que le marquis du Plessis échangeait avec son fils : ces pauvres gens, semblait-il dire, sont vraiment d'une naïveté grossière.

— Il faudra que je parle à M. Vincent de ces coutumes campagnardes, reprit le marquis. Il en fera une maladie, le pauvre homme, lui qui a fondé un ordre spécialement chargé d'évangéliser le clergé rural. Ces missionnaires sont sous le patronage de saint Lazare. On les appelle les lazaristes. Ils vont trois par trois dans les campagnes prêcher, et apprendre aux curés de nos villages à ne pas commencer la messe par le Pater et à ne pas coucher avec leur servante. C'est une œuvre assez inattendue, mais M. Vincent est partisan de la réforme de l'Église par l'Église.

— Que voilà un mot que je n'aime pas ! s'exclama le vieux baron. Réforme ! Toujours Réforme ! Vos paroles ont une résonance huguenote, mon cousin. D'ici à ce que vous trahissiez le roi, je crains qu'il n'y ait qu'un pas. Quant à votre M. Vincent, tout ecclésiastique qu'il est, d'après ce que j'ai compris et entendu dire de lui ses façons ont quelque chose d'hérétique dont Rome devrait bien se méfier.

— N'empêche que le roi Louis XIII, au moment de mourir, l'a voulu mettre à la tête du Conseil de conscience.

— Qu'est-ce que c'est encore que cela ?

D'un doigt léger, M. du Plessis fit bouffer ses manches de lingerie fine.

— Comment vous l'expliquer ? C'est une chose énorme. La conscience du royaume. M. Vincent de Paul est la conscience du royaume, c'est tout. Il voit la reine presque tous les jours, est reçu par tous les princes. Avec cela l'homme le plus simple, le plus riant qui soit. Son idée est que la misère est guérissable et que les grands de ce monde doivent l'aider à la réduire.

— Utopie ! coupa tante Jeanne avec hargne. La misère est, comme vous le disiez tout à l'heure pour la guerre, un mal que Dieu a voulu en punition du péché originel. S'élever contre son obligation équivaut à une révolte contre la discipline divine !

— M. Vincent vous dirait, ma chère demoiselle, que c'est *vous* qui êtes responsable des maux qui nous entourent. Et il vous enverrait, sans plus de discours, porter des remèdes et des aliments aux plus pauvres de vos laboureurs en vous faisant remarquer que si vous les trouvez, selon son expression, par trop « grossiers et terrestres », vous n'avez qu'à retourner l'envers de la médaille pour y voir le visage du Christ souffrant. Ainsi ce diable d'homme a trouvé le moyen d'enrôler presque tous les hauts personnages du royaume dans ses phalanges charitables. Tel que vous me voyez, ajouta le marquis d'un air piteux, lorsque j'étais à Paris, il m'arrivait d'aller deux fois la semaine à l'Hôtel-Dieu verser et servir la soupe des malades.

— Vous n'aurez jamais fini de me stupéfier ! s'écria l'aïeul avec agitation. Décidément les nobles de votre espèce ne savent plus qu'inventer pour déshonorer leur blason. Je dois constater que le monde ne tourne plus qu'à l'envers. On crée des prêtres pour évangéliser des prêtres, et il faut que ce soit un dévergondé comme vous, presque un libertin, qui veniez faire la morale à une famille honnête et saine comme la nôtre. Je n'y puis plus tenir !

Hors de lui à nouveau, le vieillard se leva et, comme le repas était fini, tout le monde l'imita. Pour se faire pardonner le marquis vint prendre le bras du vieux baron et présenter toutes sortes de protestations.

De toute façon c'était maintenant la Fronde, c'est-à-dire la guerre, dit-il. M. Vincent était à Saint-Germain avec la Cour, les princes couraient partout afin de rassembler des armées et on avait autre chose à faire que de se préoccuper de qui servirait la soupe des pauvres car les pauvres allaient, plus que jamais, manquer de soupe.

La compagnie regagna le grand salon.

Angélique, qui n'avait rien pu manger, se glissa hors de la pièce et gagna le refuge de l'escalier en tournevis de la tour, où l'on pouvait se cacher dans les recoins ménagés de palier en palier pour les meurtrières. Inexplicablement, elle avait froid et était agitée de frissons. Après les moments d'euphorie et d'exaltation qu'elle avait connus aux différents récits du marquis – et surtout aux détails sur la Fronde – son excitation retombait et la laissait comme épuisée. Les images continuaient à défiler dans sa tête : le roi dans la paille, le Parlement en révolte, les grands seigneurs servant la soupe des pauvres, Paris, un monde plein de vie et d'attirance. À côté de toute cette agitation et de cette fougue, il lui avait semblé qu'elle-même, Angélique, était comme morte et vivait enfermée dans un caveau. Sans cesse sa pensée revenait à Philippe.

Demain il s'en irait, demain les deux seigneurs atteindraient le Plessis, leur demeure ouverte et chauffée par une nombreuse valetaille bien préparée pour les recevoir par les soins du sieur Molines, leur intendant empressé. Là-bas, dans le château de conte de fées auquel on accédait par la somptueuse allée des marronniers, Philippe serait « chez lui »... Et ensuite il irait à Paris, colonel de son régiment, caracolant à la tête du beau jouet offert par ses parents, un régiment, se faisant admirer, cajoler par toutes ces « Frondeuses », ces femmes folles et guerrières, toutes plus belles les unes que les autres, une fleur ou un brin de paille au chapeau ou au corsage, qui lui feraient un triomphe.

Toutes gloires pour lui, pour elles, ces femmes encensées par tous dans leurs atours merveilleux, Philippe se laisserait environner par elles comme par un essaim de papillons géants, jusqu'à en avoir le vertige... Il vivrait parmi elles !... Il vivrait tout cela... la guerre, la gloire, l'adulation.

Tout à coup elle se renfonça dans l'encoignure d'un palier. Son cousin Philippe passa près d'elle sans la voir. Elle l'entendit monter à l'étage et interpeller ses serviteurs, qui, à la lueur de quelques bougeoirs, installaient les chambres de leurs maîtres.

La voix de l'adolescent s'élevait avec colère.

— C'est inouï qu'aucun d'entre vous n'ait pensé à se munir de chandelles à la dernière étape. Vous auriez pu vous douter que dans ces coins perdus les soi-disant nobles ne valent pas mieux que leurs paysans. A-t-on au moins fait chauffer de l'eau pour mon bain ?

L'homme répondit quelque chose qu'Angélique n'entendit pas. Philippe reprit d'un ton irrité :

— Tant pis. Je me laverai dans un baquet ! Heureusement, mon père m'a dit que le château du Plessis possède deux salles d'eau florentines. Il me tarde d'y être. J'ai l'impression que l'odeur de cette tribu de Sancé ne pourra jamais me sortir du nez.

« Cette fois, pensa Angélique, il me le paiera. »

Elle le vit redescendre à la lueur de la lanterne posée sur la console de l'antichambre. Quand il fut tout proche, elle sortit de l'ombre de l'escalier tournant.

— Comment osez-vous parler de nous avec cette insolence à des laquais ? interrogea-t-elle d'une voix nette qui résonna sous les voûtes. Vous n'avez donc aucun sens de la dignité de la noblesse ? Cela vient sans doute de ce que vous descendez d'un bâtard de roi, tandis que, nous, notre sang est pur.

— Aussi pur que votre peau est sale, rétorqua le jeune homme d'un ton glacé.

D'un bond inattendu Angélique lui sauta au visage toutes griffes dehors. Mais le garçon, avec une force déjà virile, lui saisit les poignets et la rejeta violemment contre la muraille. Puis il s'éloigna sans hâter le pas.

Étourdie, Angélique sentait son cœur battre à grands coups. Un sentiment inconnu et qui était fait de honte et de désespoir l'étouffait. « Je le hais, pensait-elle, un jour je me vengerai. Il faudra qu'il s'incline, qu'il me demande pardon. »

Mais pour l'instant elle n'était qu'une misérable fillette dans l'ombre d'un vieux château humide.

Une porte grinça et Angélique discerna la silhouette du vieux Guillaume qui entrait portant deux seaux d'eau fumante pour le bain du jeune seigneur. Quand il l'aperçut, il s'arrêta.

— Qui est là ?

— C’est moi, répondit Angélique en allemand.

Quand elle était seule avec le vieux soldat, elle parlait toujours cette langue qu’il lui avait apprise.

— Que faites-vous là ? reprit Guillaume dans le même dialecte. Il fait froid. Allez donc dans la salle écouter les histoires de votre oncle le marquis. Voilà de quoi vous égayer pour l’année.

— Je déteste ces gens, dit sombrement Angélique, oubliant combien leur arrivée et les premiers récits l’avaient ravie. Ils sont impertinents et trop différents de nous. Ils détruisent tout ce qu’ils touchent et nous laissent ensuite seuls et les mains vides, tandis qu’ils partent retrouver leurs beaux châteaux pleins d’objets magnifiques.

— Qu’y a-t-il, ma fille ? demanda lentement le vieux Lützen. Votre esprit ne pourrait-il s’élever au-dessus de quelques moqueries ?

Le malaise d’Angélique s’accentuait. Une sueur froide lui mouillait les tempes.

— Guillaume, toi qui n’as jamais été dans aucune cour de princes, dis-moi : quand on rencontre à la fois un méchant et un lâche, que doit-on faire ?

— Bizarre question pour une enfant ! Puisque vous me la posez, je vous dirai qu’on doit tuer le méchant et laisser le lâche s’enfuir.

Il ajouta après un petit moment de réflexion, en reprenant ses seaux :

— Mais votre cousin Philippe n’est ni méchant ni lâche. Un peu jeune, c’est tout…

— Alors toi aussi, tu le défends, cria Angélique d’une voix aiguë, toi aussi. Parce qu’il est beau… parce qu’il est riche…

Un goût amer lui emplissait la bouche. Elle vacilla et, glissant le long de la muraille, tomba évanouie.

❦

La maladie d'Angélique n'avait rien que de très naturel. Sur ces manifestations qui inquiétaient un peu l'enfant, Mme de Sancé l'avait rassurée et avertie qu'il en serait ainsi désormais chaque mois, jusqu'à un âge avancé.

— Est-ce que je m'évanouirai aussi chaque mois ? s'informa Angélique, surprise de n'avoir pas remarqué plus souvent les pâmoisons soi-disant obligatoires des femmes de son entourage.

— N'empêche ! C'est long jusqu'à un âge avancé, soupira la fillette. Et, lorsque je serai vieille, il ne sera plus temps de recommencer à grimper aux arbres.

— Vous pouvez fort bien continuer à grimper aux arbres, dit Mme de Sancé qui montrait beaucoup de délicatesse dans l'éducation de ses enfants et semblait comprendre les regrets d'Angélique. Mais, comme vous le discernez vous-même, ce serait en effet l'occasion de cesser des jeux qui ne conviennent plus à votre âge et à la noblesse de votre famille.

Elle ajouta un petit discours où il était question de la joie de mettre au monde des enfants et de la punition originelle pesant sur les femmes au moyen de la faute de notre mère Ève.

« Ajoutons cela à la misère et à la guerre », soupira Angélique. Étendue sous ses draps, écoutant la pluie tomber dehors, elle éprouvait une tristesse diffuse, une anxiété sans véritable cause, un regret comme en laisse un échec inattendu, alors qu'on allait vers la victoire. De temps en temps, elle pensait à Philippe et serrait les dents.

« Je me vengerai. Il me le paiera. »

Après son évanouissement, mise au lit et veillée par Pulchérie, elle ne s'était pas rendu compte du départ du marquis et de son fils.

On lui raconta qu'ils ne s'étaient pas attardés à Monteloup. Philippe se plaignait des punaises qui l'avaient empêché de dormir.

— Et ma requête au roi, avait demandé le baron de Sancé au moment où son illustre parent montait en carrosse, avez-vous pu la lui présenter ?

— Mon pauvre ami, je l'ai présentée, mais je ne crois pas que vous soyez en droit d'espérer grand-chose ; le royal enfant est présentement plus pauvre que vous et n'a pour ainsi dire pas un toit où reposer sa tête.

Il ajouta un peu dédaigneusement :

— On m'a raconté que vous vous distrayez à faire de beaux mulets. Vendez-en quelques-uns.

— Je réfléchirai à votre suggestion, dit Armand de Sancé, ironique pour une fois. Il est certes préférable actuellement pour un gentilhomme d'être laborieux que de compter sur la générosité de ses pairs.

— Laborieux ! Pfuit ! Quel vilain mot, fit le marquis avec un geste coquet de la main. Alors, adieu, mon cousin. Envoyez donc vos fils aux armées, et pour le régiment du mien, vos croquants les mieux bâtis. Adieu. Je vous baise mille fois.

Le carrosse s'était éloigné en cahotant tandis qu'une main raffinée s'agitait à la portière.

❦

— Ne pleure pas, ma petite fée, ne pleure pas !… Tu es trop jeune encore pour gaspiller la sève de ta vie dans un chagrin d'amour !…

— Mais je ne l'aime pas, protestait Angélique. Au contraire, je le déteste !

Dès qu'elle s'était sentie mieux et surtout avait pu échapper à la surveillance de Pulchérie, Angélique s'était précipitée à la recherche de la sorcière Mélusine. Après avoir quitté le château par ses souterrains secrets afin d'éviter des regards de rencontre, elle avait essayé tous les prolongements reconnus par elle et que ne connaissait pas Gontran. L'un d'eux, où elle se traîna à quatre pattes, et même rampa sous une grêle de terre et de petits cailloux, la fit émerger, comme un lapin pointant hors de son terrier, non loin de la lisière des bois. Se relevant promptement elle courut se mettre à l'abri des arbres. Il ne pleuvait plus, mais la forêt était encore toute bruissante des gouttes glissant de feuille en feuille, d'une récente averse.

Angélique supputa que la sorcière devait être chez elle, dans sa grotte dont l'entrée à flanc de falaise était cachée par des rideaux de lianes feuillues. Elle avait hâte de la voir car elle était certaine que Mélusine la comprendrait et saurait lui rendre ce que la visite de Plessis-Bellière lui avait volé : la paix du cœur, la paix de l'âme… Ayant retrouvé son énergie intacte, le souvenir des dédains de Philippe avait pris le pas sur celui des désagréments révélés par sa mère, oubliés pour l'heure.

Mélusine était là, agenouillée devant son feu de quelques braises sur lequel elle posait un petit coquemar tout bardé de suie et rempli d'eau.

Angélique avait déjà remarqué que, même par les grands froids, il régnait là une sorte de tiédeur, comme si les parois de la caverne tapissées d'un enduit sablonneux mélangé de paille eussent absorbé l'humidité. Mélusine avait des rapports d'amitié avec toute la nature.

On aurait dit qu'elle savait déjà ce pour quoi la visiteuse se présentait. Mais elle écouta les explications véhémentes d'Angélique avec beaucoup d'attention et un demi-sourire sur ses lèvres pâles, tout en égrenant des pétales et des poudres dans son coquemar.

— Ne pleure pas, ma petite fée. Grandis encore. Je t'apprendrai tous les secrets pour que l'amour ne te soit pas ennemi.

Son sourire s'effaça.

— Mais cela ne veut pas dire qu'il te sera donné.

À travers la vapeur odorante, il parut à Angélique que le visage de son amie revêtait un masque sévère et triste.

Une appréhension nouvelle remplaça en elle les sentiments bouillonnants de colère et de rancune qu'elle y cultivait depuis quelque temps.

— Que faut-il faire pour que l'amour me soit donné ? demanda-t-elle.

Mélusine retrouva sa gaieté et se mit à rire doucement.

— L'amour est une science, murmura-t-elle.

Angélique avait l'impression que ses questions et ses réflexions naïves lui faisaient pitié.

— Il faut ÊTRE ! EXISTER, c'est tout. La vie aussi est une science.

— Est-ce que j'existe ? demanda Angélique, anxieuse.

— Oh oui ! Tu existes plus que tous ceux que je rencontre dans cette forêt.

La jeune fille but docilement le breuvage que la sorcière lui avait préparé. L'oubli viendrait-il ?...

— Écoute, je dois encore beaucoup t'apprendre. Viens plus souvent. Ta mémoire est merveilleuse. Ne sois pas paresseuse. Tu apprendras tout ce que tu voudras... si tu le veux...

Ces paroles, dictées par l'affection que lui portait Mélusine, parurent à Angélique un peu exagérées, mais lui faisaient plaisir. Cela valait mieux que les soupirs désespérés et les lamentations qu'elle inspirait à son père et à Pulchérie.

Il n'y eut pas d'autres visites des seigneurs du Plessis.

On apprit qu'ils avaient convoqué d'autres hobereaux du voisinage pour les encourager à suivre M. de Condé au service du roi. Ils avaient donné une ou deux fêtes avec grand banquet, puis étaient repartis pour l'Île-de-France avec leur armée toute neuve. Des sergents recruteurs étaient passés par Monteloup.

Au château, il y eut Jean-la-Cuirasse et un valet de ferme qui se laissèrent tenter par l'avenir glorieux réservé aux dragons du roi. La nourrice Fantine pleura beaucoup au départ de son premier fils.

— Il n'était pas mauvais et voilà qu'il va devenir un reître de votre espèce, dit-elle à Guillaume Lützen.

— C'est une question d'hérédité, ma bonne. N'eut-il pas comme père présumé un soudard ?

Pour compter les jours, on prit l'habitude de dire « c'était avant » ou « après la visite du marquis du Plessis ».

❦

L'oubli était dans le breuvage de la sorcière.

Il s'était passé quelque chose et le vieux château en gardait, dans la lumière du printemps, comme une curiosité aux aguets. Mais le colporteur ne vint pas cette année-là et les réactions d'Angélique s'estompèrent comme un dessin qui s'efface.

Sans négliger ses expéditions habituelles dans le marais, elle se rendit plus souvent chez Mélusine. Parfois elle pensait que celle qu'elle visitait dans les entrailles de la terre n'était pas tout à fait un être humain, mais une sorte d'ange qui, le jour de sa grande détresse, lui avait promis assistance.

Désormais elle s'appliqua à apprendre et à retenir tout ce qu'elle pouvait de ces trésors multiples, qui des racines aux pieds des arbres, jusqu'au sommet de leurs dômes majestueux, qui des herbes des prairies et des rives des ruisseaux, et plus encore de la richesse de ce monde fourmillant des haies qui enclosent étroitement les prés du bocage, dispensaient, par leurs qualités ignorées du commun des mortels, un pouvoir sur la vie et le bonheur.

« Je t'ai dit que je t'apprendrais tous les secrets afin que l'amour ne te soit pas ennemi. »

Et elle lui apprenait les plantes qui aident dans l'enfantement mais aussi celles qui préservent de l'enfant. « Surtout s'il y a eu violence… car, trop souvent, passe la soldatesque !… Nous n'avons pas besoin d'enfants maudits », expliquait Mélusine.

Elle sentait obscurément que ce que Mélusine lui enseignait pouvait la préserver de pièges sournois déjà tendus pour la faire trébucher dans le malheur. Au moins elle lui donnait, pour s'en défendre, toutes les chances que la Nature mystérieuse et bienfaisante avait semées sous les pas des humains.

Chapitre huitième

QUELQUES MOIS PLUS TARD, il y eut l'incident du « visiteur noir ».

De celui-ci, Angélique se souvint plus profondément et plus longuement. Loin de détruire et de meurtrir comme l'avaient fait les hôtes précédents, il apporta avec ses paroles étranges une espérance qui devait la suivre au cours de sa vie, une espérance de l'ailleurs si profondément ancrée que, dans les moments de détresse qu'elle traversa plus tard, il lui suffisait de fermer les yeux pour revoir cette soirée de printemps, toute murmurante de pluie, par laquelle il était apparu.

Angélique avait retrouvé son humeur à la fois confiante en elle-même et curieuse de découvertes. Apaisée par les paroles et les tisanes de Mélusine, elle était contente d'avoir traversé une expérience nouvelle qui lui avait rendu si proche le monde brillant de la Cour, de ses fêtes et de ses intrigues. Le monde où elle serait appelée à vivre un jour puisque, dans les contes, c'est toujours un roi ou un fils de roi qui vient chercher la princesse au fond de son vieux château.

L'année, en s'avançant, se révélait pluvieuse, ce qui était bon pour les cultures, mais restreignait les expéditions dans la forêt ou dans les marais.

Hors les heures qu'elle continua de consacrer à l'étude avec Pulchérie, Angélique se réfugia dans la cuisine qu'elle aimait. Autour d'elle jouaient Denis, Marie-Agnès et le petit Albert. Le dernier-né était dans son berceau près de l'âtre. La cuisine était la plus agréable pièce de la maison. Le feu y brûlait en permanence et presque sans fumée, car la hotte de l'immense cheminée était très haute. La lueur de ce feu éternel dansait et se mirait dans les fonds rouges de casseroles et de bassines de cuivre lourd qui garnissaient les murs. Le sauvage et rêveur Gontran restait souvent des heures à observer le scintillement de ces reflets où il voyait des visions étranges, et Angélique y reconnaissait les génies tutélaires de Monteloup.

Ce soir-là, Angélique préparait un pâté de lièvre. Elle avait déjà façonné la pâte en forme de tourte et coupait le hachis de viande. Fantine, qui l'aidait, grogna d'un air soupçonneux.

— Qu'est-ce que ça veut dire, ma gazoute ? Ce n'est pas à toi, de t'occuper de la maison. Tu trouves que mes plats ne sont plus assez bons ?

— Si, mais je dois me préparer à tout.

— Comment ça ?

— La nuit dernière, dit Angélique, j'ai rêvé que j'étais une servante et que je cuisinais pour des enfants. Ça m'a fait plaisir, parce qu'ils étaient assemblés autour de la table et qu'ils me regardaient avec des yeux brillants. Qu'est-ce que je dois faire, si je deviens une servante et que je suis incapable de faire la cuisine pour les enfants de mon maître ?

— Comment peux-tu imaginer des choses pareilles ? s'écria la nourrice, sincèrement indignée. Tu ne seras jamais une servante, pour la bonne raison que tu fais partie de la noblesse. Tu épouseras un baron ou un comte... peut-être même un marquis ? ajouta-t-elle en riant.

Raymond, qui était assis dans un coin, leva la tête.

— Tes plans d'avenir ont changé, je vois. On m'avait dit que tu voulais devenir chef de brigands ?

— L'un n'empêche pas l'autre, répliqua-t-elle en continuant de hacher la viande avec énergie.

— Écoute, Angélique, tu ne devrais pas raconter de telles... de telles horreurs ! déclara soudain la bonne Pulchérie qui était entre-temps venue s'abriter à la cuisine, moins pour échapper au froid du salon qu'aux remarques acerbes de sa sœur, la tante Jeanne.

— Mais je ne crois pas qu'Angélique soit tellement dans l'erreur, dit Raymond d'un ton mesuré. L'un des plus grands péchés sur terre est l'orgueil, et l'on ne doit laisser passer aucune occasion de le combattre. S'abaisser et faire un travail de serviteur est sûrement profitable à l'homme.

— Tu dis des sottises, dit clairement Angélique. Je ne vais absolument pas m'abaisser. Je veux simplement être capable de faire la cuisine pour des enfants que j'aime. Est-ce que tu vas en manger, Marie-Agnès ? Et toi, Albert ?

— Oui ! Oui ! s'écrièrent les deux petits en accourant.

Au-dehors, on entendit le galop d'un cheval.

— Voici votre père qui rentre, dit tante Pulchérie. Angélique, je crois qu'il serait décent que nous paraissions au salon.

Mais, après un court silence pendant lequel le cavalier dut sauter à terre, la cloche de la porte d'entrée sonna.
— J'y vais, s'écria Angélique.

Elle se précipita, sans souci de ses manches relevées sur ses bras blanchis de farine. Elle distingua à travers la pluie et la brume du soir un homme grand et sec, dont la cape ruisselait d'eau.
— Avez-vous mis votre cheval à l'abri ? s'écria-t-elle. Ici les bêtes prennent froid facilement. Il y a trop de brouillard à cause des marais.
— Je vous remercie, demoiselle, répondit l'étranger en retirant son large feutre et en s'inclinant. Je me suis autorisé, selon l'usage des voyageurs, à rentrer aussitôt mon cheval et mon bagage dans votre écurie. Me voyant trop loin de mon but ce soir et passant près du château de Monteloup, j'ai pensé solliciter de M. le baron l'hospitalité d'une nuit.
À son costume de grosse étoffe noire à peine garni d'un col blanc, Angélique pensa qu'il s'agissait d'un petit marchand ou d'un paysan endimanché. Cependant son accent, qui n'était pas celui du terroir et semblait un peu étranger, la déconcertait, et aussi la recherche de son langage.
— Mon père n'est pas rentré, mais venez vous mettre au chaud. On va envoyer un valet bouchonner votre bête.

Lorsqu'elle regagna la cuisine, précédant le visiteur, son frère Josselin venait de pénétrer par la porte des communs. Couvert de boue, le visage rouge et sale, il avait fait traîner sur le dallage un sanglier, tué par lui d'un coup d'épieu.

— Bonne chasse, monsieur ? demanda l'étranger avec beaucoup de politesse.

Josselin lui jeta un coup d'œil sans aménité et répondit d'un grognement. Puis il s'assit sur un tabouret et tendit ses pieds à la flamme. Plus modestement, le visiteur s'installait aussi au coin de l'âtre, acceptait une assiette de potage de la main de Fantine.

Il expliqua qu'il était originaire du pays, étant né du côté de Secondigny, mais qu'ayant passé de longues années à voyager, il avait fini par ne plus parler sa propre langue qu'avec un fort accent. Cela reviendrait vite, affirma-t-il. Il n'y avait qu'une semaine qu'il avait débarqué à La Rochelle.

À ces derniers mots, Josselin redressa la tête et le regarda d'un œil brillant. Les enfants l'entourèrent et se mirent à le cribler de questions.

— Dans quel pays êtes-vous allé ?

— Est-ce loin ?

— Quel métier faites-vous ?

— Je n'ai pas de métier, répondit l'inconnu. Pour l'instant, je crois qu'il me plairait assez de parcourir la France et de raconter à qui veut les entendre mes aventures et mes voyages.

— Comme les poètes, les troubadours du Moyen Âge ? interrogea Angélique, qui avait tout de même retenu quelques-uns des enseignements de tante Pulchérie.

— C'est un peu cela, bien que je ne sache ni chanter ni faire des vers. Mais je pourrais dire des choses très belles sur les pays où la vigne n'a pas besoin d'être plantée. Les grappes pendent aux arbres des forêts, mais les habitants ne savent pas faire le vin. C'est mieux ainsi, car Noé s'enivra, et le Seigneur n'a pas voulu que tous les hommes se transforment en pourceaux. Il y a encore des peuplades innocentes sur terre.

Il semblait avoir une quarantaine d'années, mais il y avait quelque chose de raide et de passionné dans son regard qui se fixait au loin.

— Est-ce que, pour aller dans ces pays, on arrive au moins par la mer ? interrogea avec méfiance le taciturne Josselin.

— On traverse tout l'océan. Là-bas, à l'intérieur des terres, se trouvent des fleuves et des lacs. Les habitants sont d'un rouge de cuivre. Ils se garnissent la tête de plumes d'oiseaux et circulent en canots cousus d'écorces ou de peaux de bêtes. J'ai été aussi dans des îles où les hommes sont tout noirs. Ils se nourrissent de roseaux épais comme le bras qu'on nomme canne à sucre, et c'est en effet de là que vient le sucre. On fait aussi de ce sirop une boisson plus forte que l'eau-de-vie de grain, mais qui grise moins et donne de la gaieté et de la force : le rhum.

— Avez-vous rapporté de cette boisson merveilleuse ? demanda Josselin.

— J'en ai un flacon dans les fontes de ma selle. Mais j'en ai laissé aussi plusieurs fûts chez mon cousin, qui habite La Rochelle et se promet d'en tirer de bons bénéfices. C'est son affaire. Moi, je ne suis pas commerçant. Je ne suis qu'un voyageur curieux de terres nouvelles, avide de connaître ces lieux où personne n'a ni faim ni soif, et où l'homme se sent libre. C'est là que j'ai compris que tout le mal venait de l'homme de race blanche, parce qu'il n'a pas écouté la parole du Seigneur, mais l'a travestie. Car le Seigneur n'a pas ordonné de tuer ni de détruire, mais de s'aimer.

Il y eut un silence. Les enfants n'étaient pas accoutumés à un langage aussi insolite.

— La vie aux Amériques est donc plus parfaite qu'en nos pays où Dieu règne depuis si longtemps ? demanda soudain la voix calme de Raymond.

Il s'était rapproché lui aussi, et Angélique trouva dans son regard une expression analogue à celle de l'étranger. Celui-ci le dévisagea avec attention.

— Il est difficile de peser dans une balance les perfections diverses d'un monde ancien et d'un monde nouveau, mon fils. Que vous dire ? Aux Amériques, on vit d'une façon très différente. L'hospitalité entre hommes blancs est large. Il n'est jamais question de payer et, d'ailleurs, en certains endroits la monnaie n'existe pas et l'on vit uniquement de chasse, de pêche et d'échanges de peaux et de verroterie.

— Et la culture ?

Cette fois, c'était Fantine Lozier qui interrogeait, ce qu'elle n'eût jamais fait en présence de ses maîtres adultes. Mais sa curiosité était aussi dévorante que celle des enfants.

— La culture ? Aux îles des Antilles, les Noirs en font un peu. En Amérique, les Rouges ne la pratiquent guère, mais ils vivent de cueillette de fruits et de pousses. Il y a d'autres coins, où l'on cultive la pomme de terre qu'on appelle truffe en Europe, mais qu'on ne sait pas encore travailler ici. Il y a des fruits surtout : des sortes de poires et qui sont en réalité pleines de beurre, et des arbres dont on tire une sève merveilleuse qui nourrit.

— Et pour le pain, comment font-ils ? s'exclama Fantine.

— C'est selon. D'autant plus qu'il y a beaucoup de maïs qu'on appelle blé d'Inde. Dans d'autres régions les gens mâchonnent quelques écorces ou des noix avec lesquelles on n'a faim ni soif de toute la journée. On peut aussi se nourrir avec une sorte de fève, le cacao, qu'on mélange avec la cassonade. Dans les pays plus désertiques se trouve du suc de palme ou d'agave. Il y a des animaux…

— Est-ce qu'on peut faire du cabotage marchand dans ces pays ? interrompit Josselin.

— Déjà quelques Dieppois en font, puis quelques gens de par ici. Mon cousin lui-même travaille pour un armateur qui arme parfois pour la Côte franciscaine, comme on disait au temps de François Ier.

— Je sais, je sais, interrompit de nouveau Josselin, impatient. Je sais aussi que des Olonais vont parfois en Terre-Neuve et des gens du Nord en Nouvelle-France, mais il paraît que ce sont des pays froids et ça ne me dirait rien.

— En effet, Champlain a été envoyé en Nouvelle-France en 1603 déjà, et il y a beaucoup de colons français là-bas. Mais c'est réellement un pays froid et trop dur à vivre.

— Et pourquoi donc ?

— C'est assez difficile à vous expliquer. Peut-être parce qu'il s'y trouve déjà des jésuites français.

— Vous êtes protestant, n'est-ce pas ? hasarda vivement Raymond.

— En effet. Je suis même pasteur, quoique sans paroisse, et surtout voyageur.

— Vous tombez mal, monsieur, ricana Josselin. Je soupçonne mon frère d'être fortement attiré par la discipline et les exercices spirituels de la Compagnie de Jésus, que vous incriminez.

— Loin de moi la pensée de l'en blâmer, fit le huguenot avec un geste de protestation. J'ai rencontré maintes fois là-bas les pères jésuites, qui ont pénétré à l'intérieur des terres avec un courage et une abnégation évangéliques dignes d'admiration. Pour certaines tribus de la Nouvelle-France, il n'y a pas de plus grand héros que le célèbre père Jogues, martyr des Iroquois. Mais chacun est libre de sa conscience et de ses convictions.

— Ma foi, dit Josselin, je ne peux guère discourir avec vous sur ces sujets, car je commence à oublier quelque peu mon latin. Mais mon frère le parle plus élégamment que le français et…

— Voici justement l'un des plus grands malheurs qui frappent notre France, s'écria le pasteur. Qu'on ne puisse plus prier son Dieu, que dis-je le Dieu des mondes, en sa langue maternelle et avec son cœur, mais qu'il soit indispensable de se servir de ces incantations magiques en latin…

Angélique regrettait qu'il ne fût plus question de raz de marée et de navires, d'animaux extraordinaires comme les serpents ou ces lézards géants à dents de brochet, capables de tuer un bœuf, ou encore de ces baleines grandes comme des bateaux dont on s'était parfois entretenu à propos des Amériques.

Elle ne s'était pas aperçue que la nourrice venait de quitter la pièce. Elle avait laissé la porte entrouverte. Aussi surprit-on des chuchotements et la voix de Mme de Sancé, qui ne pensait pas être entendue.

— Protestant ou non, ma fille, cet homme est notre hôte et il restera ici tant qu'il en aura le désir.

Peu après, la baronne, suivie d'Hortense, pénétra dans la cuisine.

Le visiteur s'inclina fort civilement, sans baisemain ni révérence de Cour. Angélique se dit que c'était certainement un roturier, mais policé quand même, encore que huguenot, et tant soit peu exalté.

— Pasteur Rochefort, se présenta-t-il. Je dois me rendre à Secondigny où je suis né, mais, la route étant longue, j'ai songé à me reposer sous votre toit hospitalier, madame.

La maîtresse de maison l'assura qu'il serait le bienvenu, qu'ils étaient tous des catholiques pratiquants, mais que ceci n'empêchait pas d'être tolérant, comme l'avait recommandé le bon roi Henri IV.

— C'est ce que j'ai osé espérer en entrant ici, madame, reprit le pasteur en s'inclinant plus profondément, car je dois vous avouer que des miens amis m'ont confié que vous aviez depuis de longues années un vieux serviteur d'origine allemande, ce qui le fait supposer de la Religion réformée, sans doute luthérienne. Aussi l'ai-je été voir d'abord et c'est ce Guillaume Lützen qui m'a laissé espérer que je pourrais être accueilli par vous cette nuit.

— Vous pouvez en être assuré en effet, monsieur, et même les jours suivants si tel est votre bon plaisir.

— Mon seul plaisir est d'être aux ordres du Seigneur, en la manière dont je puis le servir. Et c'est lui qui m'a bien inspiré, encore. J'avoue, que c'est surtout M. le baron de Sancé, votre époux, madame, que j'aurais désiré voir… car j'aurais à lui transmettre…

— Vous avez une commission pour mon mari ? s'étonna vivement Mme de Sancé.

— Pas une commission, mais peut-être une mission. Souffrez que je n'en fasse communication qu'à lui.

— Très certainement, monsieur. D'ailleurs j'entends les pas de son cheval.

Le baron Armand entra bientôt à son tour. On avait dû l'avertir de la visite inattendue. Il ne témoigna pas à son hôte sa cordialité habituelle. Il paraissait contraint et comme anxieux.

— Est-il vrai, monsieur le pasteur, que vous venez des Amériques ? s'informa-t-il après les salutations d'usage.

— Oui, monsieur le baron. Et je serais heureux d'avoir quelques instants de tête-à-tête avec vous afin de vous entretenir de qui vous savez.

— Chut ! fit impérativement Armand de Sancé en jetant un coup d'œil inquiet vers la porte.

Il ajouta un peu précipitamment que leur maison était à la disposition de M. Rochefort, et que celui-ci n'avait qu'à commander aux chambrillons tout ce qui lui serait nécessaire pour son confort. On souperait dans une heure. Le pasteur remercia et demanda l'autorisation de se retirer afin de « se laver un peu ».

« L'averse ne lui suffit donc pas ? songea Angélique. Drôles de gens que ces huguenots ! On a raison de dire qu'ils ne sont pas comme tout le monde. Je demanderai à Guillaume si lui aussi se lave à tout propos. Ça doit être dans leurs rites. C'est pour cela qu'ils ont souvent cet air penaud ou encore si susceptible, comme Lützen. Ils ont la peau trop raclée et à vif, et cela doit leur faire mal... C'est comme ce jeune Philippe qui éprouve le besoin de se laver tout le temps. Sans doute cette préoccupation de soi-même le conduira-t-il aussi à l'hérésie. On le brûlera peut-être et ce sera bien fait pour lui ! »

Cependant, comme le visiteur se dirigeait vers la porte pour se rendre à la chambre où Mme de Sancé était sur le point de le guider, Josselin le retint par le bras avec sa brusquerie habituelle.

— Un mot encore, pasteur. Pour pouvoir travailler dans ces pays d'Amérique, il faut sans doute être bien riche, ou encore acheter une commission d'enseigne de navigation, ou tout au moins d'artisan en quelque métier ?

— Mon fils, les Amériques sont des terres libres. On n'y demande rien, bien qu'il soit nécessaire d'y travailler fort et dur, et de se défendre aussi.

— Qui êtes-vous, étranger, pour vous permettre d'appeler ce jeune homme votre fils, et ceci en présence de son propre père et de moi, son aïeul ?

La voix ricanante du vieux baron venait de s'élever.

— Je suis le pasteur Rochefort, monsieur le baron, pour vous servir, mais sans désignation de diocèse, et de passage seulement.

— Un huguenot ! gronda le vieillard. Et qui, au surplus, vient de ces pays maudits…

Il se tenait sur le seuil, appuyé sur sa canne, mais se redressant de toute sa hauteur. Il avait pris soin d'ôter la vaste houppelande noire dont il se vêtait l'hiver. Son visage parut à Angélique aussi blanc que sa barbe. Sans savoir pourquoi, elle eut peur et se hâta d'intervenir.

— Grand-père, ce monsieur était tout trempé et nous l'avons invité à se sécher. Il nous a raconté des histoires sur ses voyages…

— Soit. Je ne cache pas que j'aime le courage et, lorsque l'ennemi se présente la face découverte, je sais qu'il a droit à des égards.

— Monsieur, je ne viens pas en ennemi.

— Épargnez-nous vos prêches hérétiques. Je n'ai jamais pris part à des controverses qui ne sont pas de la compétence d'un vieux soldat. Mais je tiens à vous dire que, dans cette maison, vous ne trouverez pas d'âmes à convertir.

Le pasteur eut un soupir imperceptible.

— En vérité, je ne suis pas revenu d'Amérique comme prêcheur cherchant de nouvelles conversions. Dans notre Église les fidèles et les curieux viennent à nous librement. Je sais fort bien que les gens de votre famille sont des catholiques fervents et qu'il y a grande difficulté à convertir des gens dont la religion est codifiée par les plus anciennes superstitions et qui se prétendent seuls infaillibles.

— Vous reconnaissez donc par là recruter vos adeptes non parmi les gens de bien, mais parmi les indécis, des ambitieux déçus, des moines défroqués heureux de voir sanctifiés leurs désordres ?

— Monsieur le baron, vous êtes trop prompt dans vos jugements, dit le pasteur dont la voix se durcissait. De hautes figures et des prélats du monde catholique se sont déjà convertis à nos doctrines.

— Vous ne me révélez rien que je ne sache déjà. L'orgueil peut faire défaillir les meilleurs. Mais notre avantage, à nous catholiques, c'est d'être appuyés sur les prières de toute l'Église, des saints et de nos morts, alors que vous, dans votre orgueil, vous niez cette intercession et prétendez traiter avec Dieu lui-même.

— Les papistes nous accusent d'orgueil, mais eux-mêmes se veulent infaillibles et s'arrogent le droit de violence. Quand je suis parti de France, continua le pasteur d'une voix sourde, c'était en 1629, je venais d'échapper tout jeune au siège atroce de La Rochelle par les hordes de M. de Richelieu. On signait la paix d'Alès, enlevant aux protestants le droit de posséder des places fortes.

— Il n'était que temps. Vous deveniez un État dans l'État. Avouez que votre but était bien d'arracher toutes les contrées ouest et centrales de la France à l'influence du roi.

— Je l'ignore. J'étais trop jeune encore pour embrasser d'aussi vastes desseins. J'ai seulement compris que ces nouvelles décisions étaient en désaccord avec l'édit de Nantes du roi Henri IV. À mon retour, je m'aperçois avec amertume qu'on n'a cessé d'en contester et d'en dénaturer les points avec une rigueur qui n'a d'égale que la mauvaise foi des casuistes et des juges. On appelle cela l'observance minima de l'édit. Ainsi je vois les protestants obligés d'enterrer leurs morts la nuit. Pourquoi ? Parce que l'édit ne porte pas explicitement que l'enterrement d'un réformé puisse se faire le jour. Donc il doit se faire la nuit.

— Voici qui doit plaire à votre humilité, ricana le vieil hobereau.

— Quant à l'article 28 permettant aux protestants d'ouvrir des écoles dans tous les lieux où l'exercice du culte est autorisé, comment l'a-t-on appliqué ? L'édit ne parlant ni des matières enseignées, ni du nombre des maîtres, ni de l'importance des classes par communauté, on a donc décidé qu'il n'y aurait qu'un maître protestant par école et par bourg. C'est ainsi qu'à Marennes j'ai vu six cents enfants protestants n'ayant droit qu'à un seul maître. Ah ! que voilà bien l'esprit sournois auquel a conduit la fausse dialectique de l'Église ancienne, s'écria le pasteur avec éclat.

Il y eut un silence atterré, et Angélique s'aperçut que son grand-père, esprit droit et juste dans le fond, était légèrement désarçonné par l'exposé de ces faits qu'il n'ignorait pas.

Mais la voix calme de Raymond s'éleva soudain :

— Monsieur le pasteur, je ne suis pas de taille à apprécier la justice de l'enquête que vous avez pu mener en ce pays sur certains abus de zélateurs intransigeants. Je vous sais gré de n'avoir même pas cité les cas de conversions achetées d'adultes et d'enfants. Mais vous devez savoir que, si ces excès existent, Sa Sainteté le pape en personne est intervenue à de nombreuses reprises auprès du haut clergé de France et du roi. Des commissions officielles et secrètes sillonnent le pays pour redresser les torts certains qui ont pu être constatés. Je suis même persuadé que, si vous-même poussiez jusqu'à Rome et remettiez un cahier d'enquêtes précises au souverain pontife, la plupart des fautes réelles observées seraient redressées…

— Jeune homme, ce n'est pas à moi de chercher à réformer votre Église, dit le pasteur d'un ton acide.

— Aussi bien, monsieur le pasteur, c'est nous-mêmes qui le ferons et, ne vous en déplaise, s'écria l'adolescent avec un feu soudain, Dieu nous éclairera.

Angélique regarda son frère avec étonnement. Jamais elle ne se fût doutée que tant de passion couvait sous son apparence falote et quelque peu hypocrite. C'était au tour du pasteur d'être déconcerté.

Pour essayer de dissiper la gêne, le baron Armand dit en riant sans malice :

— Vos discussions me font penser que, depuis quelque temps, j'ai regretté souvent de n'être pas huguenot. Car il paraît que l'on donne jusqu'à trois mille livres pour un noble se convertissant au catholicisme.

Le vieux baron bondit.

— Mon fils, épargnez-moi vos facéties pesantes. Elles sont malséantes devant un adversaire.

Le pasteur avait repris son manteau humide sur sa chaise.

— Je n'étais point venu en adversaire. J'avais une mission à remplir au château de Sancé. Un message des terres lointaines. J'aurais voulu en parler seul à seul avec le baron Armand, mais je vois que vous avez coutume de traiter vos affaires publiquement en famille. J'aime cette façon. C'était celle des patriarches et aussi des apôtres.

Angélique s'aperçut que son grand-père était devenu aussi blanc que la pomme d'ivoire de sa canne et qu'il s'appuyait au chambranle de la porte. Elle eut pitié. Elle aurait voulu arrêter les paroles qui allaient venir, mais déjà le pasteur continuait.

— M. Antoine de Ridoué de Sancé, votre fils, que j'ai eu le plaisir de rencontrer en Virginie, m'a demandé de me rendre au château où il est né, de prendre des nouvelles de sa famille afin que je puisse les lui transmettre à mon retour. Voilà ma tâche accomplie…

Le vieux gentilhomme s'était approché de lui à petits pas.

— Hors d'ici, fit-il d'une voix sourde et haletante. Jamais, moi vivant, le nom de mon fils parjure à son Dieu, à son roi, à sa patrie, ne sera prononcé sous ce toit. Hors d'ici, vous dis-je. Pas de huguenot chez moi !

— Je m'en vais, dit le pasteur, très calme.

— Non !

La voix de Raymond s'élevait de nouveau.

— Restez, monsieur le pasteur. Vous ne pouvez vous trouver dehors par cette nuit pluvieuse. Aucun habitant de Monteloup ne voudra vous donner asile et le premier village protestant est trop loin. Je vous demande d'accepter l'hospitalité de ma chambre.

— Restez, dit Josselin de sa voix rauque, il faut encore que vous me parliez des Amériques et de la mer.

La barbe du vieux baron tremblait.

— Armand, s'écria-t-il avec une sorte de détresse qui brisa le cœur d'Angélique, voici où s'est réfugié l'esprit de révolte de votre frère Antoine. En ces deux garçons que j'aimais. Dieu ne m'épargnera rien. En vérité, j'ai trop vécu.

Il chancela. Ce fut Guillaume qui le soutint. Il sortit appuyé au vieux soldat luthérien et répétant d'une voix tremblante :

— Antoine… Antoine…

Quelques jours plus tard, le vieux grand-père mourut.

On ne put savoir de quelle maladie. En fait, il s'éteignit plutôt, alors qu'on le croyait déjà remis de l'émotion causée par la visite du pasteur.

La douleur de connaître le départ de Josselin lui fut épargnée.

En effet, un matin, un peu après l'enterrement, Angélique qui dormait encore s'entendit appeler à mi-voix :

— Angélique ! Angélique !

Ouvrant les yeux, elle vit avec étonnement Josselin à son chevet. Elle lui fit signe de ne pas éveiller ses sœurs, et elle le suivit dans le couloir.

— Je pars, chuchota-t-il. Tu tâcheras de leur faire comprendre.

— Où vas-tu ?

— D'abord à La Rochelle et ensuite je m'embarquerai pour les Amériques. Le pasteur Rochefort m'a parlé de tous ces pays et aussi des colonies : Antilles, Virginie, Maryland, la Nouvelle-Amsterdam, qui est devenue le nouveau duché d'York. Je finirai bien par aborder quelque part dans un endroit où l'on veut de moi.

— Ici aussi l'on veut de toi, dit-elle plaintivement.

Elle grelottait dans sa mince chemise de nuit usée.

— Non, fit-il, il n'y a pas de place pour moi dans ce monde-ci. Je suis las d'appartenir à une classe qui possède des privilèges et n'a plus d'utilité. Riches ou pauvres, les nobles ne savent absolument plus à quoi ils servent. Vois notre père. Il tâtonne. Il s'abaisse à faire des mulets, mais n'ose pas exploiter à fond cette situation humiliante pour relever par l'argent son titre de gentilhomme. Finalement il perd sur les deux tableaux. On le montre du doigt parce qu'il travaille comme un maquignon, et nous aussi parce que nous sommes toujours des nobles gueux. Heureusement l'oncle Antoine de Sancé m'a indiqué le chemin. C'était le frère aîné de père. Il s'est fait huguenot et a quitté le continent.

— Tu ne veux pas abjurer ? supplia-t-elle, effrayée.

— Non. Je te l'ai dit, les bondieuseries ne m'intéressent pas. Moi, je veux vivre.

Il l'embrassa rapidement, descendit quelques marches et se retourna, posant sur sa jeune sœur à demi nue un regard d'homme avisé.

— Tu deviens belle et forte, Angélique. Méfie-toi. Il te faudrait aussi partir. Ou bien, un de ces jours, tu te retrouveras dans le foin avec un valet d'écurie. Ou bien encore tu vas devenir la chose d'un de ces gros hobereaux que nous avons pour voisins.

Il ajouta avec une douceur subite :

— Crois-en mon expérience de mauvais garçon, chérie. Ce serait une vie affreuse pour toi. Sauve-toi aussi de ces vieux murs. Quant à moi, je m'en vais sur la mer.

Et, en quelques bonds, franchissant les marches deux par deux, le jeune homme disparut.

Chapitre neuvième

LA MORT DU GRAND-PÈRE, le départ de Josselin et ces mots qu'il lui avait jetés : « Va-t'en, toi aussi » bouleversèrent Angélique profondément, à un âge où la nature hypersensible est prête à toutes les extravagances.

Insidieusement, le choc moral causé par la visite du pasteur Rochefort était plus violent et destructeur et avait laissé en elle des traces qui se propagèrent au cours des journées suivantes, comme ces longues rides que l'envoi d'une pierre dans un étang propage, de plus en plus larges et parfaites, jusqu'à ce qu'elles se heurtent à la rive, se brisent contre la barrière dressée de la boue et des herbes mêlées, là où marchent les hommes, écrasant tout sur leur passage.

Elle ne songea pas à demander de l'aide à son cercle familier, immédiat et chaleureux. Mélusine ne pouvait rien. Tout le monde était déjà bien assez secoué. Il y avait longtemps que Mélusine, par la méchanceté des êtres, marchait en des contrées peut-être encore plus lointaines et obscures que celles vers lesquelles s'était élancé Josselin.

Immobile au bord des étangs ou des canaux endormis, noirs et brillants sous la nappe des lentilles d'eau soudain déchirée par le choc du caillou qu'elle venait de lancer, Angélique regardait décroître et se perdre dans l'emmêlement broussailleux des rives les ondes qui, belles et parfaites, n'avaient d'autres issues, par la fin, que de se briser et de disparaître.

S'arrachant à sa contemplation morbide, elle se détourna des marais et regarda vers la forêt. C'était sans doute dans cette direction qu'était parti Josselin, car on disait qu'au-delà de la forêt il y avait le grand port de La Rochelle, battu par les vagues de l'immense océan qui conduisait au Nouveau Monde. La mer. Angélique fut prise d'une grande envie de connaître la mer, la vraie mer. Au-delà de cette masse de verdure de la forêt, infinie mais immobile, il y avait une autre étendue infinie, mais celle-là mouvante et vivante, la mer, et sur laquelle on s'embarquait pour des pays différents.

L'idée s'incrusta en elle comme la seule chose qu'elle avait le devoir d'accomplir. À cause de son grand-père, à cause de l'oncle Antoine. À cause de son destin aurait-elle pu se dire, si elle avait eu plus de disposition à réfléchir à ses élans. Mais ce n'était encore qu'une enfant, que rien n'avait formée à l'étude de la pensée et à la science de la logique.

Ce fut ainsi qu'aux premiers jours de l'été Angélique de Sancé de Monteloup partit pour les Amériques avec une troupe de petits croquants qu'elle avait recrutés et gagnés à ses vues vagabondes. On en parla longtemps dans le pays et beaucoup de gens y trouvèrent une preuve de plus de son ascendance féerique.

À vrai dire, l'expédition ne dépassa pas la forêt de Nieul.

La raison revint à Angélique alors que le soir tombait et que le soleil projetait de grands pinceaux de lumière rouge à travers les énormes troncs de la forêt centenaire. Depuis des jours elle avait vécu dans une sorte de fièvre. Elle se voyait gagnant La Rochelle, se proposant comme mousse aux navires en partance, débarquant sur les terres inconnues où des êtres aimables les accueilleraient, des raisins plein les mains.

Nicolas avait été vite séduit. « Matelot, ça me plaît plus que de garder les bêtes. J'ai toujours eu envie de voir du pays. » Quelques autres garnements, plus soucieux de courir les bois que de rester aux champs, supplièrent qu'on les emmenât. Ils étaient huit en tout, et Angélique, la seule fille, était leur chef. Pleins de confiance en elle, c'est à peine si les gamins, fleurs dans les mains et le nez barbouillé de mûres, trouvaient cette première partie de l'expédition fort agréable. On marchait depuis le matin, mais on avait fait halte, vers le milieu du jour, près d'un petit ruisseau pour dévorer les provisions de fromage et de pain bis.

Cependant Angélique sentit un frisson la saisir et, tout à coup, la conscience de sa sottise l'envahit avec une telle lucidité que sa bouche devint sèche.

« On ne peut passer la nuit dans la forêt, songea-t-elle. Il y a des loups. »

— Nicolas, reprit-elle tout haut, est-ce que cela ne te semble pas bizarre que nous n'ayons pas encore atteint le village de Naillé ?

Le garçon devenait soucieux.

— M'est avis qu'on s'est peut-être égarés. La fois que j'y étais allé avec mon père de son vivant, je crois me rappeler qu'on n'avait pas marché si longtemps.

Angélique sentit une petite main crasseuse se glisser dans la sienne. C'était celle du plus jeune enfant, âgé de six ans.

— Il commence à faire nuit, gémit-il. Peut-être qu'on est perdus.

— Mais peut-être qu'on est tout près, rassura Angélique. Marchons encore.

Ils reprirent leur marche en silence. Entre les ramures, le ciel pâlissait.

— Si nous ne sommes pas arrivés au village d'ici la nuit, il n'y a pas besoin de s'effrayer, dit Angélique. Nous monterons dans les chênes pour y dormir. Ainsi les loups ne nous verront pas.

Mais, malgré son ton paisible, elle se sentait anxieuse. Soudain le son argentin d'une cloche lui parvint et elle eut un soupir de soulagement.

— Voici le village où l'on sonne l'Angélus ! s'écria-t-elle.

Ils se mirent à courir. Le sentier commençait à descendre, les arbres s'espaçaient. Ils se trouvèrent tout à coup en lisière du bois, au bord d'une falaise, et s'arrêtèrent surpris, comme enchantés par l'apparition qui venait de surgir à leurs yeux.

Au fond d'une combe de verdure, elle était là, merveille silencieuse au sein de la forêt, l'abbaye de Nieul. Le soleil couchant dorait ses nombreux toits de tuiles roses, ses clochetons, ses murs pâles percés de lucarnes et de cloîtres, ses vastes cours désertes. La cloche sonnait. Un moine chargé de seaux allait vers le puits.

Muets d'on ne sait quel émoi religieux, les enfants descendirent jusqu'au grand porche principal. La porte de bois en était entrouverte ; ils se glissèrent à l'intérieur et se trouvèrent sous un porche. Un vieux moine, dans sa bure brune, était assis sur un banc et dormait ; ses cheveux blancs lui faisaient une petite couronne de neige soigneusement posée sur son crâne nu.

Rendus nerveux par les émotions diverses qu'ils venaient d'éprouver, les petits vagabonds le regardèrent et éclatèrent de rire.

Ceci attira un gros frère jovial sur le seuil d'une porte.

— Eh ! p'tits gars, leur cria-t-il en patois, en voilà des façons de malappris !

— Je crois que c'est le frère Anselme, chuchota Nicolas.

Le frère Anselme parcourait quelquefois le pays avec son âne. Il distribuait des chapelets et des flacons de liqueur médicinale extraite de fleurs d'angélique, en échange de blé et de morceaux de lard. La chose étonnait, car l'abbaye n'abritait pas un ordre mendiant, et on la disait fort riche étant donné les revenus prélevés sur ses domaines.

Angélique s'avança vers lui, suivie de sa troupe fidèle.

Elle n'osa pas lui confier leur projet initial de partir pour les Amériques. Aussi bien le frère Anselme n'avait sans doute jamais entendu parler des Amériques. Elle lui raconta seulement qu'ils étaient de Monteloup et qu'étant allés au bois pour cueillir la fraise et la framboise, ils s'étaient égarés.

— Mes pauvres poulets, dit le frère qui était fort brave homme, voilà ce que c'est que d'être gourmands. Vos mères vont vous chercher en pleurant et au retour je prévois que les fesses vont vous cuire. Mais pour l'instant il n'y a rien d'autre à faire que de vous asseoir là. Je m'en vais vous donner une écuelle de lait et du pain bis. Vous dormirez dans la grange, et demain j'attellerai le chariot pour vous reconduire chez vous ; précisément j'avais à quêter par là.

Le programme était raisonnable.

Angélique et ses compagnons avaient marché tout le jour. Même en chariot elle savait qu'on ne pourrait être à Monteloup avant une heure avancée de la nuit ; aucune route ne traversait la forêt de part en part, sinon les sentiers que les enfants avaient suivis. Il fallait prendre un chemin beaucoup plus long par les communes de Naillé et Varrout dont ils étaient fort loin.

« La forêt c'est comme la mer, songea Angélique, il faudrait s'y guider avec une boussole, ainsi que l'expliquait Josselin, sinon on marche en aveugle. » Un certain découragement l'accabla. Elle se voyait mal reprenant son voyage avec des instruments difficiles qu'elle ne saurait où se procurer.

D'ailleurs ses « hommes » n'étaient-ils pas sur le point de l'abandonner ? La fillette resta silencieuse, tandis que les autres mangeaient assis au pied du mur dans la tiédeur dont le crépuscule emplissait les vastes cours.

La cloche continuait de sonner. Des hirondelles poussaient des cris aigus dans le ciel rosé, et des poules caquetaient sur des tas de paille et de fumier.

Le frère Anselme passa en rabattant son capuchon sur sa tête :

— Je m'en vais à complies. Soyez sages, ou je vous fais cuire dans ma marmite.

On voyait des silhouettes brunes et blanches glisser entre les arceaux d'un cloître. Près du porche, le vieux frère continuait de dormir. Sans doute était-il dispensé des offices…

Angélique, voulant réfléchir, s'éloigna seule.

Dans l'une des cours elle aperçut un fort beau carrosse armorié reposant sur ses brancards. Des chevaux de race mangeaient leur foin à l'écurie. Ce détail l'intrigua sans qu'elle sût pourquoi. Elle marchait à petits pas dans le silence, envoûtée par le charme de cette grande demeure au milieu des arbres. Tandis que la nuit emplirait la forêt, que les loups rôderaient, l'abbaye à l'abri de ses murs épais, de ses lourdes portes, poursuivrait sa vie close, secrète, dont Angélique ne pouvait rien imaginer. Au loin, des chants d'église montaient, lents et doux. Guidée par la musique, elle commença de gravir un escalier de pierre. Jamais elle n'avait entendu une harmonie si suave, car à l'église de Monteloup les cantiques braillés par le curé et le maître d'école n'avaient rien qui rappelât les phalanges célestes.

Tout à coup, elle perçut un bruit de jupe et, se retournant, vit venir dans la pénombre de la galerie couverte, à l'étage, une fort belle dame vêtue somptueusement.

Ce fut, du moins, ce qu'il lui parut. Jamais Angélique n'avait vu ni à sa mère ni à ses tantes une robe de velours noir incrustée de fleurs d'argent. Comment se serait-elle doutée que c'était là une toilette d'extrême simplicité, réservée aux retraites pieuses dans le calme d'une abbaye. La dame portait sur ses cheveux châtains une mantille de dentelle noire et à la main un fort gros missel. Elle passa près d'Angélique et lui jeta un regard surpris.

— Que fais-tu là, fillette ? Ce n'est pas l'heure de l'aumône.

Angélique recula en tâchant de prendre l'air niais d'une petite paysanne intimidée.

Dans l'ombre de ces voûtes, la poitrine de la dame lui apparaissait extrêmement blanche et gonflée. À peine si une légère dentelle couvrait ces magnifiques rondeurs que le plastron brodé présentait, comme une corne d'abondance présente ses fruits.

« Quand je serai grande, je voudrais avoir une poitrine semblable », pensa Angélique en redescendant l'escalier en tournevis. Elle caressa son buste encore trop maigre à son gré et se sentait envahie de trouble. Un claquement de sandales gravissant l'escalier la rejeta nerveusement à l'abri d'un pilier.

Un moine la frôla de sa robe de bure blanche. Elle ne put entrevoir qu'un fort beau visage, soigneusement rasé, des yeux bleus brillant d'intelligence dans l'ombre du froc. Il disparut. Puis sa voix, mâle et douce, s'éleva.

— On vient seulement de me prévenir de votre visite, madame. J'étais dans la bibliothèque du monastère penché sur quelques vieux grimoires traitant des philosophies grecques. Mais la salle est lointaine et mes frères sont dolents, surtout par temps de chaleur. Tout père abbé que je suis, je n'ai été averti de votre présence qu'à l'heure des complies.

— Ne vous excusez pas, mon père. Je connais les aîtres et me suis installée. Ah ! Que cet air qu'on respire ici est bon ! Je suis arrivée hier en mes terres de Richeville, et n'ai eu de cesse de me rendre à Nieul. L'atmosphère de la Cour depuis qu'elle s'est transportée à Saint-Germain est odieuse. Tout y est brouillon, triste et pauvre. En fait, je ne me plais qu'à Paris… ou à Nieul. D'ailleurs M. de Mazarin ne m'aime pas. Je vous dirai même que ce cardinal…

Le reste de la conversation se perdit. Les deux interlocuteurs s'éloignaient.

Angélique retrouva ses petits compagnons dans la vaste cuisine de l'abbaye où frère Anselme, ceint d'un tablier blanc, s'affairait aidé de deux ou trois gavroches affublés de robes trop longues pour eux. C'étaient les novices de l'abbaye.

— Repas délicat ce soir, disait le frère cuisinier. La comtesse de Richeville est dans nos murs. J'ai ordre de descendre aux caves choisir les vins les plus fins, de rôtir six chapons et de me débrouiller de n'importe quelle façon pour présenter un plat de poissons. Le tout dûment corsé d'épices, ajouta-t-il en jetant un clin d'œil entendu à un de ses confrères qui, assis à l'extrémité de la table de bois, buvait un verre de liqueur.

— Les servantes de la dame sont accortes, répondit l'autre, un homme gras et rouge dont le ventre était difficilement maintenu par une corde à nœuds à laquelle pendait un chapelet. J'ai aidé ces trois charmantes demoiselles à monter le lit dans la cellule réservée à leur maîtresse, ainsi que les malles et la garde-robe.

— Ah ! ah ! ah ! s'exclama frère Anselme. Je vous vois fort bien, frère Thomas, portant malles et garde-robe ! Vous qui n'avez pas même le courage de soulever votre bedaine.

— Je les ai aidées de mes conseils, fit dignement le frère Thomas.

Ses yeux injectés de sang faisaient le tour de la salle, où brillaient et crépitaient les feux sous les broches et les énormes marmites.

— Qu'est-ce que cette nuée de petits croquants que vous abritez dans vos réserves, frère Anselme ?

— Des enfants de Monteloup qui se sont égarés dans la forêt.

— Vous devriez les faire tremper dans votre court-bouillon, dit le frère Thomas en roulant des yeux terribles.

Deux des petits paysans se mirent à pleurer, effrayés.

— Allons, allons, dit frère Anselme en ouvrant une porte. Suivez ce couloir. Vous trouverez une grange ; mettez-vous là et dormez. Je n'ai pas le temps de m'occuper de vous ce soir. Heureusement qu'un pêcheur m'a apporté un beau brochet, sinon notre père abbé, dans sa contrariété, aurait pu fort bien m'ordonner trois heures de pénitence les bras en croix. Je me fais vieux pour ce genre d'exercice…

Lorsqu'elle eut constaté que ses petits compagnons s'étaient endormis, Angélique, couchée dans le foin odorant, sentit les larmes lui monter aux yeux.

— Nicolas, chuchota-t-elle, je crois que nous ne pourrons jamais arriver aux Amériques. J'ai réfléchi. Il faudrait avoir une boussole.

— Ne t'inquiète pas, répondit l'adolescent en bâillant. C'est raté pour cette fois, mais on s'est bien amusés.

— Naturellement, dit Angélique furieuse, tu es comme un écureuil. Incapable de mener à bien de grands projets. Et puis tu t'en moques que nous retournions comme des piteux à Monteloup. Ton père ne te rossera pas puisqu'il est mort, mais les autres, qu'est-ce qu'ils vont prendre !

— Ne te fais pas de souci pour eux, répéta Nicolas à demi endormi, ils ont la peau dure.

Trois secondes plus tard, il ronflait bruyamment.

Angélique pensa que tant de préoccupations l'empêcheraient de trouver le sommeil, mais peu à peu la voix lointaine du frère Anselme houspillant ses moinillons s'estompa et elle s'endormit.

Elle se réveilla parce qu'il faisait trop chaud dans le foin. Les enfants dormaient toujours et leurs souffles réguliers emplissaient la grange.

« Je vais aller respirer dehors », se dit-elle.

Elle tâtonna pour retrouver la porte du petit couloir menant à la cuisine. Dès qu'elle l'eut ouverte, un bruit de voix bruyantes et d'éclats de rire campagnards lui parvint. La lueur des feux continuait de danser là-bas. Il semblait y avoir maintenant nombreuse compagnie dans le domaine de frère Anselme.

La fillette s'avança jusqu'au seuil.

Elle aperçut une dizaine de moines assis autour de la grande table garnie d'assiettes et de pichets d'étain. Des carcasses de volailles traînaient dans les plats. Une odeur de vin et de friture se mêlait à celle plus délicate d'une bouteille de liqueur ouverte dont chacun des convives avait un verre devant lui. Trois femmes, fraîches paysannes déguisées en soubrettes, prenaient part à la fête. Deux d'entre elles riaient fort et paraissaient déjà complètement ivres. La troisième, plus modeste, résistait aux mains gourmandes de frère Thomas qui cherchait à l'attirer.

— Allons, allons, mignonne, disait le gros moine, ne sois pas plus bégueule que ton auguste maîtresse. À cette heure, tu peux être bien sûre qu'elle ne s'entretient plus de philosophie grecque avec notre père abbé. Tu serais la seule à ne pas t'amuser cette nuit, à l'abbaye.

La servante jetait des regards gênés et déçus autour d'elle. Sans doute était-elle moins farouche qu'elle ne voulait le paraître, mais la face rubiconde du frère Thomas ne l'inspirait pas.

L'un des autres moines parut le comprendre, car il se dressa brusquement et saisit la taille de la demoiselle d'un geste engageant.

— Par saint Bernard, patron de notre cloître, s'écria-t-il, cette petite est trop fine pour vous, gros porc. Qu'en penses-tu ? interrogea-t-il en relevant d'un doigt le menton de la récalcitrante. Est-ce que je n'ai pas de beaux yeux à défaut de beaux cheveux ? Et puis, tu sais, j'ai été soldat et je sais amuser les filles.

Il avait en effet des yeux noirs et gais, et un air futé. La soubrette consentit à sourire. Il s'ensuivit une courte bagarre provoquée par le frère Thomas vexé d'être délaissé. Un pot d'étain fut renversé, les femmes protestèrent. Tout à coup, quelqu'un cria :

— Regardez ! Là !... Un ange !...

Tout le monde se tourna vers la porte, où se tenait Angélique. Elle ne recula pas, car elle n'était pas de nature craintive. Elle avait assez souvent assisté à des fêtes paysannes pour ne pas s'effrayer des éclats de voix et de l'agitation que provoquent nécessairement de larges libations. Cependant quelque chose en elle se révoltait. Il lui semblait que ce spectacle jurait avec la vision qu'elle avait eue sous les yeux du haut de la falaise, lorsque l'abbaye leur était apparue dans la lumière dorée du soir, asile et refuge de paix.

— C'est une gamine qui s'est perdue dans le bois, expliqua le frère Anselme.

— La seule fille d'une bande de gars, renchérit le frère Thomas. Ça promet. Peut-être qu'elle aime rire aussi ? Tiens, viens boire ça, dit-il en tendant vers la fillette un verre de liqueur, c'est bon, c'est sucré. C'est nous qui la fabriquons dans nos grandes cornues avec de l'angélique des marais : Angelica sylvestris.

Angélique obéit, moins par gourmandise que par curiosité, et goûta à cette médecine dont on disait tant de bien, et qui portait son nom. Le breuvage, d'un vert doré, lui parut délicieux, à la fois fort et velouté, et lorsqu'elle eut bu, une agréable chaleur se répandit en elle.

— Bravo ! braillait frère Thomas. Toi, au moins, tu sais lever le coude !

Il l'attira sur ses genoux. Son haleine avinée, l'odeur de suint de sa robe de bure dégoûtaient Angélique, mais elle était étourdie par l'alcool qu'elle venait d'absorber. La main du frère Thomas tapotait les genoux d'Angélique d'un geste qui se voulait paternel.

— Elle est tout plein mignonne, cette petite.

Une voix venue de la porte s'éleva :

— Mon frère, laissez cette enfant tranquille.

Un moine vêtu de blanc, coiffé de son capuchon, les mains dans ses vastes manches, se tenait sur le seuil comme une apparition.

— Ah ! Voilà notre rabat-joie, grogna frère Thomas. On ne vous demande pas de vous joindre à nous, frère Jean, si la bonne chère ne vous tente pas. Mais au moins laissez les autres se réjouir tranquillement. Vous n'êtes pas encore notre père abbé.

— Il n'est pas question de cela, répondit l'autre d'une voix altérée. Je vous recommande seulement de laisser cette enfant. C'est la fille du baron de Sancé, et il ne serait pas bon qu'elle eût à se plaindre à lui de vos mœurs plutôt que de se féliciter de votre hospitalité.

Il y eut un silence fait d'étonnement et de gêne. Les mains du frère Thomas retombèrent.

— Venez, mon enfant, dit le moine d'un ton ferme.

Machinalement Angélique le suivit. Ils traversèrent la cour.

Levant les yeux, la fillette aperçut le ciel étoilé, d'une pureté indicible, au-dessus du monastère. Suivant son guide, elle se retrouva dans un vaste cloître dont le mur faisant face aux arcades présentait de nombreuses portes.

— Entrez là, dit frère Jean en ouvrant l'une des portes de bois, percée d'un guichet. C'est ma cellule. Vous pourrez vous y reposer en paix en attendant le jour.

C'était une très petite pièce aux murs nus à peine ornés d'un crucifix et d'une image de la Vierge. Dans un coin, il y avait une couchette basse, presque une planche recouverte de draps grossiers et d'une couverture. Un prie-Dieu de bois dont la tablette était chargée de livres de prières se trouvait sous le crucifix. Il régnait là une fraîcheur agréable, mais qui, l'hiver, devait se transformer en froid atroce. La fenêtre en plein cintre se fermait par un seul volet, ouvert ce soir.

Les effluves de la forêt nocturne, faits d'odeurs de mousse et de champignons, pénétraient dans la pièce. À gauche, le seuil d'une marche donnait accès à un réduit où brillait une veilleuse. Un pupitre garni de parchemins et de godets l'encombrait.

Le moine désigna sa couchette à Angélique.

— Étendez-vous et dormez sans crainte, mon enfant. Pour moi, je vais poursuivre mes travaux.

Il pénétra dans le réduit, s'assit sur un tabouret et se pencha sur les parchemins.

Assise au bord du raide matelas, la fillette ne se sentait aucune envie de dormir. Elle n'avait jamais imaginé des lieux aussi bizarres… Elle se leva et alla regarder à la fenêtre. En dessous d'elle elle devina des rangées de petits jardins très étroits, séparés les uns des autres par de hauts murs. Chaque moine avait le sien, où il allait chaque jour cultiver quelques légumes et creuser sa tombe.

À pas de loup, elle se rapprocha de la chambrette où travaillait frère Jean. La veilleuse éclairait un profil de jeune homme à demi enseveli sous le capuchon. D'une main attentive, il copiait une enluminure ancienne. Ses pinceaux, enduits de rouge, de poudre d'or ou de bleu puisés dans des godets, reproduisaient habilement les entrelacs de fleurs et de monstres dont l'art ancien s'était plu à enrichir les missels.

— Vous ne dormez pas ?

— Non.

— Comment vous appelez-vous ?

— Angélique.

Une émotion soudaine bouleversa le visage creusé par les privations et l'ascétisme.

— Angélique ! Fille des Anges. C'est bien cela, murmura-t-il.

— Je suis bien contente que vous soyez venu, mon père. Ce gros moine ne me plaisait pas.

— Tout à coup, dit frère Jean dont les yeux brillèrent étrangement, une voix a dit en moi : « Lève-toi, laisse là ton travail paisible. Veille sur mes brebis perdues… » J'ai quitté ma cellule porté par je ne sais quel élan. Mon enfant, pourquoi ne vous trouvez-vous pas sagement sous le toit de vos parents, comme il se devrait pour une fille de votre âge et de votre condition ?

— Je ne sais pas, murmura Angélique en baissant la tête avec confusion.

Le moine avait posé ses pinceaux. Il se leva et, les mains dans ses larges manches, il s'approcha de la fenêtre et regarda longuement le ciel étoilé.

— Voyez, fit-il à mi-voix, la nuit règne encore sur la terre. Les paysans dorment dans leurs masures et les seigneurs dans leurs châteaux. Ils oublient leurs peines d'hommes dans le sommeil. Mais l'abbaye ne dort jamais… Ici même, dans un combat qui ne finit point, soufflent l'Esprit de Dieu et l'Esprit du Mal… J'ai quitté le monde très jeune et suis venu m'ensevelir entre ces murs pour y servir Dieu dans la prière et le jeûne. J'y ai trouvé, mêlées à la plus haute culture, à la plus grande mystique, des mœurs infâmes, corrompues. Des soldats déserteurs ou invalides recherchent dans le cloître sous la bure monacale une vie négligente et protégée ; ils y introduisent leurs habitudes dépravées. L'abbaye est comme un grand navire ballotté par les tempêtes et qui craque de toutes parts. Mais elle ne sombrera pas, tant qu'il restera entre ses murs des âmes priantes. Nous sommes ainsi quelques-uns à vouloir, coûte que coûte, mener ici la vie de pénitence et de sanctification à laquelle nous nous étions destinés. Ah ! ce n'est pas chose facile. Que n'invente le démon pour nous détourner de notre voie… Celui qui n'a pas vécu dans les cloîtres n'a jamais vu en face le visage de Satan. Il voudrait tant régner en maître dans la demeure de Dieu !… Et comme s'il jugeait insuffisantes les tentations de désespoir ou celles qu'il nous envoie par les femmes qui ont droit de cité dans notre enceinte, il vient lui-même la nuit, frappe à nos portes, nous réveille, nous roue de coups…

Il releva sa manche, montrant un bras meurtri d'ecchymoses.

— Regardez, fit-il plaintivement, regardez ce que Satan m'a fait.

Angélique l'écoutait avec une terreur grandissante. « Il est fou », se dit-elle.

Mais elle craignait encore plus qu'il ne fût pas fou. Elle pressentait la vérité de ses paroles et la peur lui hérissait les cheveux. Quand donc finirait cette nuit pesante et désolée ?...

Le moine était tombé à genoux sur le sol dur et froid.

— Seigneur, disait-il, secours-moi. Prends pitié de ma faiblesse. Que le Maudit s'éloigne !

Angélique était retournée s'asseoir au bord de la couchette et elle sentait sa bouche se dessécher d'un effroi qu'elle ne pouvait définir. Les mots « nuit maléfique », dont la nourrice émaillait ses contes, lui revinrent à l'esprit. Il y avait autour d'elle quelque chose d'insupportable qu'elle ne pouvait définir et qui l'étouffait jusqu'à l'angoisse.

Enfin le son grêle d'une cloche s'éleva dans la nuit, rompant le silence profond du monastère.

Frère Jean se redressa. Angélique vit que des sillons de sueur brillaient sur ses tempes, comme s'il venait de soutenir un combat physique épuisant.

— Voici matines, fit-il. Ce n'est pas encore l'aube, mais je dois me rendre à la chapelle avec mes frères. Demeurez ici, si vous le désirez. Je viendrai vous chercher quand il fera jour.

— Non, j'ai peur, protesta Angélique, qui avait envie de se cramponner à la robe de bure de son protecteur. Ne puis-je vous suivre à l'église ? Je prierai, moi aussi.

— Si vous voulez, mon enfant.

Il ajouta avec un sourire triste :

— Autrefois on n'eût jamais songé à mener une fillette à matines, mais maintenant nous croisons dans nos murs tant de personnages qui n'y ont que faire, que plus rien n'étonne. C'est pourquoi je vous ai conduite chez moi, où vous étiez plus à l'abri que dans une grange.

Et gravement :

— Quand vous serez sortie de cette enceinte puis-je vous demander, Angélique, de ne point raconter ce que vous y avez vu ?

— Je vous le promets, dit-elle en levant vers lui ses yeux purs.

Ils sortirent dans le couloir où une buée froide semblait sourdre des vieilles pierres avec l'approche de l'aube.

— Pourquoi y a-t-il un petit guichet à votre porte ? demanda encore Angélique.

— Jadis nous étions un ordre de solitaires. Les pères ne sortaient jamais de leur cellule que pour se rendre aux offices et même ceci était interdit en temps de carême. Les frères convers déposaient leurs repas dans ce guichet. Maintenant taisez-vous, petite, et soyez aussi discrète que possible. Vous m'obligeriez.

Des silhouettes encapuchonnées passaient près d'eux dans un bruit de chapelets et de prières murmurées.

Angélique se blottit dans un coin de la chapelle et s'efforça de prier ; mais les chants monotones et l'odeur des cierges allumés l'endormirent.

Lorsqu'elle se réveilla, la chapelle était de nouveau déserte, cependant les cierges, à peine éteints, fumaient encore sous les voûtes sombres.

Elle sortit. Le soleil se levait. Sous sa lueur pourprée, les toits de tuiles étaient couleur de giroflée. Des colombes roucoulaient dans le jardin près d'un vieux saint de pierre.

Angélique s'étira longuement et bâilla. Elle se demandait si elle n'avait pas rêvé…

❦

Le frère Anselme, cordial mais lent, n'attela son chariot qu'après le repas de midi.

— Ne vous inquiétez pas, petits gars, disait-il gaiement. Je retarde d'autant votre fessée. Nous n'arriverons à votre village qu'à la nuit. Vos parents fatigués de leurs tâches auront envie de dormir.

« À moins qu'ils ne soient par les champs à la recherche de leurs rejetons », pensait Angélique, qui n'était pas fière. Il lui semblait qu'elle avait subitement vieilli en quelques heures. « Je ne ferai plus jamais de bêtises », se promit-elle avec une résolution teintée de mélancolie.

Frère Anselme, par révérence pour son rang, la fit monter à côté de lui sur le siège, tandis que les gamins s'empilaient à l'arrière du chariot.

— Ho ! ma douce mule, ma bonne mule, chantonnait le moine en secouant ses rênes.

Mais la bête ne se hâtait point. Le soir tombait qu'on se trouvait encore sur la voie romaine.

— Je vais prendre un raccourci, dit le moine. L'ennui c'est qu'il faut passer près de Vauloup et Chaillé, qui sont des villages protestants. Dieu veuille que la nuit soit venue et que ces hérétiques ne nous aperçoivent pas. Ma bure n'est guère aimée par là.

Il mit pied à terre pour tirer la mule dans un sentier montant. Angélique, qui avait envie de se dégourdir les jambes, vint marcher à son côté. Elle regardait avec étonnement autour d'elle, s'apercevant qu'elle n'était jamais venue dans ce coin, qui n'était pourtant qu'à trois lieues de Monteloup.

Le sentier traversait le flanc d'une sorte d'éboulis qui avait un peu l'aspect d'une carrière abandonnée.

En examinant l'endroit avec plus d'attention, Angélique vit émerger, en effet, quelques ruines. Ses pieds nus dérapaient sur des scories noircies.

— Drôle de pierre, dit-elle en se baissant pour ramasser un caillou boursouflé et pesant, qui l'avait blessée.

— C'est une très vieille mine de plomb des Romains, expliqua le moine. Elle figure dans nos anciens écrits sous le nom d'Argentum, car on en tirait aussi de l'argent, paraît-il. On avait essayé de la reprendre au XIIIe siècle, et les quelques fours abandonnés datent surtout de cette époque plus récente.

Elle l'écoutait avec intérêt.

— Et le minerai dont on tirait le plomb, c'est sans doute cette lave figée noire et lourde ?

Le frère Anselme prit un air doctrinal.

— Pensez-vous ! Le minerai c'est le terrain jaune, en gros blocs. On dit qu'on en tire aussi des poisons à l'arsenic. Ne ramassez pas cela ! Mais, en revanche, vous pouvez toucher ces cubes brillants couleur argent, mais fragiles, que je vais vous trouver par ici.

Le moine chercha quelques instants, puis appela Angélique pour lui montrer sur un rocher des sortes de bas-reliefs de roche noire et de forme géométrique. Il en gratta quelques-uns et une surface brillante couleur argent apparut.

— Mais si c'est de l'argent massif, observa Angélique, pratique, pourquoi personne ne le ramasse-t-il pas ? Ça doit valoir très cher et tout au moins pouvoir payer les impôts ?

— Ce n'est pas aussi simple que cela, noble demoiselle. D'abord n'est pas argent tout ce qui brille, et ce que vous voyez là est en réalité un autre minerai de plomb. Toutefois il contient de l'argent, mais, pour l'en sortir, c'est très compliqué : il n'y a que les Espagnols et les Saxons qui savent le procédé. Il paraît qu'on en fait des pâtés avec du charbon et de la résine, et qu'on les fond à la forge sous un feu violent. Alors on obtient un lingot de plomb. Jadis on l'employait fondu pour le déverser sur les ennemis par le mâchicoulis de votre château. Mais, quant à en tirer de l'argent, c'est l'affaire d'alchimistes savants, et moi je ne le suis qu'à moitié.

— Vous avez dit « de notre château » ; pourquoi « notre château » ?

— Pardi ! Pour la raison bien simple que ce coin abandonné fait partie de vos terres, encore qu'il en soit séparé par les terres du Plessis.

— Jamais mon père n'en a parlé…

— Ce terrain est petit, très étroit et aucune culture n'y vient. Que voulez-vous que votre père en fasse ?

— Mais, pourtant, ce plomb et cet argent ?…

— Bah ! Nul doute qu'ils ne soient épuisés. Au surplus, ce que je vous en dis, c'est d'un vieux moine saxon que je le tiens. Il avait la manie des cailloux et aussi des vieux grimoires. Je crois qu'il était un peu fou…

La mule, traînant la carriole, avait continué son chemin seule et au sommet de la côte débouchait sur un plateau. Angélique et le frère Anselme la rejoignirent et remontèrent sur le siège. L'ombre fut très vite assez dense.

— Je n'allume pas la lanterne, souffla frère Anselme, pour ne pas nous faire remarquer. Quand je passe par ces villages, croyez-moi, il me vaudrait mieux les traverser tout nu qu'avec mon froc sur le dos et mon chapelet à la ceinture. Ne… n'est-ce pas des torches qu'on aperçoit là-bas ? demanda-t-il soudain en retenant les rênes.

En effet, à une distance d'à peine un quart de lieue, on voyait bouger de nombreux points lumineux, qui peu à peu se multipliaient. Un chant bizarre et triste était apporté par le vent de la nuit.

— Que la Vierge nous protège ! s'écria frère Anselme en sautant à terre, ce sont les huguenots de Vauloup qui vont enterrer leurs morts. La procession vient par là. Il faut nous en retourner.

Il saisit la bride de la mule et essaya de lui faire faire volte-face dans le sentier étroit. Mais la bête refusa la manœuvre.

Le moine s'affolait, jurait. Il n'était plus question de « douce mule », mais de « sacrée bête ». Angélique et Nicolas le rejoignirent pour essayer à leur tour de convaincre l'animal. La procession se rapprochait.

Le cantique s'amplifiait : « Le Seigneur est notre secours dans nos tribulations… »

— Hélas ! Hélas ! gémissait frère Anselme.

Les premiers porteurs de torches débouchèrent au détour du chemin. La lumière subite éclaira la carriole à demi engagée en travers du chemin.

— Qu'est cela ?

— Un suppôt du diable, un moine…

— Il nous barre la route.

— N'est-ce pas assez d'être contraints d'enterrer nos morts la nuit comme des chiens ?… Il veut les profaner encore par sa présence.

— Bandit ! Libertin ! Chien de papiste ! Pourceau !

Les premières pierres ramassées sonnèrent contre le bois de la carriole. Les enfants se mirent à pleurer. Angélique se précipita, les bras étendus.

— Arrêtez ! Arrêtez, ce sont des enfants !

Son apparition, cheveux épars, déchaîna les passions.

— Une fille naturellement ! Une de leurs concubines !

— Et, dans la carriole, leurs bâtards arrosés d'eau bénite.

— Ceux-là aussi, ils ont été conçus sans péché !

— Et par l'opération du Saint-Esprit !

— Ce sont nos enfants qu'ils ont volés pour les immoler devant leurs idoles !

— À mort les bâtards du diable !

— Au secours pour nos enfants !

Les faces grossières des hommes vêtus de noir se hissaient autour du chariot. Les gens de la procession, qui ne savaient pas ce qui se passait, continuaient de chanter : « L'Éternel est notre forteresse !… » Mais la foule s'amassait de plus en plus.

Houspillé, roué de coups, frère Anselme, avec une agilité qu'on n'eût pas attendue de ce gros corps, réussit à se faufiler et à s'enfuir à travers champs. Nicolas, frappé à coups de bâton, essayait néanmoins de faire tourner la mule affolée. Des mains griffues s'étaient abattues sur Angélique. Se tordant comme une couleuvre, elle s'échappa, se glissa en contrebas du chemin et se mit à courir. L'un des garçons huguenots la poursuivit, la rejoignit. C'était un très jeune garçon, presque de son âge, dont l'adolescence devait décupler la passion sectaire.

Ils roulèrent dans l'herbe en se battant. Angélique était possédée soudain d'un délire de rage. Elle griffait, mordait, se cramponnait de toutes ses dents à des morceaux de chair dont le sang salé coulait sur sa langue. Elle sentit enfin son adversaire faiblir et put s'échapper encore.

Devant la carriole, un homme de grande taille s'était dressé.

— Arrêtez ! Arrêtez, malheureux ! criait-il, répétant l'appel qu'elle avait lancé tout à l'heure. Ce sont des enfants !

— Enfants du diable ! Oui ! Et les nôtres, qu'en a-t-on fait ? On les a jetés sur des piques par les fenêtres à la Saint-Barthélemy.

— Ce sont les choses du passé, mes fils. Suspendez votre bras vengeur. Il nous faut la paix. Arrêtez, mes fils, écoutez votre pasteur.

Angélique entendit le grincement de la carriole qui s'ébranlait, conduite par Nicolas qui avait réussi enfin à la faire tourner. Se faufilant derrière les haies, elle le rejoignit à la courbe suivante du chemin.

— Sans leur pasteur, je crois que nous serions tous morts, chuchota le garçon dont les dents claquaient.

Angélique était couverte d'égratignures. Elle essayait de ramener sur elle sa robe déchirée et boueuse. On lui avait tellement tiré les cheveux qu'elle avait l'impression d'avoir la peau du crâne arrachée et souffrait affreusement.

Un peu plus loin, une voix étouffée lança un appel et frère Anselme sortit des buissons.

Il fallut redescendre jusqu'à la route romaine. Heureusement, la lune s'était levée. Les enfants n'arrivèrent qu'au petit jour à Monteloup.

On leur apprit que depuis la veille les paysans battaient la forêt de Nieul. N'ayant trouvé que la sorcière Mélusine qui cueillait des simples dans une clairière, ils l'avaient accusée d'avoir enlevé et fait disparaître leurs enfants et l'avaient pendue, sans plus de façons, à la branche d'un chêne.

Chapitre dixième

« MÉLUSINE ! »

Le cri d'Angélique monta et sous les voûtes du vieux château éveilla un écho terrible.

— Mélusine !...

Pulchérie se précipita, la ceintura, et la maîtrisa de toutes ses pauvres forces tremblantes alors qu'Angélique allait se jeter dehors pour courir jusqu'au repaire caché de son amie. Elle ne pouvait pas croire ce qu'on venait de lui annoncer : les paysans, à la recherche de leurs enfants perdus, avaient pendu la sorcière Mélusine.

Dans l'entrée du château, où elle s'était glissée, ébouriffée, terreuse et à peu près en guenilles, elle les avait trouvés tous là rassemblés, les gens de sa famille et jusqu'aux domestiques, et ils lui avaient annoncé le drame dont ils la rendaient responsable.

On avait pendu la sorcière.

Et ils continuaient à la regarder tandis qu'elle se débattait en poussant des cris inarticulés, coupés d'appels désespérés :

— Mélusine ! Mélusine !…

Dans les intervalles, lui parvenait la voix de pimbêche d'Hortense, défilant des accusations avec la monotonie d'une dizaine de chapelets.

— C'est de ta faute, Angélique !… C'est de ta faute !… Pourquoi as-tu emmené tous ces galopins si loin ?… Pourquoi n'es-tu pas revenue quand la nuit est tombée ? Pourquoi n'as-tu pas pensé à l'inquiétude de tes parents ? À notre inquiétude, insistait-elle solennellement… Tu n'as rien dans la tête, rien dans le cœur !…

Angélique se calmait, renonçant à se dégager des mains de Pulchérie qui n'osait pas la lâcher. Tendue en avant, elle leva vers son père un regard pathétique.

— Pourquoi ? POURQUOI ont-ils fait cela ?…

Le pauvre baron regardait sa fille avec accablement. Elle lui apparaissait, encadrée de l'auréole de ses cheveux blond cuivré ébouriffés, comme un être de lumière, alors que, tout autour d'elle, tous – et eux-mêmes – étaient si sombres et si grossiers, un être d'ailleurs. Et il se sentait impuissant à lui répondre. Le geste des habitants de sa contrée l'horrifiait, mais connaissant leurs réactions brutales et irraisonnées lorsque la crainte du mauvais œil, des mauvais esprits, la crainte de l'intrusion de Satan dans leurs affaires s'emparait d'eux, il ne s'étonnait pas.

La nourrice dit d'un ton sentencieux :

— C'était une sorcière !

La tante Jeanne, qui pour une fois avait quitté sa tapisserie, renchérit d'une voix qu'on entendait rarement et qui ressemblait à une crécelle rouillée.

— Les sorcières sont dangereuses. Elles ont pouvoir sur la naissance, la vie, et la mort…

— Et l'amour ! scanda la nourrice.

— Mais c'était une BONNE sorcière ! cria Angélique.

— Ce sont les pires, riposta la tante Jeanne en haussant d'un ton sa voix de harpie. C'est écrit dans le livre des Inquisiteurs, le *Malleus Maleficarum*, qui a été rédigé par « les fils bien-aimés » du pape Innocent VIII, les moines Sprenger et Kramer, dominicains.

Elle cita d'une voix implacable :

— *« Par sorcières nous n'entendons pas seulement celles qui tourmentent et qui tuent mais aussi et surtout celles que l'on considère comme bonnes sorcières qui ne font AUCUN mal, qui ne souillent, ni ne détruisent, mais qui sauvent et délivrent du mal… Il vaudrait mieux pour nous tous que la terre soit débarrassée de toutes ces sorcières et particulièrement de celles qui sont BIENFAISANTES. »*

— Assez ! ASSEZ ! réussit à interjeter avec énergie Mme de Sancé.

Elle avait les traits tirés et les yeux cernés, car la disparition d'Angélique leur avait fait vivre de longues heures d'anxiété, mais elle aussi comme son mari sentait l'inutilité d'ajouter à sa peine par des reproches.

— Jeanne, taisez-vous. Vous feriez mieux de retourner au salon et à votre tapisserie. Nounou, conduisez cette enfant à la cuisine et donnez-lui une assiette de soupe chaude.

Angélique continuait de regarder son père avec une interrogation morne : pourquoi ? pourquoi ? Mais tout ce qu'elle pouvait lire dans ses yeux à lui, c'était une décision sans appel.

— Cette fois ma fille, tu n'y couperas pas. Il va falloir que tu partes au couvent… Et moi, je vais devoir accepter les propositions de Molines.

Angélique resta plusieurs heures près de l'âtre de la cuisine, sans bouger ni parler, un peu à la façon du vieux Lützen, certains soirs, qui lui aussi, ce jour-là, la regardait sans mot dire.

Elle avait entendu de loin sa mère s'expliquer fermement avec la tante Jeanne, moins sur son intervention à intention pédagogique que sur les citations d'un livre que la baronne était tout à fait certaine de ne pas avoir dans la bibliothèque du château, d'ailleurs assez minable et souffrant comme le reste de l'humidité. Le *Malleus Maleficarum* ? Où avait-elle pu lire cela ?...

La tante Jeanne se recroquevillait comme une araignée que l'on vient de bousculer et elle finit par disparaître, à nouveau, derrière son métier à tapisserie et ses fils de laine, dans ce recoin du salon où elle était désormais souvent seule, puisque le grand-père était mort. Elle opposait aux questions de sa belle-sœur une moue hautaine et entendue, qui laissait à supposer tout un monde de connaissances théologiques trop élevées et trop ardues à dévoiler pour le menu fretin.

Mme de Sancé s'informa près de la nourrice Fantine à propos de ce livre. Pouvait-on soupçonner l'un des colporteurs ? On les voyait mal trimbaler parmi les petits livres bleus ou les rubans un ouvrage moyenâgeux de démonologie écrit par deux moines fanatiques et réservé aux Inquisiteurs !...

Et puis le colporteur n'était pas venu cette année encore... Peut-être n'avait-il pu se faufiler parmi toutes ces guerres qui se développaient çà et là, comme les taches d'une maladie éruptive de plus en plus déclarée. La conversation dévia sur les bruits qui concernaient le pays, encore très calme. Pour punir le pétulant prince de

Marcillac d'avoir déclenché la Fronde des princes avec sa maîtresse Anne-Geneviève de Longueville, la reine régente Anne d'Autriche avait ordonné de détruire son château de Verteuil. On ne savait rien sur le sort de sa femme devenue duchesse de La Rochefoucauld par la mort récente de son beau-père, mais qui risquait désormais d'être sans logis, avec ses six enfants.

Angélique profita de cet échange de nouvelles pour se glisser hors du château. Dehors il pleuvait. Le crépuscule n'était pas encore là mais il faisait gris et sombre. Elle avait eu projet d'essayer de descendre jusqu'à la caverne, l'antre de Mélusine, et d'essayer de voir ce qu'il était advenu de ses trésors, de ses animaux : le chat, la chouette… Mais comme elle approchait, elle crut discerner à travers la brume des silhouettes rôdant et gardant les abords de la falaise.

Elle s'éloigna dans les profondeurs du sous-bois, son cœur battant à grands coups, ses pieds foulant les herbes mouillées, indifférente à l'eau que les branches écartées faisaient couler sur elle, et elle continuait à ressentir autour d'elle des présences soupçonneuses, voire haineuses, et elle finit par regagner le château avec soulagement.

Les jours suivants, il faisait beau. Elle voulut se promener encore mais, illusion ou réalité, cette fois tout lui paraissait désert.

Peut-être la fuyait-on ?

Flânant, elle aperçut, à l'ombre d'un chemin creux, un homme assis sur une souche dans une attitude de méditation, et en approchant elle reconnut son père. Son cheval broutait non loin de là.

Le baron Armand releva la tête.

Angélique s'assit près de lui. Son cœur était lourd.

— Te rends-tu compte, dit le baron, des soucis et des ennuis dans lesquels je m'empêtre à cause de vous tous et de toi en particulier ?...

— Est-ce que les mulets ne vont pas, père ?

— Si, tout marche bien. Mais je reviens de chez l'intendant Molines. Vois-tu, Angélique, à la suite de ta randonnée insensée dans la forêt, ta tante Pulchérie nous a démontré, à ta mère et à moi, qu'il était impossible de te garder plus longtemps au château. Il faut te mettre au couvent. Aussi je me suis résolu à une démarche fort humiliante et que j'aurais voulu éviter à tout prix. Je viens d'aller trouver l'intendant Molines pour lui demander de m'accorder cette avance d'aide à ma famille qu'il m'avait proposée.

Il parlait d'une voix basse et triste, comme si quelque chose se fût brisé en lui, comme si quelque chose lui fût arrivé de plus pénible encore que la mort de son père ou que le départ de son fils aîné.

— Pauvre papa ! murmura Angélique.

— Mais ce n'est pas si simple, reprit le baron. S'il suffisait encore de tendre la main à un roturier, la chose est déjà bien dure. Cependant, ce qui m'inquiète, c'est que l'arrière-pensée de Molines m'échappe. Il a posé à son nouveau prêt des conditions étranges.

— Quelles conditions ?

Il la regarda pensivement et, avançant sa main calleuse, caressa les magnifiques cheveux d'or sombre.

— C'est bizarre… J'ai plus de facilité à me confier à toi qu'à ta mère. Tu es une grande folle sauvage, mais il semble déjà que tu es capable de tout comprendre. Certes, je me doutais que Molines, dans cette affaire de mulets, recherchait un substantiel bénéfice commercial, mais je ne comprenais pas très bien pourquoi il s'adressait à moi pour la lancer, plutôt qu'à un simple maquignon du pays. En fait, ce qui l'intéresse, c'est ma qualité de noble. Il m'a dit aujourd'hui qu'il comptait sur moi pour obtenir de mes relations ou parents la dispense totale actuelle des droits de visite de douane, d'octroi et de poussière pour le quart de notre production muletière, ainsi que le droit garanti pour ce quart d'être exporté en Angleterre ou en Espagne, lorsque la guerre avec cette dernière sera terminée…

Le baron réfléchit.

— Au moins, pourrai-je obtenir ces exemptions du surintendant de notre province, M. de Trémant. Cela ne lui coûtera rien et il peut me considérer de sa clientèle par des liens de parenté que je lui rappellerai.

— Mais c'est parfait, approuva Angélique. Voilà une affaire habilement montée. D'une part Molines est roturier et malin. D'autre part vous, vous êtes noble…

— Et pas malin, sourit le père.

— Non. Mais… pas au courant. Seulement vous avez des relations et des titres. Vous devez réussir. Vous disiez vous-même l'autre jour que l'acheminement des mulets vers l'étranger vous semblait impossible avec tous ces octrois et péages qui en multiplient les frais. Et, pour le quart de la production, le surintendant ne peut que trouver la chose raisonnable ! Que ferez-vous du reste ?

— Précisément, l’intendance militaire aura le droit de s’en réserver l’achat, au prix de l’année, sur le marché de Poitiers.

Angélique approuva.

— Tout a été prévu, semble-t-il. Molines est un homme avisé ! Ne faudrait-il pas voir aussi M. du Plessis, et peut-être écrire au duc de La Trémoille. Mais on dit que tous ces grands personnages vont venir d’ici peu dans la région pour s’occuper encore de leur Fronde.

— On en parle en effet, dit le baron avec humeur. Toutefois, ne me félicite pas trop vite. Que les princes viennent ou non, il n’est pas certain que je sois en pouvoir d’obtenir leur accord. Et d’ailleurs, je ne t’ai pas dit le plus étonnant.

— Quoi donc ?

— Molines veut remettre en fonction la vieille mine de plomb que nous possédons du côté de Vauloup.

Le baron soupira d’un air rêveur.

— Je me demande parfois si cet homme a toute sa raison et j’avoue que je comprends mal des affaires aussi tortueuses…, si affaires il y a. Bref, il m’a prié de solliciter du roi le renouvellement du privilège détenu par mes ancêtres de produire des lingots de plomb et d’argent sortis de la mine. Tu connais bien la mine abandonnée de Vauloup, interrogea Armand de Sancé en voyant que sa fille avait l’air absent.

Angélique fit oui de la tête. Le souvenir de sa fâcheuse expédition au cours de laquelle frère Anselme lui avait montré la mine lui revenait à l’esprit et cela lui était désagréable.

Inquiet, son père reprit :

— Savoir ce que ce régisseur du diable espère tirer de ces vieux cailloux ?… Car, évidemment, le rééquipement de la mine se fera sous mon nom, mais c'est lui qui paiera. Un accord secret entre nous stipulera qu'il aura droit de fermage dix ans durant sur cette mine de plomb, prenant en charge mes obligations de propriétaire du sol et d'exploitation du minerai. Seulement je dois obtenir du surintendant le même allégement d'impôt sur le quart de la future production, ainsi que les mêmes garanties d'exportation. Tout cela me semble un peu compliqué.

Derechef il poussa un profond soupir.

— Enfin !... Ne nous plaignons pas... Ce n'est que juste que tous ces traitants, financiers et banquiers, qui savent manier les affaires d'argent, soutiennent la noblesse qui donne sa vie à guerroyer au service du roi. Moi-même et ton grand-père, nous avons fait notre part, et nous n'avons pas à finir misérablement. Avec ce second prêt, toi et Hortense vous allez pouvoir recevoir une bonne éducation. C'est déjà une forme de dot qui permettra de vous trouver de bons époux... Ta mère et moi nous allons nous mettre en rapport avec les dames ursulines de Poitiers et nous informer si elles disposent de places pour vous recevoir, et dans ce cas quelles sont les pièces du trousseau de pensionnaires à préparer, ce qui va demander un certain délai. Durant ce délai, puis-je te demander... Puis-je te demander, Angélique...

Sa voix se fit presque suppliante.

— ... de ne pas te laisser aller à tes idées incongrues ? Il est temps que tu cesses de batifoler dans les champs, de cueillir des fleurs... Angélique, peux-tu me promettre ?

Angélique se taisait.

Quelques instants elle s'était sentie redevenue une enfant assise près de son père, au bord du chemin creux, et la chape de plomb du drame incompréhensible s'était allégée.

La vie continuait, se refermait sur eux, avec ses obligations nécessaires, mais aussi des espoirs de changement.

Et elle comprenait que les jours étaient comme un torrent infatigable, entraînant les uns et les autres sous les contraintes de ce qui est enseigné, et qu'elle-même, comme ses parents, n'avait d'autre issue pour survivre, au moins pour complaire à tous, que de s'y engager à son tour.

— Promets-moi, insistait le baron.

Elle inclina la tête.

Elle promettait.

Troisième partie

Les dieux de l'Olympe

Chapitre onzième

Un assez long temps s'écoula avant que les courriers échangés confirmassent que les dames ursulines de Poitiers avaient de la place pour les nouvelles pensionnaires. Si bien que, dans la crainte de voir leur demande une fois de plus ne pas aboutir, M. et Mme de Sancé et toute la maisonnée, y compris Angélique, se réjouirent de ce qui leur était apparu longtemps comme un difficile et peut-être inutile sacrifice.

Angélique entreprit donc de préparer son trousseau. Hortense et Madelon partiraient aussi. Raymond et Gontran les accompagneraient et, après avoir déposé leurs sœurs chez les dames ursulines, se rendraient chez les pères jésuites de Poitiers, éducateurs dont on disait merveille. Et c'était Molines, toujours lui, pourtant huguenot, qui avait fait remarquer au baron que les études chez les jésuites étaient gratuites, ce que peu de personnes savaient.

Il fut même question d'entraîner dans cette émigration le jeune Denis, âgé de neuf ans. Mais la nourrice se révolta. Après l'avoir accablée de la charge de dix enfants, on voulait les lui enlever « tous ». Elle avait horreur de ces façons extrêmes, disait-elle. Denis resta donc. Avec Marie-Agnès, Albert et un dernier petit garçon de deux ans qu'on appelait Bébé, ils suffiraient à occuper les « loisirs » de Fantine Lozier. Ceci mis en ordre, on retrouva le calme. Le départ ne serait que pour l'automne. Quelque chose peut-être arriverait qui éloignerait le spectre du couvent et, en effet, il y eut un événement qui faillit changer le cours de la destinée d'Angélique.

Un matin, M. de Sancé revint très affairé du château du Plessis.

— Angélique ? s'écria-t-il en entrant dans la salle à manger où la famille réunie l'attendait pour se mettre à table. Angélique, es-tu là ?

— Oui, père.

Il jeta un coup d'œil critique à sa fille qui, ces derniers mois, avait encore grandi et dont les mains étaient propres et les cheveux bien peignés. Tout le monde s'accordait à dire qu'Angélique devenait raisonnable.

— Cela ira, murmura-t-il.

Et, s'adressant à sa femme :

— Figurez-vous que toute la tribu du Plessis, marquis, marquise, fils, pages, valets, chiens, vient de débarquer au domaine. Ils ont un hôte illustre, le prince de Condé et toute sa cour. Je suis tombé au milieu d'eux et me sentais assez marri. Mais mon cousin s'est montré aimable. Il m'a interpellé, m'a demandé de vos nouvelles, et savez-vous ce qu'il m'a demandé ? De lui amener Angélique pour remplacer une des filles d'honneur de la marquise. Celle-ci a dû laisser à Paris presque toutes ces donzelles qui la coiffent, l'amusent et lui jouent du luth. La venue du prince de Condé la bouleverse ; elle a besoin, assure-t-elle, de petites chambrières gracieuses pour l'aider.

— Et pourquoi pas moi ? s'exclama Hortense, scandalisée.

— Parce qu'il a dit « gracieuses », rétorqua son père sans ambages.

— Le marquis m'avait pourtant trouvé beaucoup d'esprit.

— Mais la marquise veut de jolis minois autour d'elle.

— Oh ! C'est trop fort ! s'écria Hortense en se précipitant sur sa sœur, toutes griffes dehors.

Mais celle-ci avait prévu le geste et s'esquiva prestement. Le cœur battant, elle monta jusqu'à la grande chambre qu'elle partageait seule maintenant avec Madelon. Par la fenêtre, elle appela l'un des petits valets et lui ordonna de monter un seau d'eau et un baquet.

Elle se lava avec beaucoup de soin et brossa longuement ses beaux cheveux qu'elle portait sur les épaules en une sorte de capeline soyeuse. Pulchérie vint la rejoindre en apportant la plus belle robe qu'on lui eût faite pour son entrée au couvent. Angélique admirait cette robe, bien qu'elle fût d'une teinte grise assez terne. Mais l'étoffe était neuve, achetée exprès pour la circonstance chez un important drapier de Niort, et un col blanc l'égayait. C'était sa première robe longue. Elle la revêtit avec un mouvement de plaisir. La tante joignait les mains, attendrie.

— Ma petite Angélique, on te prendrait pour une jeune fille. Peut-être faudrait-il relever tes cheveux ?

Mais Angélique refusa. Son instinct féminin l'avertissait de ne pas diminuer l'éclat de sa seule parure.

Elle monta sur une jolie mule baie que son père avait fait seller à son intention et, en compagnie de celui-ci, prit le chemin du château du Plessis !

❦

Le château s'était éveillé de son sommeil enchanté.

Lorsque le baron et sa fille eurent laissé leurs bêtes chez le régisseur Molines, et qu'ils remontèrent l'allée principale, des bouffées de musique vinrent à leur rencontre. De longs lévriers et de mignons griffons folâtraient sur les pelouses. Des seigneurs aux cheveux bouclés et des dames en robes chatoyantes parcouraient les allées. Certains regardèrent avec étonnement le hobereau vêtu de bure sombre et cette adolescente en tenue de pensionnaire.

— Ridicule, mais jolie, dit une des dames en jouant de l'éventail.

Angélique se demanda si c'était d'elle qu'il s'agissait. Pourquoi la disait-on ridicule ? Elle regarda mieux les toilettes somptueuses, aux couleurs vives, garnies de dentelles, et commença à trouver sa robe grise déplacée.

Le baron Armand ne partageait pas la gêne de sa fille. Il était tout à l'anxiété de l'entrevue qu'il comptait demander au marquis du Plessis. Obtenir la remise totale sur le quart d'une production muletière et d'une mine de plomb, cela pouvait être extrêmement facile pour un noble de haut lignage comme l'était en fait l'actuel baron de Ridoué de Sancé de Monteloup. Mais le pauvre gentilhomme s'apercevait qu'à vivre loin de la Cour il était devenu aussi gauche qu'un roturier, parmi ces personnages dont les chevelures poudrées, l'haleine parfumée, les exclamations de perruche l'ahurissaient. Regrettant le temps du roi Louis XIII, où il croyait se souvenir qu'on affichait plus de simplicité, Armand de Sancé évoquait des amitiés disparues tandis que, suivi d'Angélique, il se frayait un passage parmi la cohue enrubannée.

Des musiciens perchés sur une petite estrade maniaient des instruments aux sons grêles et charmants : vielles, luths, hautbois, flûtes. Dans une grande salle garnie de glaces, Angélique aperçut des jeunes gens qui dansaient. Elle se demanda si son cousin Philippe était parmi eux.

Cependant le baron de Sancé, parvenu au fond des salons, s'inclinait en ôtant son vieux feutre garni d'une maigre plume. Angélique se mit à souffrir. « Dans notre pauvreté, pensait-elle, l'arrogance seule eût été de mise. » Au lieu de plonger dans la révérence que Pulchérie lui avait fait répéter trois fois, elle resta raide comme un pantin de bois, regardant droit devant elle. Les visages qui l'entouraient se brouillaient un peu, mais elle savait que tout le monde mourait d'envie de rire à sa vue.

Un silence mêlé de gloussements étouffés s'était établi brusquement au moment où le valet avait annoncé :

— M. le baron de Ridoué de Sancé de Monteloup.

Le visage de la marquise du Plessis devenait tout rouge derrière son éventail et ses yeux brillaient de gaieté contenue. Ce fut le marquis du Plessis qui vint au secours de tous en s'avançant affablement.

— Mon cher cousin, s'écria-t-il, vous nous comblez en accourant si vite et en amenant votre charmante fille. Angélique, vous êtes encore plus jolie qu'à mon dernier passage. N'est-ce pas ? N'a-t-elle pas l'air d'un ange ? interrogea-t-il en se tournant vers sa femme.

— Absolument, approuva celle-ci, qui avait repris son sang-froid. Avec une autre robe, elle sera divine. Asseyez-vous sur ce tabouret, mignonne, que nous puissions vous observer à l'aise.

— Mon cousin, dit Armand de Sancé, dont la voix rugueuse sonna bizarrement dans ce salon précieux, je désirerais vous entretenir sans tarder d'affaires importantes.

Le marquis haussa des sourcils étonnés.

— Vraiment ? Je vous écoute.

— Je regrette, mais ces choses ne peuvent être traitées qu'en privé.

M. du Plessis jeta un regard à la fois résigné et cocasse à son parent.

— C'est bon ! C'est bon, mon cousin baron. Nous allons nous rendre dans mon cabinet. Mesdames, excusez-nous. À tout à l'heure…

Au moment où il l'entraînait, un des jeunes seigneurs bouclé, poudré et même fardé, qui était très entouré, se tourna pour héler le baron.

— Monsieur de Sancé.

Et comme celui-ci s'arrêtait :

— Chassez-vous toujours avec votre hobereau de campagne ?

Tout le monde éclata de rire.

— Ni hobereau, ni faucon, lui renvoya le baron un instant interloqué. Je ne chasse pas, je n'ai pas le temps…

Il avait dû avoir la bonne réponse car les rires s'éteignirent et une autre conversation fut lancée. Angélique n'avait pas compris le sens de la plaisanterie mais elle avait senti qu'on voulait se moquer de son père.

Assise sur son tabouret, elle s'aperçut qu'elle était le point de mire d'un cercle de curieux. Elle se ressaisit, l'émotion affreuse qui l'avait étreinte se dissipait un peu.

Maintenant elle distinguait nettement tous ces visages qui l'entouraient. La plupart lui étaient étrangers. Mais, près de la marquise, il y avait une très belle femme qu'elle reconnut à sa gorge blanche et nacrée.

« Mme de Richeville », pensa-t-elle.

La robe brodée d'or de la comtesse et son plastron fleuri de diamants lui faisaient trop comprendre à quel point sa robe grise était laide. Toutes ces dames étincelaient de la tête aux pieds. Elles portaient à la ceinture des colifichets étranges : petits miroirs, peignes d'écaille, drageoirs et montres.

Jamais Angélique ne pourrait être vêtue ainsi. Jamais elle ne serait capable de regarder les autres avec tant de hauteur, jamais elle ne saurait s'entretenir de cette voix élevée et précieuse qui semblait perpétuellement sucer des dragées.

— Ma chère, disait l'une, elle a des cheveux séduisants, mais qui n'ont jamais connu aucun entretien.

— Sa poitrine est maigre pour quinze ans.

— Mais, ma très chère, je crois qu'elle n'a pas encore treize ans.

— Voulez-vous mon avis, Henriette ? Il est trop tard pour la dégrossir.

« Suis-je une mule qu'on achète ? », se demandait Angélique, trop stupéfaite pour être vraiment blessée.

— Que voulez-vous, s'écria Mme de Richeville, elle a les yeux verts, et les yeux verts portent malheur, comme l'émeraude.

— C'est une teinte rare, protesta l'une.

— Mais sans charme. Regardez-moi quelle expression dure a cette fillette. Non, vraiment, je n'aime pas les yeux verts.

« M'enlèvera-t-on jusqu'à mes seuls biens, mes yeux et mes cheveux ? », pensait l'adolescente.

— Certes, madame, dit-elle brusquement à voix haute, je ne doute pas que les yeux bleus de l'abbé de Nieul n'aient plus de douceur… et ne vous portent bonheur, acheva-t-elle plus bas.

Il y eut un silence de mort. Quelques rires jaillirent, puis s'éteignirent.

Des dames regardèrent autour d'elles avec égarement, comme si elles doutaient d'avoir entendu de telles paroles prononcées par cette gamine impassible. Une teinte pourpre s'était étendue sur le visage de la comtesse de Richeville et gagnait sa gorge.

— Mais, je la reconnais ! s'écria-t-elle.

Puis elle se mordit les lèvres.

On regardait Angélique avec stupeur. La marquise du Plessis, qui était une très méchante langue, s'étouffait de nouveau de rire dans son éventail. Mais c'était maintenant à sa voisine qu'elle essayait de dissimuler son hilarité.

— Philippe ! Philippe ! appela-t-elle pour se donner une contenance. Où est mon fils ? Monsieur de Barre, voulez-vous avoir la bonté de faire venir mon colonel ?…

Et lorsque le jeune colonel de seize ans fut là :

— Philippe, voici ta cousine de Sancé. Emmène-la donc danser. La compagnie des jeunes gens la distraira mieux que la nôtre.

Sans attendre, Angélique s'était levée. Elle s'en voulait de sentir battre son cœur. Le jeune seigneur regardait sa mère avec une indignation non dissimulée. « Comment, semblait-il dire, osez-vous me jeter dans les bras une fille aussi mal fagotée ? »

Mais il dut comprendre, à l'expression de l'entourage, qu'il se passait quelque chose d'anormal et, tendant la main à Angélique, il murmura du bout des lèvres : « Venez donc, ma cousine. »

Elle mit dans la paume ouverte ses petits doigts, dont elle ignorait la joliesse. En silence, il la guida jusqu'au seuil de la galerie où les pages et les jeunes gens de son âge avaient droit de s'ébattre à leur guise.

— Place ! Place ! cria-t-il tout à coup. Mes amis, je vous présente ma cousine, la baronne de la Triste Robe.

Il y eut de grands rires, et tous les jeunes gens se précipitèrent vers eux. Les pages avaient de curieuses petites culottes bouffantes arrêtées au ras des cuisses, et avec leurs longues jambes maigres d'adolescents, perchés sur des talons hauts, ils ressemblaient à des échassiers.

« Après tout, je ne suis pas plus ridicule avec ma triste robe qu'eux avec cette espèce de potiron autour des hanches », pensa Angélique.

Elle eût sacrifié assez volontiers un peu de son amour-propre pour rester encore auprès de Philippe. Mais l'un des garçons demanda :

— Savez-vous danser, mademoiselle ?

— Un peu.

— Vraiment ? Et quelles danses ?

— La bourrée, le rigodon, la ronde…

— Ah ! ah ! ah ! s'esclaffèrent les jeunes gens. Philippe, quel oiseau nous amènes-tu là ! Allons, allons, messieurs, tirons au sort ! Qui va faire danser la campagnarde ? Où sont les amateurs de bourrée ? Pouf ! Pouf !... Pouf !

Brusquement, Angélique arracha sa main de celle de Philippe et s'enfuit.

Elle traversa les grands salons encombrés de valets et de seigneurs, le hall pavé de mosaïque où des chiens dormaient sur des carreaux de velours. Elle cherchait son père, et surtout elle ne voulait pas pleurer. Tout cela n'en valait pas la peine. Ce serait un souvenir qu'il faudrait effacer de sa mémoire, comme un rêve un peu fol et grotesque. Il n'est pas bon pour la caille de sortir de son fourré. Pour avoir écouté avec quelque bonne volonté les enseignements de la tante Pulchérie, Angélique se disait qu'elle avait été justement punie des mouvements de vanité que lui avait inspirés la demande flatteuse de la marquise du Plessis.

Elle entendit enfin, venant d'un petit salon écarté, la voix un peu perçante du marquis.

— Mais pas du tout, pas du tout ! Vous n'y êtes pas du tout, mon pauvre ami, disait-il dans un crescendo navré. Vous vous imaginez qu'il nous est facile à nous, nobles, accablés de frais, d'obtenir des exemptions. Et d'ailleurs ni moi-même ni le prince de Condé ne sommes habilités pour vous les accorder.

— Je vous demande simplement de vous faire mon avocat près du surintendant des Finances, M. de Trémant, que vous connaissez personnellement. L'affaire n'est pas sans intérêt pour lui. Il m'exempte d'impôts et de tous droits de route sur la seule étendue du Poitou jusqu'à l'océan. Cette exemption ne s'appliquerait d'ailleurs qu'au quart de ma production de mulets et de plomb. En contrepartie, l'Intendance militaire du roi pourra se réserver d'acheter le reste au prix courant, et de même le trésor royal sera libre d'achats similaires de plomb et d'argent au tarif officiel. Il n'est pas mauvais pour l'État d'avoir quelques producteurs sûrs en matières diverses dans le pays plutôt que d'acheter à l'étranger. Ainsi pour tirer les canons j'ai de fort belles bêtes, drues et de reins solides…

— Vos paroles sentent le fumier et la sueur, protesta le marquis en portant à son nez une main dégoûtée. Je me demande jusqu'à quel point vous ne dérogez pas à votre condition de gentilhomme en vous lançant dans une entreprise qui ressemble fort – permettez-moi de dire le mot – à un commerce.

— Commerce ou pas commerce, il me faut vivre, répliqua Armand de Sancé avec une ténacité qui fut bienfaisante à Angélique.

— Et moi, s'écria le marquis en levant les bras au ciel, croyez-vous que je sois sans difficulté ? Eh bien ! sachez que, jusqu'à mon dernier jour, je m'interdirai toute besogne roturière pouvant nuire à ma qualité de gentilhomme.

— Mon cousin, vos revenus ne sont pas comparables aux nôtres. En fait, je ne vis qu'à l'état de mendicité à l'égard du roi qui me refuse des secours, et à l'égard des usuriers de Niort qui me dévorent.

— Je sais, je sais, mon brave Armand. Mais vous êtes-vous jamais demandé comment moi, homme de cour et ayant deux charges royales importantes, je pouvais équilibrer ma bourse ? Non, j'en suis certain ! Eh bien ! sachez que mes dépenses dépassent obligatoirement mes recettes. C'est entendu, avec les revenus de mon domaine du Plessis, de ceux de ma femme en Touraine, avec ma charge d'officier de la chambre du roi – environ quarante mille livres – et celle de maître de camp de brigade du Poitou, j'ai un revenu moyen brut de cent soixante mille livres...

— Moi, dit le baron, je me contenterais du dixième.

— Un instant, cousin de campagne. J'ai cent soixante mille livres de revenu. Mais sachez qu'avec les dépenses de ma femme, le régiment de mon fils, mon hôtel de Paris, mon pied-à-terre de Fontainebleau, mes voyages à suivre la Cour dans ses déplacements, les intérêts à payer pour emprunts divers, les réceptions, habillements, équipages, valetaille, etc., j'ai trois cent mille livres de dépenses.

— Vous seriez donc en perte de cent quarante mille livres par an ?

— Je ne vous le fais pas dire, mon cousin. Et si je me suis permis devant vous cet exposé fastidieux, c'est pour que vous compreniez mon point de vue lorsque je vous dirai qu'actuellement il m'est impossible d'aborder M. de Trémant, surintendant des Finances de la province.

— Pourtant vous le connaissez.

— Je le connais, mais ne le vois plus. Je me tue à vous répéter que M. de Trémant est au service du roi et de la régente et qu'il serait même dévoué à Mazarin.

— Eh bien ! précisément...

— Précisément pour cette raison nous ne le voyons plus. Vous ne savez donc pas que M. le prince de Condé, auquel je suis fidèle, est brouillé avec la Cour ?...

— Comment le saurais-je ? fit Armand de Sancé, ahuri. Je vous ai vu il y a à peine quelques mois, et à cette époque la régente n'avait pas de meilleur serviteur que M. le Prince.

— Ah ! le temps a marché depuis, soupira le marquis du Plessis avec agacement. Je ne peux vous en faire l'historique par le menu. Sachez seulement que si la reine, ses deux fils et ce diable rouge de cardinal ont pu réintégrer Paris, ce n'est que grâce à M. de Condé. Or, en remerciement, on traite ce grand homme de façon indigne. On lui a refusé le gouvernement de Guyenne, à son frère Conti celui de Provence, et le gouvernement de Blaye pour La Rochefoucauld auquel il doit d'avoir fait évader sa femme et son fils de Chantilly où ils étaient retenus. Et on l'a même mis en prison quelque peu. Avouez que c'est beaucoup… Désormais, M. le Prince ne peut se considérer que comme un adversaire de Mazarin et de ceux qu'il protège. Au fait, M. de Marcillac est venu pour l'enterrement de son père et a rassemblé les nobles du Poitou pour les rallier à la cause de la Fronde soutenant le parti de Gaston d'Orléans. Pourquoi n'avez-vous pas, vous de haut lignage, répondu à son appel ?…

— Moi ? s'écria Armand de Sancé, horrifié.

— Pourquoi pas !… Le fait est là. Depuis beau temps il y a climat de rupture entre cette Cour piteuse et les grands du royaume. Des propositions de l'Espagne ont paru assez intéressantes au prince. Il s'est rendu chez moi afin d'en étudier le bien-fondé.

— Des propositions espagnoles ? répéta le baron Armand.

— Oui. Entre nous, et sur notre honneur de gentilhomme, figurez-vous que le roi Philippe IV d'Espagne va jusqu'à offrir à notre grand général, ainsi qu'à M. de Turenne, une armée de dix mille hommes chacun.

— Pour quoi faire ?

— Mais pour réduire la régente, et surtout ce voleur de cardinal, qui heureusement pour l'instant est en fuite ! Grâce aux armées espagnoles dirigées par M. de Condé, celui-ci entrerait dans Paris et Gaston d'Orléans, c'est-à-dire Monsieur, frère du feu roi Louis XIII, serait proclamé roi. La monarchie serait sauvée et enfin débarrassée de femmes, d'enfants et d'un étranger qui la déshonore. Dans tous ces beaux projets que puis-je faire, je vous le demande ? Pour soutenir le train de vie que je viens de vous exposer, je ne peux me dévouer à une cause perdue. Or, le peuple, le Parlement, la Cour, tout le monde hait Mazarin. La reine continue à se cramponner à lui et ne cédera jamais. Vous dire l'existence que mènent la Cour et le petit roi depuis deux ans est indescriptible. On ne peut que la comparer à celle de tziganes d'Orient : fuites, retours, disputes, guerres, etc. C'en est trop. La cause du roi Louis XIV est perdue. J'ajoute que la fille de Gaston d'Orléans, Mlle de Montpensier – vous savez, cette grande fille au verbe haut –, est une Frondeuse enragée. Elle a déjà bataillé aux côtés des révoltés, il y a un an. Elle ne demande qu'à recommencer. Ma femme l'adore et elle le lui rend bien. Mais, cette fois, je ne laisserai pas Alice s'engager dans un autre parti que le mien. Se nouer une écharpe bleue sur les reins et mettre un épi de blé à son chapeau ne serait pas grave, si la séparation entre époux n'entraînait d'autres désordres. Or, Alice, par son caractère, est « contre ». Contre les jarretières, pour les pendants de soie, contre la frange de cheveux, pour le front découvert, etc. C'est une originale. Actuellement elle est contre Anne d'Autriche, la régente, parce que celle-ci lui a fait la remarque que les pastilles dont elle usait pour les soins de la bouche lui rappelaient une médecine purgative. Rien ne fera revenir Alice à la Cour, où elle prétend que l'on s'ennuie parmi les dévotions de la reine et les exploits de ses petits princes. Je suivrai donc ma femme, puisque ma femme ne veut pas me suivre. J'ai la faiblesse de lui trouver du piquant, et certains talents amoureux qui me complaisent… Après tout, la Fronde est un jeu agréable…

— Mais… mais vous ne voulez pas dire que M. de Turenne, lui aussi…, balbutia Armand de Sancé qui perdait pied.

— Oh ! M. de Turenne ! M. de Turenne ! Il est comme tout le monde. Il n'aime pas qu'on mésestime ses services. Il a demandé Sedan pour sa famille. On le lui a refusé. Il s'est fâché, comme de juste. Il paraîtrait même qu'il aurait déjà accepté les propositions du roi d'Espagne. M. de Condé est moins pressé. Il attend pour se décider des nouvelles de sa sœur de Longueville, qui est partie avec la princesse de Condé pour soulever la Normandie. Il faut vous dire qu'il y a ici la duchesse de Beaufort, dont les charmes ne lui sont pas indifférents… Pour une fois, notre grand héros se montre moins impatient de partir en guerre. Vous l'excuserez lorsque vous rencontrerez la déesse en question… Elle possède, mon cher, une peau !…

Angélique, qui se tenait appuyée à une tenture, vit de loin son père sortir son grand mouchoir et s'essuyer le front.

« Il n'obtiendra rien, se dit-elle, le cœur serré. Qu'est-ce que ça peut leur faire, nos histoires de mules et de plomb argentifère ? »

Une peine insupportable lui montait à la gorge. Derechef, elle s'éloigna, et gagna le parc où le soir bleu s'étendait.

On entendait toujours les violons et les guitares se répondre au fond des salons mais les laquais en files apportaient des chandeliers. D'autres, hissés sur des escabeaux, allumaient les bougies posées en appliques contre les murs, devant des miroirs qui en multipliaient le reflet.

« Quand je pense, se disait Angélique en marchant à petits pas dans les allées, que mon pauvre papa se faisait des scrupules pour quelques mulets que Molines aurait voulu vendre en Espagne en temps de guerre ! La trahison ?… Voilà qui est bien indifférent à tous ces princes, qui pourtant ne vivent que grâce à la monarchie. Est-ce possible qu'ils puissent vraiment penser à combattre le roi ?… »

Elle avait contourné le château et se trouvait maintenant au pied de cette muraille qu'elle avait jadis si souvent escaladée pour aller contempler les trésors de la chambre enchantée. L'endroit était désert, car les couples qui ne fuyaient pas la brume crépusculaire annonçant l'automne se tenaient de préférence sur les pelouses du devant.

Un instinct familier lui fit ôter ses souliers et, avec agilité, malgré sa robe longue, elle se hissa jusqu'à la corniche du premier étage. La nuit était maintenant profonde. Personne passant par là n'aurait pu l'apercevoir, blottie au surplus dans l'ombre d'une petite tourelle ornant l'aile droite.

La fenêtre était ouverte. Angélique s'y pencha. Elle devinait que pour la première fois la pièce devait être habitée, car la lueur dorée d'une veilleuse à huile y brillait. Le mystère des beaux meubles, des tapisseries, s'en accentuait encore. On voyait luire comme des cristaux de neige les nacres d'un petit chiffonnier d'ébène.

Tout à coup, en regardant dans la direction du haut lit damassé, elle eut l'impression que le tableau du dieu et de la déesse venait de s'animer.

Deux corps blancs et nus s'y étreignaient dans le désordre des draps rejetés dont les dentelles traînaient à terre. Ils étaient si étroitement mêlés qu'elle crut d'abord à un combat d'adolescents, à une lutte entre pages batailleurs et impudiques, avant de distinguer qu'il y avait là un homme et une femme.

La chevelure brune et bouclée du partenaire masculin couvrait presque entièrement le visage de la femme que son long corps semblait vouloir écraser entièrement. Cependant, l'homme se mouvait avec douceur, régulièrement, animé d'une sorte de ténacité voluptueuse, et les reflets de la veilleuse révélaient le jeu de ses muscles magnifiques.

De la femme, Angélique n'apercevait que des détails à demi fondus dans la pénombre : une jambe fine, relevée contre le corps viril, un sein jaillissant des bras qui l'encerclaient, une main légère et blanche. Celle-ci, tel un papillon, allait et venait, caressant comme machinalement le flanc de l'homme pour se rejeter soudain paume ouverte, pendante au bord du lit, tandis qu'un gémissement profond montait des courtines soyeuses. Durant les instants de silence Angélique entendait maintenant deux souffles se mêlant, de plus en plus précipités, pareils au vent d'une tempête brûlante. Puis une brusque détente les apaisait. Alors la plainte de la femme s'étirait de nouveau dans l'ombre, tandis que sa main s'abattait vaincue sur le drap blanc comme une fleur coupée.

Angélique était à la fois bouleversée jusqu'au malaise et vaguement émerveillée. Pour avoir si souvent contemplé le tableau de l'Olympe, goûté sa fraîcheur et son élan empreints de majesté, c'était finalement une impression de beauté qui se dégageait pour elle de cette scène dont, en petite paysanne avertie, elle comprenait le sens. « C'est donc cela l'amour », se disait-elle tandis qu'un frisson d'effroi et de plaisir la parcourait.

Enfin les deux amants se dénouèrent. Ils reposaient maintenant l'un près de l'autre, comme des gisants pâles dans l'obscurité d'une crypte. Leurs souffles s'alanguissaient dans une béatitude proche du sommeil. Ni l'un ni l'autre ne parlaient. Ce fut la femme qui bougea la première. Allongeant son bras très blanc elle atteignit sur la console, proche du lit, un flacon où brillait le rubis d'un vin sombre. Elle eut un petit rire contrit.

— Oh ! très cher, je suis brisée, murmura-t-elle. Il faut absolument que nous partagions ensemble ce vin du Roussillon que votre prévoyant valet a déposé là. En voulez-vous une coupe ?

L'homme, du fond de l'alcôve, répondit par un grognement qui pouvait être pris pour un assentiment. La dame, dont les forces semblaient tout à fait revenues, remplit deux verres, en tendit un à son amant, avala l'autre avec une joie gourmande.

Tout à coup, Angélique se dit qu'elle aimerait être là, dans ce lit, ainsi entièrement nue et détendue, savourant le vin chaleureux du Midi. « C'est le chaudaut des prince », songea-t-elle. Elle ne sentait pas sa posture incommode. Maintenant elle voyait entièrement la femme, admirait ses seins parfaitement ronds, soulignés d'une pointe mauve, son ventre souple, ses jambes longues qu'elle croisait. Sur le plateau, il y avait des fruits. La femme choisit une pêche et y mordit à pleines dents.

— La peste soit des fâcheux ! s'écria l'homme, en bondissant par-dessus sa maîtresse jusqu'au bas du lit.

Angélique, qui n'avait pas entendu les coups frappés à la porte de la chambre, se crut découverte et se rencogna contre la muraille, plus morte que vive. Lorsqu'elle regarda de nouveau, elle vit que le dieu s'était drapé dans une ample robe de chambre brune nouée d'une cordelière d'argent. Son visage d'un homme d'une trentaine d'années était moins beau que son corps, car il avait un long nez et des yeux durs mais pleins de feu qui lui donnaient un peu l'apparence d'un oiseau de proie.

— Je suis en compagnie de la duchesse de Beaufort, cria-t-il tourné vers la porte.

Chapitre douzième

Malgré cet avertissement, un valet parut sur le seuil.

— Que Son Altesse me pardonne. Un moine vient de se présenter au château, insistant pour être reçu par M. de Condé. Le marquis du Plessis a cru bien faire en l'envoyant immédiatement à Son Altesse.

— Qu'il entre, marmonna le prince après un instant de silence.

Il s'approcha du secrétaire d'ébène qui se trouvait près de la fenêtre et ouvrit des tiroirs.

Du fond de la pièce un laquais introduisait un autre personnage, un moine encapuchonné de bure qui s'approcha en s'inclinant à plusieurs reprises avec une souplesse d'échine remarquable.

En se redressant il révéla son visage brun où brillaient de longs yeux noirs langoureux.

La venue de cet ecclésiastique ne semblait nullement gêner la femme étendue sur le lit. Elle continuait à mordre dans les beaux fruits avec insouciance. C'est à peine si elle s'était voilée d'une écharpe, à la naissance des jambes.

L'homme aux cheveux bruns, penché sur le secrétaire, en tirait de grandes enveloppes scellées de rouge.

— Mon père, dit-il sans se retourner, est-ce M. Fouquet qui vous envoie ?

— Lui-même, monseigneur.

Le moine ajouta une phrase en une langue chantante qu'Angélique supposa être de l'italien. Lorsqu'il s'exprimait en français, son accent zézayait légèrement et avait quelque chose d'enfantin qui n'était pas sans charme.

— Il était inutile de répéter le mot de passe, *signor* Exili, dit le prince de Condé, je vous aurais reconnu à votre signalement et à ce signe bleu que vous possédez au coin de l'œil. C'est donc vous l'artiste le plus habile d'Europe en cette science difficile et subtile des poisons ?

— Votre Altesse m'honore. Je n'ai fait que perfectionner quelques recettes léguées par mes ancêtres florentins.

— Les gens d'Italie sont artistes en tout genre, s'écria Condé.

Il éclata d'un grand rire, puis sa physionomie reprit subitement son expression dure.

— Vous avez la chose ?

— Voici.

De sa large manche, le capucin sortit un coffret ciselé. Lui-même l'ouvrit en appuyant sur une des moulures de bois précieux.

— Voyez, monseigneur, il suffit d'introduire l'ongle à la naissance du cou de ce mignon personnage qui porte une colombe sur son poing.

Le couvercle s'était rabattu. Sur un coussinet de satin brillait une ampoule de verre emplie d'un liquide couleur émeraude. Le prince de Condé prit le flacon avec précaution et l'éleva dans la lumière.

— Vitriol romain, dit doucement le père Exili. C'est une composition à effet lent, mais sûr. Je l'ai préféré au sublimé corrosif qui peut provoquer la mort en quelques heures. D'après les indications que j'ai reçues de M. Fouquet, j'ai cru comprendre que vous-même, monseigneur, ainsi que vos amis, ne teniez pas à ce que des soupçons trop certains se fassent jour dans l'entourage de la personne. Celle-ci sera prise de langueur, résistera peut-être une semaine, mais sa mort n'aura que l'apparence naturelle d'un échauffement du ventre causé par du gibier trop frelaté ou quelque nourriture peu fraîche. Il serait même habile de faire servir à la table de cette personne des moules, huîtres ou autres coquillages dont les effets sont parfois dangereux. Leur faire porter la faute d'une mort si soudaine sera jeu d'enfant.

— Je vous remercie de vos excellents conseils, mon père.

Condé fixait toujours l'ampoule vert pâle et ses yeux avaient une lueur haineuse. Angélique en éprouvait une déception aiguë : le dieu d'amour descendu sur la terre était sans beauté et lui faisait peur.

— Il ne doit être manié qu'avec d'infinies précautions. Pour le concentrer, je suis obligé moi-même de porter un masque de verre. Une goutte tombée sur votre peau pourrait y développer un mal rongeur qui n'aurait de cesse d'avoir dévoré l'un de vos membres. S'il ne vous est pas possible de verser vous-même cette médecine dans les mets de la personne, recommandez bien au valet qui en sera chargé de se montrer sûr et adroit.

— Mon valet qui vous a introduit est un homme de toute confiance. Par une manœuvre dont je me félicite, la personne en question ne le connaît point. Je crois qu'il sera facile en effet de le placer à ses côtés.

Le prince jeta un regard moqueur au moine, qu'il dominait de sa haute taille.

— Je suppose qu'une vie consacrée à un tel art ne vous a pas rendu trop scrupuleux, *signor* Exili. Cependant, que penseriez-vous si je vous avouais que ce poison est destiné à l'un de vos compatriotes, un Italien des Abruzzes ?

Un sourire allongea les lèvres souples de Exili. Derechef, il s'inclina.

— Je n'ai pour compatriotes que ceux qui apprécient mes services à leur juste valeur, monseigneur. Et pour l'instant, M. Fouquet, du Parlement de Paris, se montre plus généreux à mon égard que certain Italien des Abruzzes que je connais aussi.

Le rire de Condé éclata de nouveau.

— Bravo, *bravissimo*, *signor* ! J'aime avoir avec moi des gens de votre espèce.

Doucement, il remit le flacon sur son coussin de satin. Il y eut un silence. Les yeux du *signor* Exili contemplaient son œuvre avec une satisfaction qui n'était pas exempte de vanité.

— J'ajoute, monseigneur, que cette liqueur a le mérite d'être inodore et presque sans saveur. Elle n'altère pas les aliments auxquels elle est mêlée, et c'est à peine si la personne, à supposer qu'elle se montre très attentive à ce qu'elle mange, pourra reprocher à son cuisinier d'avoir été un peu trop généreux pour les épices.

— Vous êtes un homme précieux, répéta le prince, qui semblait devenir rêveur.

Un peu nerveusement, il ramassa sur la tablette du chiffonnier les enveloppes cachetées.

— Voici, en revanche, ce que je dois en échange vous remettre pour M. Fouquet. Cette enveloppe-ci contient la déclaration du marquis d'Hocquincourt. Voici celles de M. de Charost, de M. du Plessis, de Mme du Plessis, de Mme de Richeville, de la duchesse de Beaufort, de Mme de Longueville. Comme vous le voyez, les dames sont moins paresseuses… ou moins scrupuleuses que les messieurs. Il me manque encore les lettres de M. de Maupéou, du marquis de Créqui et de quelques autres…

— Et la vôtre, monseigneur.

— C'est juste. La voici d'ailleurs. Je la terminais à l'instant et ne l'ai point encore signée.

— Votre Altesse aurait-elle l'extrême obligeance de m'en lire le texte, afin que je puisse en vérifier point par point l'ordonnance ? M. Fouquet tient essentiellement à ce qu'aucun terme ne soit oublié.

— À votre guise, fit le prince avec un imperceptible haussement d'épaules.

Il prit le feuillet et lut à voix haute :

— « Moi, Louis II, prince de Condé, je donne à Mgr Fouquet l'assurance de n'être jamais à aucune autre personne qu'à lui, de n'obéir à aucune autre personne sans exception, de lui remettre mes places, fortifications et autres, toutes les fois qu'il l'ordonnera. Pour l'assurance de quoi je donne le présent billet écrit et signé de ma main, de ma propre volonté sans qu'il l'ait même désiré, ayant la bonté de se fier à ma parole qui lui est assurée. Fait au… » La date peut être inexacte, pour troubler les limiers sur la piste… C'était convenu.

— Signez, monseigneur, dit le père Exili dont les yeux luisaient à l'ombre de sa capuche.

Rapidement et comme pressé d'en finir, Condé prit sur le secrétaire une plume d'oie qu'il tailla. Tandis qu'il paraphait sa lettre, le moine avait allumé un petit réchaud de vermeil. Condé y fit fondre de la cire rouge et cacheta la missive avec le sceau d'une grosse bague.

— Toutes les autres déclarations sont faites sur ce modèle et signées, conclut-il. Je pense que votre maître se montrera satisfait et nous le prouvera.

— Soyez-en certain, monseigneur. Cependant je ne puis quitter ce château sans emporter par-devers moi les autres déclarations que vous m'avez fait espérer.

— Je me fais fort de vous les obtenir avant demain midi.

— Je demeurerai donc sous ce toit jusqu'à ce moment.

— Notre amie, la marquise du Plessis, va veiller à votre installation, *signor*. Je l'ai fait prévenir de votre arrivée.

— En attendant, je crois qu'il serait prudent de renfermer ces lettres dans le coffret secret que je viens de vous remettre. L'ouverture en est invisible, et elles ne seront nulle part plus à l'abri des indiscrétions.

— Vous avez raison, *signor* Exili. À vous entendre, je comprends que la conspiration est aussi un art qui demande expérience et pratique. Moi, je ne suis qu'un guerrier et ne m'en cache pas.

— Guerrier glorieux, s'exclama l'Italien en s'inclinant.

— Vous me flattez, mon père. Mais j'avoue que j'aimerais que M. Mazarin et Sa Majesté la reine partageassent votre avis. Quoi qu'il en soit, je crois cependant que la tactique militaire, bien que plus grossière et plus ample, se rapproche un peu de vos manœuvres subtiles. Il faut toujours prévoir les intentions de l'ennemi.

— Monseigneur, vous parlez comme si Machiavel lui-même eût été votre maître.

— Vous me flattez, répéta le prince.

Mais il se rassérénait.

Exili lui indiqua la façon de soulever le coussin de satin pour glisser au-dessous les enveloppes compromettantes. Puis le tout fut déposé dans le secrétaire.

À peine l'Italien s'était-il retiré que Condé, comme un enfant, reprenait le coffret et l'ouvrait de nouveau.

— Montre, chuchota la femme en tendant le bras vers lui.

Durant l'entretien, elle n'était pas intervenue, se contentant de remettre l'une après l'autre ses bagues à ses doigts. Mais, apparemment, elle n'avait pas perdu un mot des paroles échangées.

Condé se rapprocha du lit et tous deux se penchèrent sur le flacon d'émeraude.

— Crois-tu que ce soit vraiment aussi terrible qu'il le dit ? murmura la duchesse de Beaufort.

— Fouquet assure qu'il n'y a pas de plus habile apothicaire que ce Florentin. Et, de toute façon, nous devons passer par Fouquet. C'est lui qui a eu l'idée de l'intervention espagnole, au Parlement de Paris, en avril dernier. Intervention qui a déplu à tous, mais qui l'a mis en contact avec Sa Majesté Très-Catholique. Je ne tiendrai mon armée que par ses soins.

La dame s'était rejetée sur les coussins.

— Ainsi M. Mazarin est mort, fit-elle lentement.

— C'est tout comme, car voici sa mort que je tiens entre mes mains. Et qui peut le rejoindre où qu'il soit.

— S'il est en fuite actuellement, sera-ce nécessaire ?

— Il reviendra. Nous n'en avons pas encore fini avec cet Italien.

— Pourtant, n'est-ce pas lui qui, en passant par le Havre, vous a ouvert la cage ?

— Oui ! Et précisément, je me méfie de son habileté. Il m'a libéré pour me laisser le temps de comprendre que jamais la reine mère ne pourra se passer de lui, que jamais je ne pourrais prendre la direction du royaume à sa place. Ainsi maintenant nous en revenons à une décision plus radicale : lui ou moi.

Et le prince eut à nouveau ce rire où entrait beaucoup de sarcasme.

— C'est donc quand il reviendra qu'il faudra agir… J'ai déjà, par mes espions, la ferme certitude que son retour est proche.

La dame restait songeuse. Elle émit d'un ton pensif :

— Ne dit-on pas qu'il arrive parfois à la reine mère de prendre ses repas avec celui qu'elle aime passionnément ?

— On le dit, fit Condé après un moment de silence. Mais je ne partage pas votre projet, ma mie. Et je pense à une autre manœuvre plus habile et plus efficace. Que serait la reine mère sans ses fils ?… L'Espagnole n'aurait plus qu'à se retirer dans un cloître pour les y pleurer…

— Empoisonner le roi ? dit la duchesse en sursautant.

Le prince hennit gaiement. Il revint vers le secrétaire et y déposa le coffret.

— Voilà bien les femmes ! clama-t-il. Le roi ! Vous vous attendrissez parce qu'il s'agit d'un bel enfant, tout agité des troubles de l'adolescence et qui depuis quelque temps, à la Cour, vous fait des yeux de chien couchant. Le roi, pour vous, c'est cela. Pour nous, c'est un obstacle dangereux à tous nos projets. Quant à son frère, le Petit Monsieur, un gamin dévoyé qui prend déjà plaisir à s'habiller en fillette et à se faire câliner par les hommes, je le vois encore moins bien sur le trône que votre royal puceau. Non, croyez-moi, avec M. d'Orléans, aussi peu austère que son frère Louis XIII l'était trop, nous aurons un roi à notre convenance. Il est riche et de caractère faible. Que nous faut-il de plus ? Ma chère, poursuivit Condé qui avait refermé le secrétaire et glissé la clé dans la poche de sa houppelande, je crois qu'il faudrait songer à nous présenter devant nos hôtes. Le souper ne va pas tarder. Voulez-vous que je fasse appeler Manon, votre femme de chambre ?

— Je vous en saurai gré, mon cher seigneur.

Angélique, qui commençait à être courbatue, s'était un peu reculée sur la corniche. Elle pensait que son père devait la chercher, mais ne se décidait pas à quitter son perchoir. Dans la chambre, le prince et sa maîtresse, aux mains de leurs domestiques, revêtaient leurs atours dans un grand froissement d'étoffes, avec accompagnement de quelques jurons de la part de monseigneur qui n'était pas patient.

Lorsque Angélique détournait les yeux de l'écran de lumière que formait la fenêtre ouverte, elle ne voyait autour d'elle que la nuit opaque d'où montait le murmure de la forêt proche, remuée par le vent.

Enfin elle se rendit compte que la chambre était maintenant déserte. La veilleuse y brillait toujours, mais la pièce avait retrouvé son mystère.

Très doucement, l'adolescente s'approcha de la croisée et se glissa à l'intérieur. L'odeur des fards et des parfums se mêlait étrangement à celle venue de la nuit, chargée de senteurs de bois humide, de mousse, de châtaignes mûres.

Angélique ne savait pas encore très bien ce qu'elle allait faire. Elle aurait pu être surprise. Elle ne le craignait pas. Tout cela n'était qu'un rêve. C'était comme le départ pour les Amériques, la dame folle de Monteloup, les crimes de Gilles de Retz…

D'un geste prompt, elle prit dans la poche de la houppelande abandonnée sur une chaise la petite clé du secrétaire, ouvrit celui-ci, tira le coffret à elle. Il était de bois de santal et dégageait une odeur pénétrante. Ayant refermé le secrétaire, remis la clé en place, Angélique se retrouva sur la corniche, le coffret sous le bras. Tout à coup, elle s'amusait prodigieusement. Elle imaginait le visage de M. de Condé découvrant la disparition du poison et des lettres compromettantes.

« Ce n'est pas voler, se dit-elle, puisqu'il s'agit d'éviter un crime. »

Déjà elle savait en quelle cachette elle enfouirait son larcin. Les tourelles d'angle, dont l'architecte italien avait flanqué les quatre coins du gracieux château du Plessis, ne servaient que d'ornements, mais on les avait garnies cependant de créneaux et de mâchicoulis en miniature, imitant la décoration guerrière des édifices du Moyen Âge. De plus, elles étaient creuses et percées d'une très petite lucarne.

Angélique glissa le coffret à l'intérieur de celle qui était la plus proche. Bien malin celui qui viendrait le chercher là !

Puis, souplement, elle glissa au long de la façade, et retrouva le sol ferme. Elle s'aperçut seulement alors que ses pieds nus étaient glacés.

Ayant remis ses vieilles chaussures, elle revint vers le château.

❦

Maintenant, tout le monde était réuni dans les salons.

Cette nuit trop sombre et brumeuse n'inspirait plus personne.

En pénétrant dans le vestibule d'entrée, le nez d'Angélique fut agréablement chatouillé par des effluves culinaires fort appétissants. Elle vit passer une série de petits valets en livrée qui portaient fort gravement de grands plats d'argent.

Des faisans et des bécasses garnis de leurs plumes, un cochon de lait couronné de fleurs comme une épousée, plusieurs morceaux d'un très beau chevreuil dressés sur des fonds d'artichauts et des branches de fenouil, défilèrent devant elle. Le bruit des faïences et des cristaux entrechoqués venait des salles et des galeries où toute la compagnie s'était réunie autour de petites tables nappées de dentelles, dispersées çà et là avec goût. Une dizaine de personnes prenaient place à chacune.

Angélique, arrêtée sur le seuil du plus grand salon, aperçut assis le prince de Condé qu'entouraient Mme du Plessis, la duchesse de Beaufort et la comtesse de Richeville. Le marquis du Plessis et son fils Philippe partageaient également la table du prince, ainsi que quelques autres dames et jeunes seigneurs. La bure brune de l'Italien Exili mettait une note insolite parmi tant de dentelles, de rubans, d'étoffes précieuses rebrodées d'or et d'argent. Si le baron de Sancé avait été présent, il aurait fait pendant à l'austérité monastique. Mais Angélique avait beau regarder avec attention, elle ne voyait son père nulle part.

Tout à coup, l'un des pages, qui passait porteur d'un flacon de vermeil, la reconnut. C'était celui qui s'était moqué d'elle lourdement à propos de la bourrée.

— Oh ! voici la baronne de la Triste Robe ! plaisanta-t-il. Que voulez-vous boire, Nanon ? De la piquette de pommes ou du bon lait caillé ?

Elle lui tira vivement la langue, puis, le laissant un peu pantois, continua d'avancer du côté de la table princière.

— Seigneur, que nous arrive-t-il là ? s'exclama la duchesse de Beaufort.

Mme du Plessis suivit la direction de son regard, découvrit Angélique, et appela une fois de plus son fils à son secours :

— Philippe ! Philippe, mon ami, ayez la bonté de conduire votre cousine de Sancé à la table des filles d'honneur.

Le jeune garçon leva vers Angélique son regard maussade.

— Voici un tabouret, dit-il en désignant près de lui une place libre.

— Pas ici, Philippe, pas ici. Vous aviez réservé cette place pour Mlle de Senlis.

— Mlle de Senlis n'avait qu'à se hâter. Quand elle nous rejoindra, elle verra qu'elle a été remplacée… avantageusement, conclut-il avec un bref sourire ironique.

Ses voisins s'esclaffèrent.

Cependant, Angélique s'asseyait à la place désignée. Elle était allée trop loin pour reculer. Elle n'osait demander où était son père, et les éclats de lumière que se renvoyaient les verres, les carafons, l'argenterie et les diamants de ces dames, l'éblouissaient jusqu'au vertige. Par réaction, elle se raidit, bomba le torse, rejeta en arrière sa lourde chevelure dorée. Il lui parut que quelques seigneurs lui jetaient des regards qui n'étaient pas dénués d'intérêt. Presque en face d'elle, l'œil d'oiseau de proie du prince de Condé la dévisagea un instant avec une attention arrogante.

— Par le diable, vous avez là d'étranges parents, monsieur du Plessis. Qu'est-ce que cette sarcelle grise ?

— Une jeune cousine de province, monseigneur. Ah ! plaignez-moi ! Deux heures durant, ce soir même, au lieu d'écouter nos musiciens et les charmants propos de ces dames, j'ai supporté le réquisitoire de son baron de père, dont le souffle m'indispose encore – ainsi que le clamerait notre cynique poète Argenteuil :

Je vous dis, sans mentir, que l'haleine d'un mort
Ou l'odeur d'un retrait ne sentent pas si fort.

Un éclat de rire servile secoua l'assemblée.

— Et savez-vous ce qu'il me demandait ? reprit le marquis en s'essuyant les paupières d'un geste précieux. Je vous le donne en mille : que je lui fasse remettre ses impôts sur quelques mulets de son écurie, ainsi que sur une production – savourez le mot – de plomb qu'il prétend trouver tout fondu en lingots sous les plates-bandes de son potager. Je n'ai jamais ouï pareilles stupidités.

— La peste soit des hobereaux ! grommela le prince. Ils ridiculisent nos blasons avec leurs façons grossières.

— Aussi piteuses que ce petit épervier, le hobereau, avec lequel nos cousins de campagne s'efforcent d'imiter la noble chasse au faucon, trop onéreuse pour eux. D'où le surnom qui leur est attaché.

« Ah ! c'est donc cela, se dit Angélique. Ils sont les superbes faucons et nous les pauvres petits éperviers bons à rien. »

Les dames s'étouffaient de gaieté.

— Avez-vous vu la plume de son chapeau ?

— Et ses souliers, qui avaient encore de la paille attachée aux talons !…

Le cœur d'Angélique battait si violemment qu'il lui semblait que son voisin Philippe devait l'entendre. Elle lui jeta un regard et surprit l'œil bleu et froid du beau garçon attaché sur elle avec une expression indéfinissable. « Je ne peux laisser insulter ainsi mon père », pensait-elle.

Angélique devait être fort pâle. Elle évoqua la rougeur de Mme de Richeville quelques heures plus tôt, lorsque sa voix à elle, Angélique, s'était élevée dans un silence soudain glacé. Il y avait donc quelque chose que ces gens impertinents craignaient.

La « petite de Sancé » prit une profonde inspiration.

— Il se peut que nous soyons des gueux, dit-elle à voix très haute et très distinctement, mais nous, au moins, nous ne cherchons pas à empoisonner le roi !

Comme l'autre fois, les rires moururent sur les visages, et un silence si pesant tomba, que les tables voisines s'en émurent. Peu à peu les conversations languirent, l'entrain des dîneurs se ralentit ; on regardait dans la direction du prince de Condé.

— Qui… qui… qui, bégaya le marquis du Plessis.

Puis il se tut brusquement.

— Voilà de curieuses paroles, dit enfin le prince, qui se maîtrisait avec peine. Cette jeune personne n'a pas l'habitude du monde. Elle en est encore à ses contes de nourrice…

« Dans une seconde, il va me ridiculiser et on va me chasser en me promettant une fessée », pensa Angélique aux abois.

Elle se pencha un peu, regarda vers le bout de la table.

— On m'a dit que le *signor* Exili était le plus grand expert du royaume dans l'art des poisons.

Ce nouveau caillou dans la mare propagea des ondes violentes. Il y eut un murmure effrayé.

— Oh ! cette fille est possédée du diable ! s'écria Mme du Plessis, mordant avec rage son petit mouchoir de dentelle. C'est la deuxième fois qu'elle me couvre de honte. Elle se tient là comme une poupée aux yeux de verre, et puis tout à coup elle ouvre la bouche et dit des choses terribles !

— Terribles ! Pourquoi terribles ? protesta doucement le prince, dont le regard ne quittait pas Angélique. Elles le seraient si elles étaient vraies. Mais ce ne sont que des divagations de fillette qui ne sait pas se taire.

— Je me tairai quand cela me plaira, dit Angélique nettement.

— Et quand vous plaira-t-il, mademoiselle ?

— Quand vous cesserez d'insulter mon père, et que vous lui aurez accordé les pauvres faveurs qu'il demande.

Le teint de M. de Condé s'assombrit brusquement. Le scandale était à son comble. Des gens au fond de la galerie montaient sur des chaises.

— La peste soit… La peste soit…, s'étouffa le prince.

Il se redressa brusquement, le bras tendu comme s'il lançait ses troupes à l'assaut des tranchées espagnoles.

— Suivez-moi ! rugit-il.

« Il va me tuer », se dit Angélique. Et la vue de ce grand seigneur la dominant la fit tressaillir de peur et de plaisir.

Cependant, elle le suivit, petite sarcelle grise derrière ce grand oiseau enrubanné.

Elle remarqua qu'il portait au-dessous des genoux de grands volants de dentelles empesés et sur son haut-de-chausses une sorte de jupe courte, garnie d'une infinité de galons. Jamais elle n'avait vu un homme habillé de façon aussi extravagante. Cependant elle admirait sa démarche, la façon dont il posait sur le sol ses hauts talons cambrés.

— Nous voici seuls, dit brusquement Condé en se retournant. Mademoiselle, je ne veux pas me fâcher avec vous, mais il faut que vous répondiez à mes questions.

Cette voix doucereuse effraya plus Angélique que des éclats de colère. Elle se vit dans un boudoir désert, seule avec cet homme puissant dont elle bouleversait les intrigues, et comprit qu'elle venait également de s'y engager et de s'y perdre comme dans une toile d'araignée. Elle se recula, balbutia, feignit un peu une sottise paysanne.

— Je ne pensais pas mal dire.

— Pourquoi avez-vous inventé pareille insulte à la table d'un oncle que vous respectez ?

Elle comprit ce qu'il voulait lui faire avouer, hésita, pesa le pour et le contre. Étant donné ce qu'elle savait, une protestation d'ignorance totale de sa part ne serait pas crue.

— Je n'ai pas inventé… j'ai répété des choses qu'on m'a dites, murmura-t-elle : que le *signor* Exili était un homme très habile à faire des poisons… Mais pour le roi j'ai inventé. Je n'aurais pas dû. J'étais en colère.

Elle roulait gauchement un pan de sa ceinture.

— Qui vous a dit cela ?

L'imagination d'Angélique travaillait activement.

— Un… un page. Je ne sais pas son nom.

Il la ramena à l'entrée des salons. Elle lui désigna le page qui s'était moqué d'elle.

— La peste soit de ces marmots qui écoutent aux portes, grommela le prince. Comment vous appelez-vous, mademoiselle ?

— Angélique de Sancé.

— Écoutez, mademoiselle de Sancé. Il n'est pas bon de répéter à tort et à travers des paroles qu'une fillette de votre âge ne peut comprendre. Cela peut vous nuire, à vous et à votre famille. Pour cet incident, je passe l'éponge. J'irai même jusqu'à examiner le cas de votre père et voir si je ne peux rien pour lui. Mais quelle garantie aurai-je de votre silence ?

Elle leva vers lui ses yeux verts.

— Je sais aussi bien me taire lorsque j'ai obtenu satisfaction, que parler quand on m'insulte.

— Par le diable, lorsque vous serez femme je prévois que des hommes se pendront pour vous avoir rencontrée, dit le prince.

Mais un vague sourire flottait sur son visage. Il ne semblait pas soupçonner qu'elle pût en savoir plus long que ce qu'elle lui avait dit. Impulsif et d'ailleurs étourdi, Condé manquait de psychologie et d'attention. Le premier émoi passé, il décidait qu'il n'y avait là que ragots de couloir.

En homme habitué à la flatterie et sensible à tous les charmes féminins, l'émoi de cette adolescente d'une beauté déjà remarquable aidait à l'apaisement de sa colère. Angélique s'efforçait de lever vers lui un regard d'une admiration candide.

— Je voudrais vous demander quelque chose, fit-elle encore en accentuant sa naïveté.

— Quoi donc ?

— Pourquoi portez-vous une petite jupe ?

— Une petite jupe ?... Mais mon enfant, il s'agit là d'une « rhingrave ». N'est-ce pas d'ailleurs d'une suprême élégance ? La rhingrave dissimule le haut-de-chausses disgracieux et qui ne sied guère qu'aux cavaliers. On peut la garnir de galons et de rubans. On s'y sent fort à l'aise. Vous n'aviez point encore vu cela dans vos campagnes ?

— Non. Et ces grands volants que vous portez sous les genoux ?

— Ce sont des « canons ». Ils mettent en valeur le mollet, qui en surgit, fin et cambré.

— Il est vrai, approuva Angélique. Tout ceci est merveilleux. Je n'ai jamais vu un aussi bel habit !

— Ah ! parlez chiffons aux femmes et vous apaisez la plus dangereuse furie, dit le prince enchanté de son succès. Mais je dois retourner vers mes hôtes. Me promettez-vous d'être sage ?

— Oui, monseigneur, fit-elle avec un sourire plus câlin qui découvrait ses petites dents nacrées.

Le prince de Condé revint vers les salons, apaisant de gestes bénisseurs l'émoi de la société.

— Mangez, mangez, mes amis. Il n'y a pas de quoi fouetter un chat. La petite insolente va s'excuser.

D'elle-même, Angélique s'inclinait devant Mme du Plessis.

— Je vous fais mes excuses, madame, et vous demande l'autorisation de me retirer.

On rit un peu du geste de Mme du Plessis qui, incapable de parler, montrait la porte.

Mais devant cette porte, un autre attroupement se formait.

— Ma fille, où est ma fille ? réclamait le baron Armand.

— M. le baron demande sa fille, cria un laquais goguenard.

Parmi les hôtes élégants et les valets en livrée, le pauvre hobereau ressemblait à un gros bourdon noir prisonnier.

Angélique courut à lui.

— Angélique, soupira-t-il, tu me rends fou. Voici plus de trois heures que je te cherche dans la nuit entre Sancé, le pavillon de Molines et le Plessis. Quelle journée, mon enfant ! Quelle journée !

— Partons, papa, partons vite, je t'en prie, dit-elle.

Ils étaient déjà sur le perron lorsque la voix du marquis du Plessis les rappela.

— Un instant, mon cousin. M. le Prince désirerait vous entretenir un moment. C'est à propos de ces droits de douane dont vous m'avez parlé…

Le reste se perdit tandis que les deux hommes rentraient.

Angélique s'assit sur la dernière marche du perron et attendit son père. Tout à coup, il lui semblait qu'elle était entièrement vidée de toute pensée, de toute volonté. Un petit griffon blanc vint la renifler. Elle le caressa machinalement.

Lorsque M. de Sancé reparut, il saisit sa fille par le poignet.

— Je craignais que tu n'aies encore filé. Tu as vraiment le diable au corps. M. de Condé m'a adressé sur toi des compliments si bizarres que je ne savais trop s'il ne fallait pas m'excuser de t'avoir mise au monde.

Un peu plus tard, alors que leurs montures marchaient à petits pas dans les ténèbres, M. de Sancé reprit en hochant la tête :

— Je ne comprends rien à ces gens-là. On m'écoute en ricanant. Le marquis, chiffres en main, m'expose combien sa situation pécuniaire est plus précaire que la mienne. On me laisse partir sans même me proposer un verre de vin pour me rincer le gosier, et puis, tout à coup, on me rattrape, on me promet tout ce que je veux. D'après monseigneur, l'exemption de mes droits de douane me sera accordée dans le mois qui va suivre.

— Tant mieux, père, murmura Angélique.

Elle écoutait, venant de la nuit, le chant nocturne des crapauds, qui trahissait l'approche des marais et du vieux château fortifié. Tout à coup, elle eut envie de pleurer.

— Crois-tu que Mme du Plessis va te prendre comme fille d'honneur ? demanda encore le baron.

— Oh ! non, je ne crois pas, répondit suavement Angélique.

Quatrième partie

Dans l'ombre de Notre-Dame la Grande

Chapitre treizième

Du voyage que la petite caravane entreprit pour atteindre Poitiers, Angélique ne garda qu'un souvenir cahotant et plutôt désagréable. On avait réparé pour l'occasion un très vieux carrosse dans lequel elle avait pris place avec Hortense et Madelon. Un valet conduisait les mules de l'attelage. Raymond et Gontran montaient chacun un cheval de belle race dont leur père leur avait fait présent. On disait que les jésuites avaient, dans leurs nouveaux collèges, des écuries réservées aux montures des jeunes nobles. Deux lourds chevaux de malle complétaient la caravane. L'un portait le vieux Guillaume, chargé d'escorter ses jeunes maîtres. Trop de mauvaises nouvelles d'agitations et de guerres circulaient dans le pays. On disait que M. de La Rochefoucauld soulevait le Poitou pour le compte de M. de Condé. Il recrutait des armées et prélevait une partie des récoltes pour les nourrir. Qui dit armée, dit famine et pauvreté, bandits et vagabonds aux carrefours des routes. Le vieux Guillaume était donc là, sa pique appuyée à l'étrier, sa vieille épée au côté.

Cependant le voyage fut calme. En traversant une forêt, on aperçut quelques silhouettes suspectes qui se dispersaient entre les arbres. Mais sans doute la pique du vieux mercenaire, à moins que ce ne fût la pauvreté de l'équipage, découragea les brigands.

La nuit se passa dans une auberge, à la croisée d'un carrefour sinistre où l'on n'entendait que le sifflement du vent dans la forêt. L'aubergiste consentit à servir aux voyageurs une eau claire baptisée bouillon et quelques fromages qu'ils mangèrent à la lueur d'une mauvaise chandelle de suif.

— Tous les maîtres d'auberges sont complices des brigands, confia Raymond à ses jeunes sœurs terrifiées. C'est dans les auberges des routes qu'on commet le plus d'assassinats. À notre dernier voyage, nous avons couché dans une halte où, moins d'un mois auparavant, on avait coupé la gorge à un riche financier qui n'avait que le tort de voyager seul.

Regrettant de s'être livré à des réflexions trop profanes, il ajouta :

— Ces crimes commis par des hommes du peuple sont la conséquence du désordre des gens haut placés. Tout le monde a perdu la crainte de Dieu.

De temps en temps, l'on entendait le galop d'un cheval sur la route durcie par le gel. Mais les voitures s'arrêtaient rarement. Les voyageurs respectables recherchaient un château ami plutôt que de passer la nuit dans une auberge isolée où l'on courait, pour le moins, le danger d'être détroussé.

Dans la salle commune n'étaient assis que deux ou trois habitués, un marchand juif et quatre courriers de la poste. Ils fumaient de longues pipes et buvaient un vin presque noir. Quand arriva l'heure de dormir, on ne trouva qu'un seul lit, si large pourtant que tous les cinq y tenaient ; les trois filles à la tête, les deux garçons au pied. Le vieux Guillaume couchait devant la porte, le valet avec les chevaux à l'écurie.

Il y eut encore d'autres journées pénibles. Secouées comme des sacs de noix sur ces routes gelées et creusées d'ornières, les trois sœurs se sentaient brisées. On ne rencontrait que très rarement les tronçons de la voie romaine avec ses grandes dalles anciennes et régulières. Le plus souvent c'était des chemins en pleine argile, bouleversés par le passage incessant des cavaliers et des carrosses. À l'entrée des ponts, il fallait stationner parfois des heures jusqu'à en être glacé, le préposé au péage étant le plus souvent un fonctionnaire peu rapide et bavard, qui profitait de chaque voyageur pour faire un bout de causette. Seuls passaient sans ralentir les grands seigneurs qui, d'une main dédaigneuse, jetaient par la portière une bourse aux pieds de l'employé.

Madelon pleurait, transie et cramponnée à Angélique. Hortense, les lèvres pincées, disait :

— C'est inadmissible !

Elles étaient toutes trois fourbues et ne purent s'empêcher de pousser un soupir de soulagement lorsque un soir Poitiers leur apparut, étageant ses toits d'un rose fané au flanc d'une colline entourée d'une riante rivière : le Clain.

C'était par un jour pur.

Il n'y avait pas un nuage. On aurait pu se croire dans un paysage du Midi, dont le Poitou est d'ailleurs le seuil, tant le ciel avait de douceur au-dessus des toits de tuiles. Les cloches se répondaient, sonnant l'Angélus.

Ces cloches, désormais, allaient égrener les heures d'Angélique, durant près de cinq années. Poitiers était une ville d'églises, de couvents et de collégiales. Les cloches réglaient la vie de tout ce peuple de soutanes, de cette armée d'étudiants aussi bruyants que leurs maîtres étaient chuchoteurs. Prêtres et bacheliers se rencontraient aux coins des rues montantes, dans l'ombre des cours, sur les places, qui, d'étage en étage, proposaient leurs paliers aux pèlerins de la ville.

Les enfants de Sancé se quittèrent devant la cathédrale. Le couvent des ursulines était un peu à gauche et dominait le Clain. Le collège des pères jésuites se trouvait perché tout en haut. Avec la gaucherie de l'adolescence, ils se séparèrent presque sans un mot, et Madelon seule, en larmes, embrassa ses deux frères.

Ainsi les portes du couvent se refermèrent sur Angélique.

Elle fut longue à comprendre que la sensation d'étouffement qui l'oppressait venait de cette brusque rupture avec l'espace. Des murs et toujours des murs, et des grilles aux fenêtres. Ses compagnes ne lui parurent pas sympathiques : elle avait toujours joué avec des garçons, petits paysans qui l'admiraient et la suivaient. Or ici, parmi certaines demoiselles de haut lignage et de fortune solide, la place d'Angélique de Sancé ne pouvait se trouver que dans les derniers rangs.

Il lui fallut aussi se soumettre à la torture du corsage baleiné, lacé étroitement, qui, en obligeant toute fillette à se tenir droite, lui donnait pour la vie et en n'importe quelles circonstances un maintien de reine dédaigneuse. Angélique, vigoureuse et souplement musclée, gracieuse d'instinct, eût pu se passer de ce carcan. Mais il s'agissait là d'une institution qui dépassait largement le cadre du couvent. En écoutant parler les grandes, elle ne pouvait douter que le corsage baleiné ne tînt une grande place dans tout ce qui concernait la mode. Il était même question de busc et de busquière, sorte de plastron en bec de canard, raidi par du carton fort ou des tiges rigides et que l'on brodait et rebrodait et garnissait de nœuds et de bijoux. La busquière était destinée à soutenir les seins, les faisant remonter sous la dentelle au point qu'ils paraissaient toujours prêts à s'échapper de cette contrainte. Naturellement les grandes se passaient de tels détails en secret, bien que le couvent fût spécialement chargé de préparer les jeunes filles au mariage et à la vie mondaine.

Il fallait apprendre à danser, saluer, jouer du luth et du clavecin, soutenir avec deux ou trois compagnes des conversations sur un sujet déterminé, et même jouer de l'éventail et se mettre du fard. L'importance était ensuite accordée aux soins de la maison. En prévision des revers que le Ciel peut envoyer, les élèves devaient s'astreindre aux besognes les plus humbles. À tour de rôle, elles travaillaient aux cuisines ou aux buanderies, allumaient et entretenaient les lampes, balayaient, lavaient les carrelages. Enfin quelques rudiments intellectuels leur étaient donnés : l'histoire et la géographie, sèchement exposées ; mythologie ; calcul, théologie, latin. On accordait plus de soins aux exercices de style, l'art épistolaire étant essentiellement féminin, et l'échange de lettres entre ses amis et sa parenté représentant une des occupations les plus absorbantes d'une femme du monde.

Sans être une élève indocile, Angélique ne donna guère de satisfaction à ses professeurs. Elle exécutait ce qu'on lui commandait, mais semblait ne pas comprendre pourquoi on l'obligeait à faire tant de choses stupides. Parfois, aux heures des leçons, on la cherchait en vain, on la retrouvait enfin au potager, qui n'était qu'un grand jardin suspendu au-dessus de ruelles tièdes et peu passantes. Aux reproches les plus sévères, elle répondit toujours qu'elle n'avait pas conscience de faire quelque chose de mal en regardant pousser des choux.

❦

Cependant Mazarin n'était pas mort.

Ni le jeune roi et son frère.

Ni la reine régente.

Et la violence de la guerre civile s'était déchaînée au cœur du royaume.

Si, jadis, grâce à la politique de Richelieu et du feu roi Louis XIII, le territoire de la France avait été épargné par les ravages de la guerre de Trente Ans, la Fronde, cette Fronde « si légère », en quelques mois lui fit rattraper ce retard.

Il y eut des milliers et des milliers de morts.

« Cette année-là, dit le chroniqueur, à six lieues autour de Paris, aucun arbre ne porta fleur ou fruit. Tronqués au ras des branches, les arbres dressaient dans les vergers leurs moignons hérissés, comme une armée de bois morts… Aucun sillon ne porta moisson. »

Piétinée par le passage des troupes, les combats corps à corps, les fuites et les assauts, les charges galopantes des cavaliers, la terre, labourée par la mort, de cette province riante d'Île-de-France, elle-même devenait tombe. Et se comptaient sans nombre les cadavres des vaillantes petites mules, traînant les chariots et les charrois d'artillerie, aux attelages fauchés en plein effort, par la mitraille.

Les forêts somptueuses, Sénart, Chantilly, L'Isle-Adam, couronnes verdoyantes de Paris, Rambouillet, Fontainebleau, offrirent à leur tour une image d'apocalypse, ténébreuse et sans espérance, refuge de populations affamées qui avaient tout perdu et de déserteurs hagards, repaire de brigands qui s'y rassemblaient et pillaient les châteaux environnants, les quelques voyageurs cherchant à sortir de l'enfer.

Comme la marée poussée en avant par le flux irrésistible, le malheur – misère et famine – venu de cette région centrale crucifiée gagna, vers l'ouest et le sud, d'autres provinces jusque-là épargnées. Cela faisait dans les villes une armée de miséreux qui s'échouaient à toutes les portes cochères, la main tendue.

Il y en eut bientôt plus à Poitiers que d'abbés et d'écoliers.

Les petites pensionnaires des ursulines firent l'aumône, certaines heures, certains jours, aux pauvres stationnant devant le couvent. On leur apprit que ceci entrait également dans leurs attributions de futures grandes dames accomplies.

Pour la première fois Angélique vit devant elle la misère sans espoir, la misère haillonneuse, la vraie misère à l'œil lubrique et haineux. Elle n'en fut ni émue ni bouleversée, contrairement à ses compagnes dont certaines pleuraient ou pinçaient les lèvres avec dégoût. Il lui semblait reconnaître une image depuis toujours imprimée en elle, comme le pressentiment de ce qu'une étrange destinée devait lui réserver.

Les religieuses l'accusèrent d'insensibilité, d'indifférence aux malheurs des pauvres qui sont représentants du Christ souffrant, d'avoir le cœur dur. Angélique ne comprenait pas ce qu'on lui reprochait, ce que l'on attendait d'elle. Son attitude en face de ce spectacle était de compréhension, quelque chose de familier qui la concernait.

Une voix lui avait dit un jour : « As-tu peur de regarder en face l'Immonde, le signe de Satan ? »

Or, ce qu'elle voyait dans ces êtres haillonneux qui se disputaient aux portes du couvent avec parfois beaucoup de méchanceté, c'était la maladie qui, peu à peu, s'insinuait dans leurs corps jusqu'à imprégner la chair de ses malfaisances et la changer en mort. Contre cela il n'y avait qu'un seul recours, lui disait-on. La prière, et la résignation à la volonté de Dieu.

Peu à peu s'estompait en elle le souvenir d'une science incertaine, embryonnaire, que lui avait inculquée un être venu d'ailleurs, qu'on lui avait désigné comme un être maudit, relégué, rejeté de tous, et qu'il fallait oublier… Elle n'osait pas même évoquer son nom. Cependant en donnant aux misérables un morceau de pain, elle se rassurait sachant que ce geste n'était pas vain. « Le pain est bon », se disait-elle. C'était déjà, en lui-même, un remède de la Nature pour aider à survivre ce corps abandonné, condamné, et en leur remettant leur maigre pitance, elle essayait de les toucher de ses deux mains pour leur communiquer la guérison, ce bien que les gens simples de Monteloup avaient reconnu en elle. Ce qui fit pousser des cris d'orfraie à ses compagnes qui la dénoncèrent aux mères accompagnatrices…

La peste naquit sans mal de cette lie qui engorgeait les ruelles montantes où juillet brûlant tarissait les fontaines. Des rats remontaient à la surface de leurs trous pour crever dans les rues ou dans les maisons.

Il y eut plusieurs cas parmi les élèves. Un matin, à la cour de récréation, Angélique n'aperçut pas Madelon. Elle s'informa et on lui dit que l'enfant malade avait été portée à l'infirmerie.

Angélique parvint à se faufiler jusqu'au lit de sa sœur. La petite respirait avec peine ; sa peau était brûlante. Son état s'aggravait.

— Peut-être va-t-elle mourir ? dit Hortense avec une sorte de hargne et de soumission à la tragédie et au sacrifice.

Angélique se rebiffa. Non, cela était impossible. Beaucoup de gens mouraient autour d'elles, mais rien ne pouvait abattre l'espèce d'intouchable forteresse que le vieux château de Monteloup avait érigée autour des enfants de Sancé. Madelon ne mourrait pas !

Angélique soutint la tête bouclée de sa sœur et lui humecta les lèvres avec un liquide posé à côté du lit : la petite but avec avidité.

« On la laisse mourir de soif, songea-t-elle. On s'occupe mal d'elle ! Quelle sorte de tisane est-ce donc ? Une infusion calmante ? Ce n'est pas assez fort. Je connais des herbes qui font transpirer et tirent le mal de la peau ; La fleur de sureau, la feuille de bardane… C'est de cela qu'elle devrait boire, une bonne tisane, bien forte, que je lui aurais préparée moi-même. »

— Angélique, murmura Madelon, qui avait ouvert les yeux.

— Ma chérie ?

— Raconte-moi quelque chose.

Angélique fouilla dans sa mémoire.

— Quoi donc ? L'histoire de Gilles de Retz et…

— Non, non ! Celle-là me fait peur. Chaque fois que je ferme les yeux, je vois des enfants accrochés au mur.

— Alors quoi ?

Tout ce qui venait à l'esprit d'Angélique, c'était des histoires effrayantes de brigands, de fantômes ou de lutins malicieux.

— Ça m'est égal, soupira Madelon, pourvu que tu racontes. Tu as une si jolie voix. Personne n'a une voix comme la tienne. Je voudrais l'entendre…

Angélique se mit à parler des petits enfants de Monteloup, de Marie-Agnès, d'Albert et du dernier-né, Jean-Marie. Au début, Madelon sourit, puis elle parut retomber dans sa torpeur.

Angélique s'éloigna bientôt. C'était l'heure de la leçon d'histoire, mais elle ne s'en souciait pas.

Un quart d'heure après, elle était dans le potager du couvent. Elle prit une échelle, l'appuya contre un mur et sauta légèrement dans la ruelle. Le mur était assez haut, mais Angélique n'avait rien perdu de sa souplesse.

Maintenant elle courait à travers les rues aux pavés ronds, où pesait un air brûlant. Au pied des maisons, des corps étaient allongés, qui semblaient dormir. Des nuées de mouches voraces les entouraient. Angélique s'aperçut bientôt que c'était des cadavres. Alors elle comprit de quelle réalité infernale les murs du couvent des ursulines protégeaient leurs petites pensionnaires.

Car peu à peu elle se crut plongée dans le brouillard de ces ténèbres des limbes où errent, leur disait-on, les âmes du Purgatoire, et même dans les flammes de l'Enfer car elle voyait çà et là dans la ville la lueur des feux allumés dont elle ne comprenait pas la raison. Elle croisa de curieuses silhouettes noires qui allaient, deux par deux, les unes masquées d'un bec d'oiseau crochu, les autres d'un entonnoir à trous. C'était des médecins qui se rendaient dans les maisons, accompagnés de leurs assistants. L'assistant portait une sorte d'arrosoir également à trous par lequel s'échappaient les vapeurs d'une fumigation médicamenteuse.

Angélique se hâta. Elle toussait, prise à la gorge par ces fumées, mais rien ne pouvait l'arrêter. D'instinct elle se dirigeait vers la partie la plus élevée de la ville, là où l'air devait être meilleur.

Courageusement, elle gravissait les escaliers de plus en plus raides, traversait des places aux fontaines muettes, occupées d'êtres immobiles, dans toutes les postures du sommeil ou du repos. Seules mouvances parmi eux, le ballet de fantômes vêtus de blanc, cagoulés de blanc, qui allaient et venaient de l'un à l'autre avec lenteur, se penchaient, puis chargeaient sur un brancard l'individu reconnu mort. L'un des fantômes tenant un cierge allumé prenait la tête du cortège en psalmodiant. Ils représentaient les membres de la confrérie de Saint-Lazare, les transporteurs et enterreurs chargés de transporter les morts dans les épidémies et qui se consacraient à ces dernières et dangereuses tâches lorsque les professionnels des enterrements attachés aux paroisses s'étaient enfuis… ou étaient morts.

Au stade où en était la ville, il n'était plus question d'enterrer. On avait dressé des bûchers aux carrefours, processions et cortèges funèbres y convergeaient. On y avait brûlé les hardes, les objets contaminés. Maintenant on y posait les corps, parfois plus squelettiques que les branchages chargés de les consumer. Les braseros, eux, servaient à fournir de braise les encensoirs et les appareils de fumigation qui répandaient d'épaisses vapeurs odoriférantes qui, espérait-on, protégeaient de la contagion ou des influences délétères des démons selon les croyances de ceux qui les utilisaient. Au moins, ces odeurs fortement évocatrices de cérémonies religieuses ou antiques aidaient à lutter contre les relents écœurants de la putréfaction. La pente devint moins raide.

L'atmosphère s'éclaircit dans les rues moins encombrées de cadavres. Angélique franchit une place animée où des séminaristes discutaient avec ardeur, sans souci de la mort toute proche. Les habitations s'espaçaient. Elle parvint enfin à la campagne.

C'était incroyable !

Le ciel était bleu. Le soleil brillait.

Le couvert du sous-bois était sans pestilence aucune. Les vents, passant sur les hauteurs, avaient chassé les relents de fumée et d'odeurs nauséabondes.

Au-delà de la mort qui macérait dans les profondeurs de la ville, le printemps prometteur, le riche été, avaient triomphé, fidèles au renouveau que leur dictait la loi exigeante des saisons.

Angélique s'élança, respirant à pleins poumons. Son espérance était sans limites. Elle dut encore marcher longtemps avant de trouver un ruisseau où poussaient les fleurs de sureau qu'elle cherchait. Aux alentours elle trouva encore d'autres plantes qui compléteraient la panacée. Ayant rempli son fichu de taffetas noir, elle repartit, tournant le dos au crépuscule qui amenait enfin un peu de fraîcheur.

Transportée de joie, n'osant croire à tant de faveurs du Ciel, elle reprit en courant le chemin de la ville, plongeant à nouveau dans les ruelles fétides, embrumées, s'impatientant des cortèges d'enterrements, ou des confréries d'ensevelisseurs portant corps et brancards en psalmodiant et qu'il fallait contourner ou écarter pour passer, courant de plus en plus vite, la pente des rues s'accentuant. Elle aurait voulu voler.

Emportée par cette course folle, elle s'égara.

Elle dut s'arrêter à plusieurs reprises et demander son chemin pour retrouver le couvent des ursulines.

En ces jours d'horreur et de détresse, on croisait dans Poitiers tant de personnages singuliers que personne ne se préoccupa de cette adolescente en robe grise de pensionnaire avec son étonnante chevelure blonde dénouée.

Mais quelques-uns qui la croisèrent, volant de degré en degré, se faufilant parmi les ombres dolentes, sautant d'un bond les ruisseaux de braises qu'un vent du soir subitement levé arrachait aux braseros et aux bûchers des carrefours, ceux qui virent cette silhouette légère auréolée de la lumière de ses cheveux, surgissant des lourds nuages nauséabonds, parlèrent d'un ange que le Ciel avait envoyé pour la consolation des vivants et des morts.

Ses yeux la brûlaient à force d'essayer de reconnaître les lieux. Soudain elle vit la place sur laquelle s'ouvraient les portes du couvent et distingua dans les demi-ténèbres la masse du monastère, les murs épais derrière lesquels Madelon l'attendait.

Serrant bien fort d'un bras sa provende contre elle, elle secoua la cloche de toutes ses forces, sans souci de carillonner à réveiller tous les échos de la solennelle demeure. Après une attente qui lui parut sans fin, le lourd battant s'entrouvrit et, à l'air effaré de la sœur tourière, Angélique comprit que son évasion avait été découverte et que c'était elle qu'on attendait. La sœur lui dit qu'on l'avait cherchée et que ces dames étaient très mécontentes de sa conduite.

— Ma sœur ! Laissez-moi passer s'il vous plaît. J'apporte des remèdes pour ma petite sœur.

Elle bouscula la religieuse et s'élança dans les couloirs.

Elle vit venir à elle la supérieure. C'était une femme encore jeune, cadette d'une famille ducale.

Grande et austère, l'œil terrible, elle fit halte.

Angélique retint son élan.

— Ma mère ! Ma mère ! Laissez-moi passer : je suis allée chercher des plantes pour soigner ma sœur Madelon.

Les mains dans ses larges manches, la supérieure continuait de lui barrer le passage, immobile comme une statue de pierre.

— Mademoiselle de Sancé, votre escapade est inqualifiable, dit-elle enfin.

— Ma mère, je suis allée chercher des plantes pour soigner ma sœur.

— Dieu vous a déjà punie, ma fille.

— Cela m'est égal que Dieu me punisse ou non ! s'écria Angélique, que la chaleur et la fatigue empourpraient, mais je veux préparer moi-même cette tisane.

— Ma fille, il n'est plus temps de vouloir quoi que ce soit. Votre sœur est MORTE.

Devant le petit corps blême et comme desséché dans son immobilité, Angélique ne pleura pas. Elle en voulut même à Hortense de ses larmes spectaculaires. Pourquoi cette grande perche pleurait-elle ? Elle n'avait jamais aimé Madelon. Elle n'aimait qu'elle-même.

— Hélas, mes petites, leur dit doucement une vieille religieuse, c'est la loi de Dieu. Beaucoup d'enfants meurent. On m'a dit que votre mère a eu dix enfants et n'en a perdu qu'un seul. Avec celle-ci, cela fera deux. Ce n'est pas beaucoup. Je connais une dame qui a eu quinze enfants et qui en a perdu sept. Vous voyez, c'est ainsi. Dieu donne les enfants, Dieu les reprend. Il y a beaucoup d'enfants qui meurent. C'est la loi de Dieu !...

À la suite de la mort de Madelon la sauvagerie d'Angélique s'accentua et elle devint même indisciplinée. Elle n'en faisait qu'à sa tête, disparaissait des heures entières dans des recoins ignorés de la vaste maison.

Depuis son escapade on lui avait interdit l'accès du jardin et du potager. Elle trouvait cependant le moyen de s'y faufiler. On songea à la renvoyer, mais le baron de Sancé, malgré les difficultés que lui causait la guerre civile, payait fort régulièrement la pension de ses deux filles et ce n'était pas le cas de toutes les pensionnaires.

De plus Hortense promettait de devenir l'une des jeunes filles les plus accomplies de sa promotion. Par égard pour l'aînée, on conserva la cadette. Mais on renonça à s'en occuper.

Chapitre quatorzième

LA FRONDE CONTINUAIT de batailles en combats, comme un énorme serpent aux fouettements de queue convulsifs et qui ne se calmeront jamais.

Sous les murs de Paris deux grands généraux, Condé, à la tête de la fronde des princes, et Turenne par la fin rallié au roi, s'affrontaient à forces égales. Au cours du combat, qui fut appelé « de la porte Saint-Antoine », les deux armées se portèrent des coups si terribles qu'on eût pu croire qu'elles allaient s'exterminer l'une et l'autre complètement.

Mlle de Montpensier, fille du prétendant à la monarchie Gaston d'Orléans, avait pris sur elle de faire tirer les canons de la forteresse de la Bastille sur les troupes du roi, son cousin, qui reculèrent. Ce qui permit d'ouvrir la porte à l'armée rebelle des princes qui s'y engouffra, sauve et sanglante. Le roi et Turenne se retirèrent à Pontoise.

Accalmie de peu de durée.

Quelques semaines plus tard, les Parisiens, exaspérés par le massacre de leurs échevins et l'incendie de l'Hôtel de Ville, perpétrés par les reîtres de Condé qui avait trouvé les édiles trop tièdes à son égard, huèrent le prince et les troupes étrangères, espagnoles et allemandes qui quittaient enfin la ville par la porte Saint-Antoine, s'en allant vers les Flandres, tandis qu'à l'autre extrémité, ils acclamaient, rentrant dans sa bonne capitale par la porte Saint-Honoré, le jeune souverain de quatorze ans qui enfin régnait, devenu majeur.

Condamné à mort pour crime de lèse-majesté, le héros de Rocroi s'était mis dans les Pays-Bas au service du roi d'Espagne.

Les armées les plus diverses continueraient longtemps encore à tourbillonner sur le sol de France.

Quelques mois plus tard, l'armée royale et la Cour commencèrent par se rendre en Guyenne, pour rappeler les Bordelais à la sagesse, puis remontèrent vers Poitiers, où la Cour s'arrêta.

C'est ainsi qu'un jour de janvier, Angélique qui venait d'avoir quinze ans se trouvait perchée, une fois de plus, sur le mur du potager à se chauffer au tiède soleil d'hiver, s'amusant à regarder les allées et venues de la rue, où passaient souvent des personnes étrangères, aux habillements surprenants.

Appuyée au mur de son couvent, elle écoutait le murmure de la ville agitée, dont l'excitation se répercutait jusque dans ce quartier éloigné.

Les jurons des cochers dont les carrosses se coinçaient dans les ruelles tortueuses se mêlaient aux rires et aux criailleries des pages et des servantes, et aux hennissements des chevaux. Le bourdonnement des cloches volait sur ce brouhaha. Angélique reconnaissait maintenant chacun des carillons, celui de Saint-Hilaire, celui de

Sainte-Radegonde, le bourdon de Notre-Dame la Grande, les cloches graves de la tour Saint-Porchaire.

Tout à coup, au pied du mur, il y eut une farandole de pages qui passèrent comme une volée d'oiseaux des îles dans leurs vêtements de satin et de soie.

L'un d'eux s'arrêta pour renouer le ruban de sa chaussure.

En se redressant, il leva la tête et rencontra le regard d'Angélique qui le contemplait du haut du mur.

D'un coup de chapeau galant le page balaya la poussière.

— Salut, demoiselle. Vous n'avez pas l'air de vous amuser, là-haut ?

Il ressemblait à ces pages qu'elle avait vus au Plessis, portant comme eux la même petite culotte bouffante, la « trousse », apanage du XVIe siècle qui lui faisait des jambes immenses de héron.

À part cela, il était plaisant, avec un visage riant, hâlé, et de beaux cheveux châtains et bouclés. Elle lui demanda son âge. Il répondit qu'il avait seize ans.

— Mais ne vous inquiétez pas, demoiselle, ajouta-t-il, je sais faire la cour aux dames.

Il lui lançait des regards câlins, et soudain il lui tendit les bras.

— Venez donc me rejoindre.

Une agréable sensation envahit Angélique. La prison grise et triste où son cœur s'étiolait lui parut s'ouvrir. Ce joli rire levé vers elle promettait elle ne savait quoi de doux et de savoureux dont elle avait faim, comme après le grand jeûne du carême.

— Venez, chuchota-t-il. Si vous voulez, je vous conduirai jusqu'à l'hôtel des ducs d'Aquitaine où la Cour est descendue, et je vous montrerai le roi.

Elle n'hésita qu'à peine et assujettit sa mante de laine noire à capuchon.

— Attention, je vais sauter ! cria-t-elle.

Il la reçut presque dans ses bras. Ils éclatèrent de rire. Vivement, il la prit par la taille et l'entraîna.

— Que vont dire les nonnes de votre couvent ?

— Elles sont habituées à mes fantaisies.

— Et comment ferez-vous pour rentrer ?

— Je sonnerai à la porte et demanderai l'aumône.

Il pouffa.

Angélique se grisait du tourbillon dont elle était soudain environnée. Parmi les seigneurs et dames dont les beaux atours émerveillaient les provinciaux, des marchands passaient. À l'un d'eux, le page acheta deux baguettes sur lesquelles étaient enfilées des cuisses de grenouilles frites. Ayant toujours vécu à Paris, il trouvait ce mets extrêmement cocasse. Les deux jeunes gens mangèrent de bon appétit. Le page raconta qu'il s'appelait Henri de Roguier et qu'il était attaché au service du roi. Celui-ci, bon compagnon, quittait parfois les gens graves de son conseil pour venir gratter un peu la guitare avec ses amis. Les charmantes poupées italiennes, nièces du cardinal Mazarin, étaient toujours présentes à la Cour, malgré le départ forcé, mais momentané, de leur oncle.

Tout en devisant, le jeune garçon entraînait insidieusement Angélique vers des quartiers moins animés. Elle s'en aperçut, mais ne dit rien. Son corps subitement en éveil attendait quelque chose, que la main du page contre sa taille promettait.

Il s'arrêta et la poussa doucement dans l'encoignure d'une porte. Puis il se mit à l'embrasser avec vivacité. Il disait des choses banales et amusantes.

— Tu es jolie… Tu as des joues comme des pâquerettes et des yeux verts comme les grenouilles… Les grenouilles de ton pays… Ne bouge pas. C'est ton corsage que je veux ouvrir… Laisse-toi faire. Je sais m'y prendre… Oh ! je n'ai jamais vu de seins si blancs et si mignons… Et fermes comme des pommes… Tu me plais, ma mie…

Elle le laissait divaguer, caresser. Elle rejetait un peu la tête en arrière, contre la pierre moussue, et ses yeux regardaient machinalement le ciel bleu au bord d'un toit festonné.

Maintenant le page se taisait ; son souffle se précipitait. Il s'agita et regarda plusieurs fois autour de lui avec agacement.

La rue était assez calme. Cependant, des gens allaient et venaient. Il y eut même une cavalcade d'étudiants qui poussèrent des Hou ! Hou !… en découvrant le jeune couple dans l'ombre de la muraille. Le garçon recula, tapa du pied.

— Oh ! j'enrage ! Les maisons sont pleines à craquer dans cette sacrée ville de province. Les grands seigneurs eux-mêmes doivent recevoir leurs maîtresses dans des antichambres. Alors, je te le demande, où pourrons-nous être un peu tranquilles ?

— Nous sommes bien ici, murmura-t-elle.

Mais il n'était pas satisfait. Il jeta un regard dans la petite aumônière qu'il portait à la ceinture, et son visage s'éclaira.

— Viens ! J'ai une idée ! Nous allons trouver salon à notre taille.

Il la prit par la main et l'entraîna en courant par les rues, jusqu'à la place de Notre-Dame la Grande. Angélique découvrait la ville. Elle regarda avec admiration la façade de l'église, ouvragée comme un coffret hindou et flanquée de clochetons en pommes de pin. On aurait dit que la pierre même avait fleuri sous le ciseau magique des sculpteurs.

Le jeune Henri dit alors à sa compagne de rester sous le porche et de l'attendre. Il revint peu après tout content, une clé à la main.

— Le sacristain de l'église m'a loué la chaire pour un moment.

— La chaire, répéta Angélique, stupéfaite.

— Bah ! Ce n'est pas la première fois qu'il rend ce service aux pauvres amoureux.

Il l'avait reprise par la taille et descendait les marches conduisant au sanctuaire dont le parvis était un peu affaissé.

Angélique fut saisie par les ténèbres et la fraîcheur des voûtes. Les églises du Poitou sont les plus sombres de France. Solides édifices, posées sur d'énormes piliers, elles dissimulent dans leur ombre d'anciennes décorations murales dont les teintes vives apparaissent peu à peu aux yeux surpris. Les deux adolescents s'avançaient en silence.

— J'ai froid, murmura Angélique en serrant sa cape contre elle.

Il lui mit un bras protecteur autour des épaules, mais son exaltation était tombée et il paraissait intimidé. Il ouvrit la première porte de la chaire monumentale, puis, gravissant les degrés, pénétra dans la rotonde réservée au prêche. Un peu machinalement, Angélique le suivit.

Ils s'assirent tous deux sur le plancher recouvert d'un tapis de velours. Cette église, cette nuit profonde à l'odeur d'encens paraissait avoir calmé l'humeur entreprenante du garçon. Il mit encore son bras autour des épaules d'Angélique et l'embrassa doucement à la tempe.

— Comme tu es une belle petite amie, soupira-t-il, comme je te préfère à toutes ces grandes dames qui me taquinent et qui se jouent de moi. Cela ne m'amuse pas toujours, mais je dois leur complaire. Si tu savais…

Il soupira encore. Son visage avait retrouvé toute sa puérilité.

— Je vais te montrer quelque chose de très beau, d'exceptionnel, dit-il en fouillant dans son aumônière.

Il en sortit un carré de toile blanche bordé d'une petite dentelle et légèrement sali.

— Un mouchoir, dit Angélique.

— Oui. Le mouchoir du roi. Il l'a laissé tomber ce matin. Je l'ai ramassé et l'ai gardé en talisman.

Il la fixa longuement, songeur.

— Vais-je te le donner en gage d'amour ?

— Oh oui ! dit Angélique en avançant vivement la main.

Son bras heurta la balustrade de bois plein et cela fit un écho énorme sous les voûtes. Ils s'immobilisèrent interdits, un peu anxieux.

— Je crois que quelqu'un vient, murmura Angélique.

Le garçon avoua d'un air piteux :

— J'ai oublié de fermer la porte de la chaire au bas de l'escalier.

Puis ils se turent, écoutant le pas qui s'approchait.

Quelqu'un gravit les degrés de leur refuge, et la tête d'un vieil abbé coiffé d'une calotte noire apparut au-dessus d'eux.

— Que faites-vous là, mes enfants ? demanda-t-il.

Le page à la langue bien pendue avait déjà son histoire prête.

— J'ai voulu voir ma sœur qui est pensionnaire à Poitiers, mais je ne savais où la rencontrer. Nos parents…

— Ne parle pas si fort dans la maison de Dieu, dit le prêtre. Lève-toi et ta sœur aussi, et suivez-moi.

Il les emmena dans la sacristie et s'assit sur un tabouret.

Puis, les mains appuyées sur ses genoux, il les regarda successivement l'un et l'autre. Les cheveux blancs débordant de sa calotte ecclésiastique auréolaient un visage qui, malgré la vieillesse, conservait de fortes couleurs. Il avait un gros nez, de petits yeux vifs et précis, une courte barbe blanche.

Henri de Roguier, tout à coup, paraissait effaré et se taisait avec une confusion qui n'était pas feinte.

— Est-il ton amant ? demanda soudain le prêtre à Angélique, en désignant le jeune garçon du menton.

La rougeur envahit le visage de l'adolescente, et le page s'écria vivement et franchement :

— Monsieur, je l'aurais souhaité, mais elle n'est pas de cette sorte-là.

— Tant mieux, ma fille. Si tu avais un beau collier de perles, t'amuserais-tu à le jeter dans ta cour pleine de fumier où les pourceaux viendraient les rafler de leurs groins morveux ? Hein ? Réponds-moi, petite ? Ferais-tu cela ?

— Non. Je ne le ferais pas.

— Il ne faut pas donner de perles aux pourceaux. Il ne faut pas gaspiller ce trésor de ta virginité qui ne doit être réservé qu'au mariage. Et toi, grossier personnage, continua-t-il doucement en se tournant vers le garçon, où as-tu été chercher l'idée sacrilège d'amener ton amie dans la chaire de l'église pour lui conter fleurette ?

— Où pouvais-je l'amener ? protesta le page, maussade. On ne peut pas causer tranquillement dans les rues de cette ville qui sont plus étroites que des placards. Je savais que le sacristain de Notre-Dame la Grande loue parfois la chaire et les confessionnaux pour qu'on puisse s'y chuchoter quelque secret loin des oreilles indiscrètes. Dans ces villes de province, vous savez, monsieur Vincent, il y a beaucoup de demoiselles trop sévèrement gardées par un père bougon et une mère acariâtre, et qui n'auraient jamais l'occasion d'entendre un mot doux si…

— Comme tu m'instruis bien, mon petit !

— La chaire c'est trente livres, et les confessionnaux vingt livres. C'est beaucoup pour ma bourse, croyez-moi, monsieur Vincent.

— Je te crois sans peine, dit M. Vincent, mais c'est plus cher encore dans la balance où le diable et l'ange pèsent les péchés sur le parvis de Notre-Dame la Grande.

Son visage qui, jusque-là, avait gardé une expression sereine s'était durci. Il tendit la main.

— Donne-moi la clé qu'on t'a confiée.

Et lorsque le jeune garçon la lui eut remise :

— Tu iras te confesser, n'est-ce pas ? Je t'attendrai demain soir dans cette même église. Je t'absoudrai. Je sais trop bien dans quel milieu tu vis, pauvre petit page ! Et il vaut mieux pour toi essayer de jouer à l'homme avec une enfant de ton âge que de servir de jouet aux dames mûres qui t'entraînent dans leurs alcôves pour te dévoyer… Oui, je te vois rougir. Tu as honte devant elle, si fraîche, si neuve, de tes amours frelatées.

Le jeune garçon baissa la tête, son aplomb avait disparu.

Il balbutia enfin :

— Monsieur Vincent de Paul, de grâce, ne racontez pas cette affaire à Sa Majesté la reine. Si elle me renvoie à mon père, celui-ci ne saura plus comment m'établir. J'ai sept sœurs qu'il faudra doter et je suis le troisième cadet de la famille. Je n'ai pu obtenir cette faveur insigne d'entrer au service du roi que grâce à M. de Lorraine qui me... à qui je plaisais, acheva-t-il avec embarras. Il a acheté la charge pour moi. Si je suis chassé, il exigera sans doute que mon père la lui rembourse, et cela est impossible.

Le vieil ecclésiastique le regardait avec gravité.

— Je ne te nommerai pas. Mais il est bon qu'une fois de plus je rappelle à la reine les turpitudes dont elle est entourée. Hélas ! cette femme est pieuse et dévouée aux œuvres, mais que peut-elle contre tant de pourritures ? On ne peut changer les âmes avec des décrets...

La porte de la sacristie, en s'ouvrant, l'interrompit.

Un jeune homme aux longs cheveux bouclés, vêtu d'un habit noir assez recherché, entra.

M. Vincent se redressa et lui jeta un regard sévère.

— Monsieur le vicaire, je veux croire que vous ignorez les trafics auxquels se livre votre sacristain. Il vient de toucher trente livres de ce jeune seigneur pour lui donner liberté de rencontrer son amie dans la chaire de votre église. Il serait temps que vous surveilliez vos clercs avec un peu plus de soin.

Pour se donner une contenance, le vicaire mit beaucoup de temps à refermer la porte. Quand il se retourna, la pénombre de la pièce dissimulait mal son embarras. Comme il se taisait, M. Vincent reprit :

— Je constate, de plus, que vous portez perruque et habit civil. Cela est interdit aux prêtres. Je vais me voir contraint de signaler de tels manquements et de tels commerces au commendataire de votre paroisse.

L'abbé eut de la peine à dissimuler un haussement d'épaules.

— Voilà qui lui sera bien indifférent, monsieur Vincent. Mon commendataire est un chanoine parisien. Il a acheté la charge il y a trois ans au précédent curé qui se retirait dans ses terres. Il n'est jamais venu ici et, comme il a maison canoniale sous l'abside de Notre-Dame de Paris, je parie que Notre-Dame la Grande de Poitiers doit lui paraître fort petite.

— Ah ! je tremble, s'écria brusquement M. Vincent, que ce damnable trafic de cures et de paroisses, vendues comme ânes et chevaux sur le marché, n'entraîne l'Église à sa perte. Et qui nomme-t-on maintenant évêques dans ce royaume ? De grands seigneurs guerriers et libertins, qui parfois même n'ont pas reçu les ordres, mais qui ayant assez de fortune pour acquérir un évêché, se permettent de revêtir la robe et les ornements des ministres de Dieu !… Ah ! que le Seigneur nous aide à renverser de telles institutions !

Heureux de voir que les foudres se détournaient de lui, le vicaire hasarda :

— Ma paroisse n'est pas négligée. Je m'en occupe et y donne tous mes soins. Faites-nous le grand honneur, monsieur Vincent, d'assister ce soir à notre office du

Très-Saint Sacrement. Vous verrez la nef bondée de fidèles. Poitiers a été préservée de l'hérésie par le zèle de ses prêtres. Ce n'est pas comme Niort, Châtellerault et…

Le vieillard lui jeta un regard noir.

— Ce sont les vices des prêtres qui ont été la première cause des hérésies ! cria-t-il rudement.

Il se leva et, prenant les deux adolescents aux épaules, il les entraîna dehors. Malgré son grand âge et son dos voûté, il semblait plein de vigueur et de promptitude.

Le soir tombait sur la place, devant l'église poitevine où la pâle lumière d'hiver animait les fleurs de pierre.

— Mes agneaux, dit M. Vincent, mes petits enfants du Bon Dieu, vous avez essayé de goûter au fruit vert de l'amour. Voilà pourquoi vos dents sont agacées et vos cœurs pleins de tristesse. Laissez donc mûrir au soleil de la vie ce qui est destiné de tout temps à s'épanouir. Il ne faut pas s'égarer lorsqu'on recherche l'amour, car il se peut alors qu'on ne le retrouve jamais. Quel plus cruel châtiment de l'impatience et de la faiblesse que d'être condamné pour la vie à ne mordre que dans des fruits amers et sans saveur ! Vous allez vous en aller chacun de votre côté. Toi, garçon, à ton service, que tu dois accomplir avec conscience. Toi, fille, à tes religieuses et à tes travaux. Et, quand le jour se lèvera, n'oubliez pas de prier Dieu qui est notre père à tous.

Il les laissa. Son regard suivit leurs silhouettes gracieuses jusqu'à ce qu'elles se séparassent à l'angle de la place.

Angélique ne détourna la tête que lorsqu'elle eut atteint la porte du couvent. Une grande paix était descendue en elle. Mais son épaule gardait le souvenir d'une vieille main chaleureuse.

« M. Vincent, pensa-t-elle, est-ce là le grand M. Vincent ? Celui que le marquis du Plessis appelle la Conscience du royaume ? Celui qui oblige les nobles à servir les pauvres ? Celui qui voit chaque jour en particulier la reine et le roi ? Comme il a l'air simple et doux ! »

Avant de soulever le heurtoir, elle jeta encore un coup d'œil sur la ville, qui s'enveloppait de nuit.

— Monsieur Vincent, bénissez-moi, murmura-t-elle.

Chapitre quinzième

ANGÉLIQUE ACCEPTA sans révolte les punitions qui lui furent infligées pour cette nouvelle évasion. À partir de ce jour, son attitude farouche se transforma. Elle s'appliqua à ses études, se montra enjouée avec ses compagnes. Elle semblait enfin s'être adaptée à la sévérité du cloître.

Au mois de septembre, sa sœur Hortense quitta le couvent. Une tante éloignée la réclamait à Niort à titre de demoiselle de compagnie. En réalité, la dame en question, qui était de très petite noblesse et qui avait épousé un magistrat riche mais d'origine obscure, souhaitait que son fils, en s'alliant à quelque grand nom, redonnât un peu d'éclat à leurs écus. Le fils venait de se faire offrir par son père une charge de procureur du roi à Paris, et il fallait qu'il parût à l'aise parmi les blasons. L'occasion était, pour les deux partis, inespérée. Le mariage se fit aussitôt.

Cependant le jeune roi Louis XIV, après avoir tourbillonné avec son armée à travers son royaume, avoir mis au pas les Bordelais révoltés, assagi les provinces de l'Ouest : Poitou, Maine, Normandie, s'en était allé vers la

Champagne, à l'Est, pour se faire sacrer à Reims selon l'antique tradition des rois de France avant lui.

Reims !

Au-delà de la mer moutonnante des vignobles, voici Reims, la métropole sanctifiée, la ville mère, jumelle de Rome, si l'on en croit la légende qui raconte que Rémus, chassé et non tué par Romulus, la fonda.

Sous les voûtes de la superbe cathédrale gothique, dans le miroitement coloré qui ruisselle des vitraux, le roi de seize ans, après s'être prosterné, s'est tenu debout, puis s'est dépouillé de ses vêtements, à l'exception d'une chemise de soie fortement échancrée.

Des doigts de l'archevêque, il a alors reçu l'onction d'une mystérieuse substance, très odoriférante, un peu rousse, appelée le saint chrême et qui fut apportée du Ciel par une colombe en cette époque lointaine et barbare où le grand saint Rémi, en ce lieu même, baptisa le roi païen Clovis et en fit le « roi Très-Chrétien » de la France, « la fille aînée de l'Église ». Prélevé en infime parcelle, avec une aiguille d'or, dans son ampoule de verre et mêlé à d'autres huiles raffinées, le baume miraculeux accompagne les multiples onctions : la tête, la poitrine, entre les épaules, les coudes, les mains, les jambes, les pieds.

Puis le roi a reçu les divers attributs de sa souveraineté, ces objets à lui seul dévolus, appelés *regalia*. Il a reçu les éperons d'or émaillés de bleu, l'épée à la poignée incrustée de gemmes, ainsi que le fourreau, le sceptre, un bâton de bois précieux de six pieds de haut et surmonté d'une statuette de Charlemagne, lui-même tenant sceptre et globe ; la main de justice, une tige d'or plein d'une coudée portant une main à deux doigts levés pour la sentence ou la protection, taillé, dit-on, dans l'ivoire d'une dent de narval. Pureté. Dureté. Le choix d'un matériau rarissime pour la Justice du roi.

Tout est symbole. Et joyau d'art et de beauté !

L'anneau glissé à l'annulaire gauche, qui le lie à son peuple. Le fermoir du lourd manteau bleu, bordé d'hermine et constellé de fleurs de lys d'or. Le calice dans lequel il doit communier.

Enfin, sur son front bouclé, il a reçu la pesante couronne du sacre, faite de quatre plaques d'or reliées à la base par des fleurs de lys d'or supportant douze charnières de pierres précieuses, diamants et perles qui se rejoignent au sommet, dominée par une fleur de lys d'or et de gemmes en forme de croix. Lui a été remise aussi une couronne plus légère, d'or ciselé, sa couronne personnelle qu'il portera pour se montrer à la foule et partager les fastes des cérémonies et des fêtes.

Ensuite, il s'est rendu, en grande procession et armée, au village de Corbény, entre Reims et Laon, où veillent les reliques de saint Marcoul, grand thaumaturge devant l'Éternel. Et là, il a reçu « de surcroît » le don de guérir les écrouelles.

De nouveau le roi Louis XIV, plus beau que jamais, rentrait dans sa bonne ville de Paris, sous les acclamations enthousiastes de son peuple attendri.

Le prince de Condé seul demeurait rebelle, et allait guerroyer encore de longues années à la tête des armées espagnoles contre l'armée française et Turenne. Mais la Fronde était finie. Mazarin restait le grand vainqueur d'une guerre civile atroce et folle. On revit sa robe rouge dans les couloirs du Louvre, mais il n'y eut plus de « mazarinades ». Tout le monde était à bout de forces.

Angélique savait que le village de Monteloup avait été presque complètement détruit. Des officiers avaient même campé au château, mais une recommandation qu'on croyait due au prince de Condé les avait incités à se conduire poliment vis-à-vis du baron et de sa famille, et on n'en gardait pas un trop mauvais souvenir. En revanche, les troupes avaient emporté sans façon la moitié des mulets. Malgré tout, l'argent de la pension d'Angélique était envoyé à l'heure, ce qui prouvait que Molines avait su les aider, en dépit de tous les événements.

❦

Angélique atteignait dix-sept ans lorsqu'elle apprit la mort de sa mère. Elle pria beaucoup à la chapelle, mais ne pleura point.

Elle réalisait mal qu'elle ne reverrait jamais cette silhouette passant dans sa robe grise et son foulard noir sur lequel se posait en été un chapeau de paille démodé. Officiante du jardin et du verger, Mme de Sancé avait peut-être prodigué plus de soins et de caresses à ses poiriers et à ses choux qu'à ses nombreux enfants. Mais elle leur avait légué un bien précieux.

Alors que les dames de la noblesse fortunées se consacraient à ériger dans leurs parcs des labyrinthes et des fontaines, elle avait mis son ambition dans un domaine plus rustique. Ses fruits et ses légumes étaient les plus beaux de la région, et grâce à eux, Angélique ainsi que ses frères et sœurs, plutôt que d'être gavés de bouillie et de gibier, avaient été nourris de salades et de compotes, saines, abondantes, qui leur avaient à tous donné un teint frais et une santé solide. Ce sont des bienfaits dont on ne se soucie guère à leur âge. Mme de Sancé avait eu une voix douce, mais elle parlait peu. Elle avait élevé ses enfants au milieu des tâches épuisantes de la vie, mais ils l'avaient peu vue et ils n'en avaient pas eu conscience, dans sa modestie. Tout ce qu'elle faisait de bienfaisant leur paraissait naturel.

Pourtant, alors qu'Angélique, le soir, était allongée dans son petit lit, il lui vint soudain à l'esprit que c'était cette même femme silencieuse, aux soupirs secrets, qui l'avait portée dans son sein.

Cela l'émut, et elle posa sa main sur son jeune ventre ferme. Était-il donc possible que d'un espace aussi étroit puisse naître un enfant plein de vie, dix enfants à la suite les uns des autres et parfois plus ? Et les enfants partaient, d'abord pour les bras de la nourrice, puis vers le monde, vers l'Amérique, le mariage ou aussi pour mourir. Elle pensa à la créature étrange et pâle qu'avait été sa petite sœur Madelon. Depuis qu'elle avait quitté le sein de sa mère, elle n'avait connu que frayeur et angoisse. Les histoires de la nourrice la faisaient trembler. Elle avait vécu dans un monde imaginaire, bien plus effrayant que le monde réel, et personne ne l'avait secourue.

« Lorsque j'aurai un enfant, se dit Angélique, je ne le laisserai pas mourir loin de moi. Je l'aimerai, ah ! comme je l'aimerai, et je le tiendrai dans mes bras toute la journée ! »

Ce fut à l'occasion de la mort de sa mère qu'Angélique revit ses deux frères Raymond et Denis, car ils vinrent la lui annoncer. La jeune fille les reçut au parloir, derrière les froides grilles qu'exigeait l'ordre des ursulines.

Denis était maintenant au collège. En grandissant, il s'était mis à ressembler à Josselin, au point qu'elle crut un moment revoir son frère aîné tel qu'elle en gardait le souvenir, avec son uniforme noir d'écolier et son encrier de corne à la ceinture. Elle était tellement frappée de cette ressemblance, qu'après avoir salué l'ecclésiastique qui accompagnait son frère, elle ne prit pas garde à lui, et qu'il dut se nommer.

— Je suis Raymond, Angélique, tu ne me reconnais pas ?

Elle fut presque intimidée. Dans son couvent, extrêmement rigoriste en regard de tant d'autres, les religieuses considéraient les prêtres avec une servilité dévotieuse qui n'était pas exempte de l'instinctive soumission féminine à l'égard de l'homme. S'entendre tutoyer par l'un d'eux la troublait. Et c'était elle maintenant qui baissait les yeux tandis que Raymond lui souriait. Avec beaucoup de tact, il la mit au courant du malheur qui les frappait tous et parla très simplement de l'obéissance qu'on devait à Dieu. Il y avait quelque chose de changé dans sa longue physionomie au teint mat, aux yeux clairs et ardents.

Il dit aussi que leur père avait été fort déçu que sa vocation religieuse à lui, Raymond, se maintînt durant les dernières années qu'il avait passées chez les jésuites. Josselin parti, on espérait sans doute que Raymond reprendrait le rôle d'héritier du nom. Mais le jeune homme avait renoncé à son héritage en faveur de ses autres frères, et allait prolonger ses études et prononcer ses vœux. Gontran aussi décevait le pauvre baron Armand. Il ne voulait ni se rendre aux armées, ni étudier, il était parti pour Paris étudier on ne savait trop quoi. Il faudrait donc attendre Denis, qui avait treize ans, pour voir le nom de Sancé retrouver l'éclat militaire de tradition dans les familles de haut lignage.

Tout en parlant, le père jésuite regardait sa sœur, cette jeune fille qui, pour l'entendre, appuyait contre les froids barreaux son visage au teint de rose, et dont les yeux étranges prenaient dans l'ombre du parloir une limpidité d'eau marine. Il eut une sorte de pitié dans la voix quand il interrogea :

— Et toi, Angélique, que deviens-tu ? Que souhaites-tu ?

Elle secoua ses lourds cheveux aux reflets d'or et répondit avec indifférence qu'elle ne savait pas.

❦

Puis un jour Angélique de Sancé fut de nouveau demandée au parloir.

Ce fut le vieux Guillaume, à peine plus blanc qu'au temps jadis, qu'elle y trouva. Il avait soigneusement appuyé son inséparable hallebarde contre le mur de la cellule.

Il lui dit qu'il venait la chercher pour la ramener à Monteloup.

En l'embrassant sur le seuil du couvent, les dames ursulines avaient le sourire et se réjouissaient pour elle. Car, à leurs yeux, ce retour parmi les siens, c'était le signe que ses parents lui avaient trouvé un mari.

Chapitre seizième

LE BARON DE SANCÉ regardait sa fille Angélique avec une satisfaction non dissimulée.

— Ces nonnes ont fait de toi une jeune fille parfaite, ma sauvageonne.

— Oh ! parfaite… C'est à voir à l'usage, protesta Angélique en retrouvant, pour secouer sa crinière frisée, un geste d'autrefois.

L'air de Monteloup, avec sa douceâtre senteur venue des marais, lui donnait un regain d'indépendance. Elle se redressait comme une fleur étiolée sous une agréable averse.

Mais la vanité paternelle du baron Armand n'acceptait pas de se laisser abattre.

— En tout cas, tu es plus jolie encore que je ne l'espérais. Ton teint est à mon avis plus foncé que ne l'exigeraient tes yeux et tes cheveux. Mais le contraste n'est pas sans charme. J'ai remarqué d'ailleurs que la plupart de mes enfants avaient la même couleur de peau. Je crains que ce ne soit là l'ultime survivance d'une goutte de sang arabe que les gens du Poitou ont en général conservée. As-tu vu ton petit frère Jean-Marie ? On dirait un vrai Maure !

Il ajouta tout à trac :

— Le comte de Peyrac de Morens d'Irristu t'a demandée en mariage.

— Moi ? dit Angélique. Mais je ne le connais pas !

— Aucune importance. Molines le connaît, lui, et c'est le principal. Il me garantit que je ne pouvais rêver, pour une de mes filles, une alliance plus flatteuse.

Le baron Armand rayonnait. Du bout de sa canne, il fauchait quelques primevères du talus, au bord du chemin creux où il se promenait avec sa fille en cette tiède matinée d'avril.

Angélique était arrivée la veille au soir à Monteloup en compagnie de Guillaume, et de son frère Denis. Comme elle s'étonnait de voir le collégien en vacances, il lui dit qu'il avait obtenu un congé pour venir assister à son mariage.

Et elle devait s'avouer que ses retrouvailles avec Monteloup ne lui avaient pas causé la joie qu'elle s'en était promise. Tout lui avait paru différent, moins animé et pourtant il y avait beaucoup plus de personnes qui allaient et venaient. Du personnel pour de nouveaux bâtiments, écuries et granges mais qu'elle ne connaissait pas.

Par le fait de la mort de sa mère, elle s'était presque étonnée de retrouver ses tantes. Pulchérie toujours la même, tremblante de joie, mais si maigre qu'Angélique, devenue aussi grande qu'elle, avait presque eu peur de la casser en l'étreignant avec sa jeune force. Quant à la tante Jeanne, elle se tenait dans le même recoin du grand salon où elle s'était toujours tenue assise devant le cadran d'une tapisserie où elle ne cessait de piquer l'aiguille avec une sombre résolution.

Angélique, enfant, courant la campagne et occupée par mille projets, n'avait pas attaché d'importance aux grommellements rancuniers et aux réflexions désagréables que la tante Jeanne lui adressait. Cette grosse femme faisait partie du décor et sa mauvaise humeur aussi. Dans l'émotion et la mélancolie de son retour, Angélique fut sensible à l'intensité de méchanceté que la tante Jeanne sut mettre dans un seul de ses regards, jeté par-dessus le bord de sa tapisserie. Lui dispenser en échange d'aimables paroles demandait un effort et Angélique y renonça. Après les salutations d'usage et une petite révérence elle s'éloigna, la laissant tirer l'aiguille dans son coin parmi ses laines.

Cette histoire de mariage lui avait embrouillé l'esprit. Elle reconnaissait le château. Mais il y avait un vide. Et ce n'était pas seulement par la disparition de sa mère. Ses frères ?... Les derniers avaient grandi, et elle les confondait. Celui qu'on appelait jadis le « petit » Denis avait aujourd'hui quinze ans.

— Où est Gontran ? demanda-t-elle subitement à Marie-Agnès.

La fillette s'étonna.

Sans doute, à ses yeux, Gontran faisait partie des « grands » qui vivaient au loin, chez les ursulines ou les jésuites pour leurs études. Elle les connaissait à peine. Mais elle avait l'esprit vif et voulait faire plaisir à sa sœur aînée qu'elle regardait avec admiration.

En attendant son retour, Angélique avait réfléchi et se souvint que lorsque son frère Raymond, le jésuite, était venu lui annoncer le décès de leur mère, il avait parlé du départ de Gontran pour faire des études à Paris.

Marie-Agnès revenait au pas de course en disant :

— Il est parti !

Elle ajouta :

— On ne sait pas où.

Ce qui semblait prouver qu'il n'avait guère donné de nouvelles.

Se promenant ce matin-là avec son père, elle éluda le sujet de Gontran, pressentant que l'humeur du baron en serait assombrie. Et puis il y avait autre chose. « Qu'est-ce donc que cette histoire de mariage ? », pensait la jeune fille.

Elle ne prenait pas encore l'affaire au sérieux, mais maintenant le ton d'assurance du baron commençait à l'inquiéter. Il n'avait pas beaucoup changé au cours des dernières années. À peine quelques fils gris se mêlaient-ils à ses moustaches et à la petite touffe de poils qu'il portait sous la lèvre, à la mode du règne de Louis XIII. Angélique, qui s'était attendue à le trouver abattu et incertain à la suite de la mort de sa femme, s'étonnait presque de le voir, en somme, assez en train et souriant.

Comme ils débouchaient sur une prairie en pente dominant les marais desséchés, elle essaya de détourner la conversation qui menaçait de créer un conflit entre eux alors qu'ils venaient à peine de se retrouver.

— Vous m'avez écrit, père, que vous aviez subi de grosses pertes de bétail par les réquisitions et pillages de l'armée durant les années de cette terrible Fronde ?

— Certes, Molines et moi-même avons perdu à peu près la moitié des bêtes et, sans lui, je serais en prison pour dettes, après vente de toutes nos terres.

— Est-ce que vous lui devez encore beaucoup ? s'inquiéta-t-elle.

— Hélas ! sur les quarante mille livres qu'il m'a prêtées jadis, en cinq années de travail acharné, je n'ai pu lui en rendre que cinq mille, et encore Molines les refusait-il, prétendant qu'il me les avait abandonnées et que c'était ma part dans l'affaire. J'ai dû me fâcher pour les lui faire accepter.

Angélique fit remarquer avec simplicité que, puisque le régisseur lui-même estimait n'avoir pas besoin d'être remboursé, son père avait eu tort de s'entêter dans sa générosité.

— S'il vous a proposé cette affaire, ce Molines, c'est qu'il y gagnait. Ce n'est pas un homme à faire des cadeaux. Mais il possède une certaine droiture, et s'il vous abandonne ces quarante mille livres, c'est qu'il estime que le mal que vous vous êtes donné et les services que vous lui avez rendus les valent bien.

— Il est vrai que notre petit commerce de mulets et de plomb avec l'Espagne, exempté d'impôts jusqu'à l'océan, marche tant bien que mal. Et les années sans pillage, lorsqu'on peut vendre le reste de la production à l'État, on couvre les frais… C'est vrai.

Il jeta sur Angélique un regard perplexe.

— Mais comme vous parlez net, ma fille ! Je me demande si un tel langage, pratique et même cru, sied à une toute jeune fille à peine sortie du couvent ?

Angélique se mit à rire.

— Il paraît qu'à Paris ce sont les femmes qui dirigent tout : la politique, la religion, les lettres, même les sciences. On les appelle les Précieuses. Elles se réunissent chaque jour chez l'une d'elles avec de beaux esprits, des savants. La maîtresse de maison est étendue sur son lit et ses invités s'entassent dans la ruelle de l'alcôve, et l'on discute. Je me demande si, lorsque j'irai à Paris, je ne créerai pas une ruelle où l'on parlerait commerce et affaires.

— Quelle horreur ! s'écria le baron, franchement choqué. Angélique, ce ne sont tout de même pas les ursulines de Poitiers qui vous ont inculqué de pareilles idées ?

— Elles prétendaient que j'étais excellente en calcul et en raisonnement. Trop même… En revanche, elles déploraient beaucoup de n'avoir pu faire de moi une dévote exemplaire… et hypocrite comme ma sœur Hortense. Celle-ci leur a fait beaucoup espérer qu'elle entrerait dans leur ordre. Mais décidément l'attrait du procureur a été plus grand.

— Ma fille, il ne faut pas être jalouse, puisque ce M. Molines que vous jugez sévèrement vous a justement trouvé un mari, qui est certainement de beaucoup supérieur à celui d'Hortense.

La jeune fille tapa du pied avec impatience.

— Molines exagère vraiment ! À vous entendre, ne dirait-on pas que je suis sa fille et non la vôtre, pour qu'il prenne si grand soin de mon avenir ?

— Vous auriez vraiment tort de vous en plaindre, petite mule, dit son père en souriant. Écoutez-moi un peu. Le comte Joffrey de Peyrac est un descendant des anciens comtes de Toulouse, dont les quartiers de noblesse remonteraient plus haut que ceux de notre roi Louis XIV. De plus, c'est l'homme le plus riche et le plus influent du Languedoc.

— C'est possible, père, mais enfin je ne peux pas me marier ainsi à un homme que je ne connais pas, que vous-même n'avez jamais vu.

— Pourquoi ? s'étonna-t-il. Toutes les jeunes filles de qualité se marient de cette façon. Ce n'est pas à elles, ni au hasard de décider des alliances qui sont favorables à leurs familles, et d'un établissement où elles engagent non seulement leur avenir mais leur nom.

— Est-il… est-il jeune ? interrogea la jeune fille avec hésitation.

— Jeune ? Jeune ? grommela le baron avec ennui. Voici une question bien oiseuse pour une personne pratique. En fait, il est vrai que votre futur époux a douze années de plus que vous. Mais la trentaine, chez un homme, est l'âge de la force et de la séduction. De nombreux enfants peuvent vous être accordés par le Ciel. Vous aurez un palais à Toulouse, des châteaux en Albi et en Béarn, des équipages, des toilettes…

M. de Sancé s'arrêta, à bout d'imagination.

— Pour ma part, conclut-il, j'estime que la demande en mariage d'un homme qui, lui non plus, ne vous a jamais vue, est une chance inespérée, extraordinaire…

Ils firent quelques pas en silence.

— Précisément, murmura Angélique, je trouve cette chance trop extraordinaire. Pouvez-vous me dire, papa, pourquoi ce comte, qui a tout ce qu'il faut pour choisir une riche héritière comme épouse, vient-il chercher au fond du Poitou une fille sans dot ?

— Sans dot ? répéta Armand de Sancé dont le visage s'éclaira. Rentre avec moi au château, Angélique, afin de t'habiller pour sortir. Nous allons prendre nos chevaux. Je veux te montrer quelque chose.

Dans la cour du manoir, un valet, sur l'ordre du baron, fit sortir deux chevaux de l'écurie et les harnacha rapidement.

Intriguée, la jeune fille ne posait plus de questions. Tandis qu'elle se mettait en selle, elle se disait qu'après tout elle était destinée à se marier, et que la plupart de ses compagnes se mariaient ainsi, avec des candidats que leur présentaient leurs parents. Pourquoi ce projet la révoltait-il à ce point ? L'homme qu'on lui destinait n'était pas un vieillard. Elle serait riche…

Angélique s'aperçut qu'elle éprouvait tout à coup une agréable sensation physique et fut quelques instants à en comprendre la raison. La main du valet qui l'avait aidée à s'asseoir en amazone sur la bête venait de glisser sur sa cheville et la caressait doucement, en un geste que la meilleure bonne volonté du monde ne pouvait prendre pour une inattention.

Le baron était entré dans le château pour y changer de bottes et mettre un rabat propre.

Elle eut un geste nerveux, et le cheval rompit de quelques pas.

— Qu'est-ce qui te prend, manant ?

Elle se sentait rouge et furieuse contre elle-même, car elle devait s'avouer qu'un frisson délicieux l'avait parcourue sous cette brève caresse.

Le valet, un hercule aux larges épaules, redressa la tête. Des mèches de cheveux bruns tombaient dans ses yeux sombres, qui brillaient d'une malice familière.

— Nicolas ! s'écria Angélique, tandis que le plaisir de revoir cet ancien compagnon de jeux et la confusion du geste qu'il avait osé se disputaient en elle.

— Ah ! tu as reconnu Nicolas, dit le baron de Sancé qui arrivait à grands pas. C'est le pire diable de la contrée et personne n'en vient à bout. Ni le labour, ni les mulets ne l'intéressent. Paresseux et trousseur de filles, voilà ton beau compagnon de jadis, Angélique !

Le jeune homme ne semblait nullement honteux des appréciations de son maître. Il continuait à regarder Angélique avec un rire qui montrait ses dents blanches, et une hardiesse presque insolente. Sa chemise ouverte découvrait sa poitrine massive et noire.

— Hé ! gars, prends un bourrin et suis-nous, dit le baron, qui ne voyait rien.

— Bien, not'maître.

Les trois montures franchirent le pont-levis et s'engagèrent dans le chemin, sur la gauche de Monteloup.

— Où allons-nous, père ?

— À la vieille carrière de plomb.

— Ces fours écroulés près des terres de l'abbaye de Nieul ?...

— Ceux-là mêmes.

Angélique se rappela le cloître des moines paillards, la folle équipée de son enfance lorsqu'elle avait voulu partir pour les Amériques, et les explications du frère Anselme à propos de plomb et d'argent, et des travaux accomplis dans la carrière au Moyen Âge.

— Je ne vois pas en quoi ce lopin de terre inculte...

— Ce lopin de terre, qui n'est plus inculte et qui s'appelle maintenant Argentières, représente tout simplement ta dot. Tu te souviens que Molines m'avait demandé de renouveler le droit d'exploitation de ma famille, comme l'exemption des impôts sur le quart de la production. Ceci obtenu, il a fait venir des ouvriers saxons. Voyant l'importance qu'il attachait à cette terre jusqu'ici déshéritée, je lui ai dit un jour que j'en ferais ta dot. Je crois que c'est de ce moment que l'idée d'un mariage avec le comte de Peyrac a germé dans sa tête fertile, car en effet ce seigneur toulousain voudrait l'acquérir. Je n'ai pas très bien compris le genre de transaction auquel il se livre avec Molines ; je crois que c'est lui qui est plus ou moins réceptionnaire des mulets et des métaux que nous envoyons par mer à destination espagnole. Cela prouve qu'il y a beaucoup plus de gentilshommes qu'on ne croit qui s'intéressent au commerce. J'aurais cru cependant que le comte de Peyrac avait assez de propriétés et de terres pour ne pas recourir à des procédés roturiers. Mais peut-être cela le distrait-il. On le dit très original.

— Si j'ai bien saisi, fit lentement Angélique, vous saviez que l'on convoitait cette mine, et vous avez fait comprendre qu'il fallait prendre la fille avec.

— Comme tu présentes les choses sous un angle bizarre, Angélique ! Je trouve que cette solution de te donner la mine en dot était excellente. Le désir de voir mes filles bien établies a été ma préoccupation principale ainsi que celle de ta pauvre mère. Or, chez nous, on ne vend pas les terres. Malgré les pires difficultés, nous avons réussi à garder le patrimoine intact, et pourtant du Plessis, plus d'une fois, a guigné mes fameux terrains des marais desséchés. Mais marier ma fille, non seulement honorablement, mais richement, voilà qui me contente. La terre ne sort pas de la famille. Elle ne va pas à un étranger mais à un nouveau rameau, à une nouvelle alliance.

Angélique allait un peu en retrait de son père, aussi celui-ci ne pouvait-il voir l'expression de son visage. Les petites dents blanches de la jeune fille mordaient ses lèvres avec une rage impuissante. Elle pouvait d'autant moins expliquer à son père combien la façon dont s'était présentée cette demande en mariage était humiliante pour elle, que celui-ci était persuadé d'avoir très habilement préparé le bonheur de sa fille. Elle essaya cependant encore de lutter.

— Si je me souviens bien, n'aviez-vous pas loué cette carrière pour dix ans à Molines ? Il reste donc environ quatre ans de fermage. Comment peut-on donner ce coin, qui est loué, en dot ?

— Molines est non seulement d'accord, mais il continuera d'exploiter pour le compte de M. de Peyrac. Du reste, le travail a déjà commencé il y a trois ans, comme tu vas le voir. Nous arrivons.

En une heure de trot, ils atteignaient les lieux.

Jadis Angélique avait cru que cette noire carrière et ses villages protestants étaient situés au bout du monde. Mais maintenant cela paraissait tout proche. Une route bien entretenue confirmait cette nouvelle impression. Un petit hameau pour les ouvriers avait été construit.

Le père et la fille mirent pied à terre, et Nicolas s'approcha pour tenir les brides des chevaux.

L'endroit à l'aspect désolé, dont Angélique se souvenait si bien, avait totalement changé.

Une canalisation amenait de l'eau courante et actionnait plusieurs meules de pierre verticales. Des pilons de fonte, dans un bruit sourd, écrasaient des pierres, tandis que des gros blocs de roche étaient débités par des masses à main.

Deux fours rougeoyaient et d'énormes soufflets de peau en activaient les flammes. Des montagnes noires de charbon de bois étaient disposées à côté des fours, et le reste du carreau de la mine était occupé par des tas de pierres. Dans des goulottes de bois où coulait de l'eau, des ouvriers jetaient à la pelle le sable de la roche sortant des meules. D'autres, avec des houes, ratissaient, à contre-courant, l'intérieur de ces canalisations. Un assez grand bâtiment, construit en retrait, montrait des portes avec grillages et barreaux de fer, fermées par de gros cadenas. Deux hommes armés de mousquets en gardaient les abords.

— La réserve des lingots d'argent et de plomb, dit le baron.

Très fier, il ajouta qu'il demanderait un jour prochain à Molines d'en montrer à Angélique le contenu.

Ensuite, il la mena voir la carrière attenante. D'énormes gradins d'une hauteur de deux toises chacun, dessinaient maintenant une sorte d'amphithéâtre romain. Çà et là, de noirs souterrains s'enfonçaient sous la roche, d'où l'on voyait surgir de petits chariots traînés par des ânes.

— Il y a ici dix familles saxonnes de mineurs de métier, fondeurs et carriers. Ce sont eux et Molines qui ont monté l'exploitation.

— Et l'affaire rapporte combien par an ? demanda Angélique.

— Ça, par exemple, c'est une question que je ne me suis jamais posée..., avoua avec une pointe de confusion Armand de Sancé. Tu comprends : Molines me paie régulièrement son fermage. Il a fait tous les frais d'installation. Des briques de fours sont venues d'Angleterre et sans doute même d'Espagne, apportées par des caravanes de contrebande du Languedoc.

— Probablement, n'est-ce pas par l'intermédiaire de celui que vous me destinez pour époux ?

— C'est possible. Il paraît qu'il s'occupe de mille choses diverses. C'est, d'ailleurs, un savant et c'est lui qui a dessiné le plan de cette machine à vapeur.

Le baron amena sa fille jusqu'à l'entrée d'une des basses galeries de la montagne. Il lui montra une sorte d'énorme chaudron de fer sous lequel on faisait du feu, et d'où s'échappaient deux gros tuyaux entourés de bandelettes, qui allaient ensuite s'enfoncer dans un puits. Un jet d'eau en jaillissait périodiquement à la surface du sol.

— C'est une des premières machines à vapeur construites jusqu'ici au monde. Elle sert à pomper l'eau souterraine des mines. C'est une invention que le comte de Peyrac a mise au point au cours d'un de ses séjours en Angleterre. Tu vois que, pour une femme qui veut devenir Précieuse, tu auras là un mari aussi savant et bel esprit que je suis, moi, ignorant et peu rapide, ajouta-t-il avec une moue piteuse. Tiens, bonjour, Fritz Hauër.

Un des ouvriers, qui se tenait près de la machine, ôta son bonnet et s'inclina profondément. Il avait un visage comme bleui par les poussières de roche incrustées dans sa peau, au cours d'une longue existence de travaux miniers. Deux doigts manquaient à l'une de ses mains. Trapu et bossu, on eût dit que ses bras étaient trop longs. Des mèches de cheveux tombaient dans ses yeux petits et brillants.

— Je trouve qu'il ressemble un peu à Vulcain, le dieu des enfers, dit M. de Sancé. Il paraît qu'il n'y a pas un homme qui connaisse mieux les entrailles de la terre que cet ouvrier saxon. C'est peut-être pourquoi il a cet aspect curieux. Toutes ces questions de mines ne m'ont jamais paru très claires, et je ne sais pas dans quelle mesure il ne s'y mêle pas un peu de sorcellerie. On dit que Fritz Hauër connaît un procédé secret pour transformer le plomb en or. Voilà qui serait bien extraordinaire. Toujours est-il qu'il travaille depuis plusieurs années avec le comte de Peyrac, qui l'a envoyé en Poitou pour installer Argentières.

« Le comte de Peyrac ! Toujours le comte de Peyrac ! », pensa Angélique, excédée.

Elle dit tout haut :

— C'est peut-être pour cela qu'il est si riche, ce comte de Peyrac. Il transforme en or le plomb que lui envoie ce Fritz Hauër. D'ici à ce qu'il me transforme en grenouille…

— Vraiment vous me peinez, ma fille. Pourquoi ce ton de persiflage ? Ne dirait-on pas que je cherche à faire votre malheur ? Il n'y a rien dans ce projet qui puisse justifier votre méfiance. Je m'attendais à des cris de joie, et je n'entends que des sarcasmes.

— C'est vrai, père, pardonnez-moi, fit Angélique confuse et désolée de la déception qu'elle lisait sur l'honnête visage du hobereau. Les religieuses ont souvent dit que je n'étais pas comme les autres et que j'avais des réactions déconcertantes. Je ne vous cache pas qu'au lieu de me réjouir, cette demande en mariage m'est extrêmement désagréable. Laissez-moi le temps de réfléchir, de m'habituer…

Elle sentait renaître en elle l'indulgence qu'elle avait toujours éprouvée pour son père. Il avait l'air tout confiant et, comme d'habitude, soulagé de pouvoir remettre la suite des explications à Molines.

Mais elle-même se sentait de plus en plus mal à l'aise et déconcertée.

Tout en parlant, ils étaient revenus vers les chevaux. Angélique se mit en selle rapidement afin d'éviter l'aide trop empressée de Nicolas, mais elle ne put empêcher que la main brune du valet ne l'effleurât en lui passant les rênes.

« C'est très gênant, se dit-elle, contrariée. Il faudra que je le remette à sa place. »

❦

Son retour à Monteloup était gâché.

Et, au fond, qu'avait-elle attendu de ce retour, après ces longues années de pension durant lesquelles elle n'avait jamais été vraiment heureuse ? La veille, la nourrice Fantine Lozier n'avait pas eu pour la serrer sur son cœur l'élan qu'elle attendait. Son expression lui avait paru encore plus tragique qu'autrefois, celle qu'elle avait lorsqu'elle s'apprêtait à entamer un de ses contes terrifiants. Mais il y avait longtemps, avait-elle compris, qu'Angélique ne faisait plus partie de « ses » enfants.

Et puis, c'est vrai, sa mère n'était plus là. Était-ce l'absence de sa mère qui éteignait pour elle la lumière du retour ?... Sur le point de suivre son père, Angélique retint son cheval.

Les chemins creux étaient fleuris d'aubépine. L'odeur exquise, en lui rappelant les jours de son enfance, apaisa un peu l'énervement de la jeune fille.

— Père, dit-elle tout à coup, je crois comprendre qu'au sujet du comte de Peyrac vous voudriez me voir prendre une décision rapide. Je viens d'avoir une idée : me permettez-vous de me rendre chez Molines ? Je voudrais avoir une conversation sérieuse avec lui.

Le baron jeta un regard au soleil afin de mesurer l'heure.

— Tu disposes d'une heure avant midi. Je pense qu'il se fera un plaisir de te recevoir à sa table. Va, ma fille. Nicolas t'accompagnera.

Angélique fut sur le point de refuser cette escorte, mais elle ne voulut pas avoir l'air d'attacher la moindre importance au paysan et, après avoir adressé un joyeux signe d'adieu à son père, elle s'élança au galop. Le valet, qui n'était monté que sur un mulet, se laissa bientôt distancer. Angélique laissa flotter les rênes afin de donner au cheval la liberté de sa plus grande vitesse, ce qui par les chemins creux, sous le fouillis de la végétation nouvelle, manquait de prudence.

Attentive à se maintenir en selle, elle refusait toute réflexion. Au gré de sa course lui parvenaient seulement les bouffées du parfum de l'aubépine neigeuse, ou la vision des touffes de primevères blanches et mauves distribuées au revers des talus comme par les soins d'une hôtesse attentive... Peut-être par la fée du printemps toujours présente, toujours fidèle.

Pourquoi son père, dans sa joie de lui avoir trouvé un mari, fustigeait-il les primevères ?...

Une demi-heure plus tard, Angélique, passant devant la grille du château du Plessis, se penchait pour essayer de découvrir au bout de l'allée de marronniers la blanche apparition.

« Philippe », pensa-t-elle.

Et elle s'étonna que ce nom lui fût revenu comme pour ajouter à sa mélancolie. Flottait aussi en sa mémoire le souvenir qu'en ce lieu son père et elle avaient été humiliés pour leur simplicité et leur pauvreté, par les rires moqueurs des brillants châtelains, pourtant de leur parenté. Couronnant la cime du grand parc touffu les tourelles blanches du château du Plessis s'entraperçurent, puis s'effacèrent.

La demeure de l'intendant huguenot surgit au tournant du chemin. Bâtie de brique rouge, cernée de pierres blanches et coiffée d'ardoises, elle se révélait solide et sans prétention.

Maître Molines parut sur le seuil. Angélique constata avec soulagement que lui n'avait pas du tout changé.

Elle retint sa monture haletante et sauta à terre. Un domestique accourait pour prendre les rênes du cheval et le conduire à l'écurie.

Tandis que l'intendant, après l'avoir saluée profondément, l'introduisait dans des salles et salons à la pénombre reposante, Angélique, à de subtils effluves pâtissiers et à des mouvements et des murmures de voix du côté de la vaste cuisine, enregistra que Mme Molines était bien là aussi, et sans doute, à son habitude, écartant ses servantes pour déposer elle-même sa grande tarte dans le four. « Ces filles n'étant pas capables d'enfourner sans faire couler le jus des fruits dans le feu… »

Au moins, ici, elle retrouvait quelques images du passé. Sur la table au bois étincelant à force d'être imprégné de cire d'abeille, il y avait deux verres de cristal, un flacon de vin sombre au reflet de rubis et, sur une assiette de faïence, quelques petits gâteaux disposés.

— Ma femme s'est souvenue que vous les aimiez, dit Molines.

Il se tenait debout, dans cette attitude déférente qu'il dédiait au baron de Sancé, et aujourd'hui, à elle, car elle n'était plus une enfant et il se devait de reconnaître son rang de jeune fille noble, supérieur au sien, roturier.

Mais Angélique, les premières salutations échangées, demeurait aussi debout. Préoccupée de la suite de l'entretien, elle n'avait cure des leçons de maintien au cours desquelles on lui avait soigneusement enseigné comment « selon son rang » elle devait s'asseoir ou se lever. Elle se demandait si, devant l'intendant du marquis du Plessis-Bellière, elle conserverait toujours l'impression d'avoir dix ans ?… Cela lui parut cocasse et un sourire lui vint aux lèvres.

Maître Molines prit l'aiguière et versa le vin dans les verres.

— Du vin de nos vignes… Je vous recommanderai, cependant, mademoiselle Angélique, d'attendre un peu pour le boire. Il est très frais et vous avez galopé outre mesure par cette chaleur.

— J'avais hâte de vous voir, monsieur Molines.

Molines s'inclina profondément, une main sur le cœur.

— J'en suis très honoré.

Au-dehors, elle distingua le trot du mulet de Nicolas qui arrivait. Elle en fut subitement irritée ainsi que des courbettes de Molines. Il était évident que celui-ci attendait sa visite qui avait dû être convenue à l'avance avec son père. Quoi qu'il en soit, ses arguments à lui devaient être préparés et de poids.

Elle avait affaire à forte partie. Mais Angélique savait aussi ce qu'elle voulait… ou plutôt ce qu'elle ne voulait pas.

Elle décida *in petto* qu'elle ne se laisserait pas impressionner, sur sa propre terre natale, par les changements intervenus autour d'elle… ou en elle. En effet, elle avait grandi. En effet, elle n'était plus une enfant. Et s'il fallait croiser le fer avec les uns et les autres, elle le ferait.

Il y eut un silence. Angélique regardait autour d'elle pour bien reprendre pied dans le présent, la réalité.

Il l'avait fait entrer dans le petit bureau où quelques années plus tôt il avait reçu son père. C'était là qu'avait pris naissance l'affaire des mulets, et la jeune fille se souvint tout à coup de la réponse ambiguë que le régisseur avait faite à sa question d'enfant pratique :

— Et à moi que me donnera-t-on ?

— On vous donnera un mari.

Pensait-il déjà à une alliance avec ce bizarre comte de Toulouse ? Ce n'était pas impossible, car Molines était un homme dont l'esprit voyait loin et entrelaçait mille projets. En fait, l'intendant du château voisin n'était pas antipathique. Son attitude quelque peu cauteleuse était inhérente à sa condition de subalterne. Un subalterne qui se savait plus intelligent que ses maîtres.

Pour la famille du petit châtelain voisin, son intervention avait été une véritable providence, mais Angélique savait que seul l'intérêt personnel de l'intendant était à l'origine de ses largesses et de son aide. Cela lui plaisait, en lui enlevant le scrupule de se croire son obligée et de lui devoir une reconnaissance humiliante. Elle s'étonnait cependant de la réelle sympathie que lui inspirait ce huguenot calculateur.

« C'est parce qu'il est en train de créer quelque chose de neuf et peut-être de solide », se dit-elle tout à coup. Mais, par exemple, elle admettait mal d'être mêlée aux projets du régisseur au même titre qu'une ânesse ou un lingot de plomb.

— Monsieur Molines, dit-elle nettement, mon père m'a parlé avec insistance d'un mariage que vous auriez organisé pour moi avec un certain comte de Peyrac. Étant donné l'influence très grande que vous avez prise sur mon père ces dernières années, je ne puis douter que vous attachiez, vous aussi, une grande importance à ce mariage, c'est-à-dire que je suis appelée à jouer un rôle dans vos combinaisons commerciales. Je voudrais bien savoir lequel ?

Un froid sourire étira les lèvres minces de son interlocuteur.

— Je remercie le Ciel de vous retrouver telle que vous promettiez de devenir lorsqu'on vous appelait dans le pays la petite fée des Marais. En effet, j'ai promis à M. le comte de Peyrac une femme belle et intelligente.

— Vous vous engagiez beaucoup. J'aurais pu devenir laide et idiote, et voilà qui aurait nui à votre métier d'entremetteur !

— Je ne m'engage jamais sur une présomption. À plusieurs reprises, des relations que j'ai à Poitiers m'ont entretenu de vous et, moi-même, je vous ai aperçue l'année dernière au cours d'une procession.

— Ainsi vous me faisiez surveiller, s'écria Angélique furieuse, comme un melon qui mûrit sous abri de paille !

Simultanément, l'image lui parut si drôle qu'elle pouffa de rire et que sa colère tomba. Au fond, elle préférait savoir à quoi s'en tenir plutôt que de se laisser prendre au piège comme une oie blanche.

C'est alors que Molines dit :

— Asseyez-vous, mademoiselle Angélique. Et prenez un doigt de vin.

Lui-même prit place en face d'elle.

— Si j'essayais de parler le langage de votre monde, dit gravement Molines, je pourrais me retrancher derrière des considérations traditionnelles : une jeune fille, très jeune encore, n'a pas besoin de savoir pourquoi ses parents lui choisissent tel ou tel mari. Les affaires de plomb et d'argent, de commerce et de douane, ne sont point du ressort des femmes, surtout des dames nobles… Les affaires d'élevage encore moins. Mais je crois vous connaître, Angélique, et je ne vous parlerai pas ainsi. Je vous en prie !… Buvez un peu.

Mais Angélique ne se sentait pas disposée à partager avec lui les libations de la bonne entente. S'imaginait-il qu'elle allait se ranger à ses vues pour « un doigt de vin » et quelques petits gâteaux ?

— Vous me faisiez surveiller, répéta-t-elle, mécontente.

Molines gardait son air sibyllin. Il eut un imperceptible haussement d'épaules qui rejetait le fait comme négligeable.

— De toute façon, c'était sans importance, dit-il, mais… c'est mieux ainsi.

Et son regard s'adoucit tandis qu'il se posait sur ce jeune visage empourpré dont la perfection des traits se révélait, aussi bien dans l'émotion que dans la gravité. Il notait la vivacité et l'intelligence transparaissant, selon les paroles échangées, dans les prunelles à la teinte rare. Ce n'était pas seulement – encadrés de ses cheveux lumineux un peu ébouriffés – les beaux yeux d'une adolescente sur le point de devenir une très jolie femme. Ils promettaient plus. Lorsqu'il l'avait vue déboucher, retenant son cheval au galop et sauter à terre en jetant les rênes au domestique accouru, il avait songé : « Encore une enfant. » Il commençait à modifier son jugement.

Certes, il y avait en elle une fougue harmonieuse qui lui était naturelle, mais contenue, tempérée aujourd'hui par les rituels raffinés de son éducation conventuelle. Les années chez les ursulines se révélaient bénéfiques. Ses gestes, ses attitudes avaient acquis grâce et charme et la componction requise pour paraître en tous lieux. Mais sa personnalité était demeurée vivante et libre.

Il décida de lui parler franchement.

Non sans étonnement, Angélique percevait que, pour lui aussi, le moment était important. La curiosité de connaître ce qu'il avait à lui faire savoir commençait à dominer la déception et la contrariété qui la tourmentaient depuis la veille. Elle n'était pas choquée du ton plus familier que prenait l'entretien.

— Pourquoi pensez-vous pouvoir me parler autrement qu'à mon père ?

— C'est difficile à exprimer, mademoiselle. Je ne suis pas philosophe et mes études ont surtout consisté en expériences de travail. Pardonnez-moi d'être très franc. Mais je vous dirai une chose. Les gens de votre monde ne pourront jamais comprendre ce qui m'anime : c'est le travail.

— Les paysans travaillent beaucoup plus encore, il me semble.

— Ils triment, ce n'est pas pareil. Ils sont stupides, ignares et inconscients de leur intérêt, de même que les gens de la noblesse qui, eux, ne produisent rien. Ces derniers sont des êtres inutiles, sauf dans la conduite des guerres destructrices. Votre père, lui, commence à faire quelque chose, mais, excusez-moi, mademoiselle, il ne comprendra jamais le travail ! Pour lui, ce sera toujours déchoir…

— Vous pensez qu'il ne réussira pas, par la fin ? s'effara-t-elle soudain, le cœur serré. Je croyais pourtant que son affaire marchait, et la preuve en était que vous vous y intéressiez.

— La preuve serait surtout que nous sortions plusieurs centaines de mulets par an, et la deuxième et plus importante preuve serait que cela rapporte un revenu considérable et croissant. Voilà le signe véritable d'une affaire qui marche.

— Eh bien, n'est-ce pas ce à quoi nous parviendrons un jour ?

— Non, car un élevage, même important et ayant des réserves d'argent derrière lui pour les moments difficiles, maladies ou guerres, reste un élevage quand même. C'est comme la culture de la terre, une chose très longue et de très petit rapport. D'ailleurs, jamais les terres, ni les bêtes, n'ont enrichi véritablement les hommes : rappelez-vous l'exemple des immenses troupeaux des pasteurs de la Bible, dont la vie était cependant si frugale.

— Si telle est votre conviction, je ne vous comprends pas, monsieur Molines, de vous être lancé, vous si prudent, dans une telle affaire, longue et de très petit rapport.

— Mais c'est là, mademoiselle, que monsieur votre père et moi allons avoir besoin de vous.

— Je ne peux pourtant pas vous aider à faire mettre bas vos ânesses deux fois plus rapidement.

— Vous pouvez nous aider à en doubler le rapport.

— Je ne vois absolument pas de quelle façon.

— Vous allez saisir mon idée facilement. Ce qui compte dans une affaire rentable, c'est d'aller vite mais, comme nous ne pouvons changer les lois de Dieu, force nous est d'exploiter la faiblesse de l'esprit des hommes. Ainsi donc les mulets représentent la façade de l'affaire. Ils couvrent les frais courants, nous mettent au mieux avec l'Intendance militaire, à laquelle nous vendons du cuir et des bêtes. Ils permettent surtout de circuler librement, avec des exemptions de douane et de péages, et de pouvoir mettre sur les routes des caravanes lourdement chargées. Ainsi nous expédions, avec un contingent de mulets, du plomb et de l'argent à destination de l'Angleterre. Au retour les bêtes rapportent des sacs de scories noires que nous baptisons « fondants », produits nécessaires aux travaux de la mine, et qui sont en réalité de l'or et de l'argent camouflés, venus de l'Espagne en guerre en passant par Londres.

— Je ne vous suis plus. Pourquoi envoyez-vous de l'argent à Londres pour en ramener ensuite ?

— J'en ramène double ou triple quantité. En ce qui concerne l'or, le comte Joffrey de Peyrac possède en Languedoc un gisement aurifère. Lorsqu'il aura la mine d'Argentières, les opérations de change que je ferai pour lui sur ces deux métaux précieux ne pourront plus paraître en rien suspects, or et argent venant officiellement de ces deux mines lui appartenant. C'est en cela que réside notre véritable affaire. Car, comprenez-moi, l'or et l'argent que nous pouvons exploiter en France représentent, une fois encore, peu de chose. En revanche, sans inquiéter le fisc, ni l'octroi ni la douane, nous pouvons faire entrer une grande quantité d'or et d'argent espagnols. Les lingots que je présente aux changeurs ne parlent pas. Ils ne peuvent confesser qu'au lieu de provenir d'Argentières ou du Languedoc, ils arrivent d'Espagne par l'intermédiaire de Londres. Ainsi, tout en donnant un bénéfice légal au Trésor royal, nous pouvons passer, sous couvert de travaux miniers, une quantité importante de métaux précieux, sans payer de main-d'œuvre, de droits de douane, et sans nous voir ruinés par de trop importantes installations, car personne ne peut se douter combien nous produisons ici, et l'on doit se fier aux chiffres que nous déclarons.

— Mais si ce trafic est découvert, ne risque-t-il pas de vous conduire aux galères ?

— Pourquoi ? Nous ne fabriquons aucune fausse monnaie. Nous n'avons d'ailleurs pas l'intention d'en fabriquer jamais. Au contraire, c'est nous qui alimentons régulièrement le Trésor royal en ce qui lui manque le plus : le numéraire. En bon et franc or, et en argent en lingots qu'il vérifie et estampille et dont il frappera monnaie. Seulement, à l'abri de ces minimes extractions nationales, nous pourrons, lorsque la mine d'Argentières et celle du Languedoc seront réunies sous un même nom, connaître un rapide bénéfice des métaux précieux d'Espagne. Ce dernier pays regorge d'or et d'argent venus des Amériques ; il en a perdu le goût de tout travail et ne vit plus que par le troc de ses matières premières avec d'autres nations. Les banques de Londres lui servent d'intermédiaires. L'Espagne est à la fois le plus riche et le plus misérable pays du monde. Quant à la France, ces rapports commerciaux, qu'une mauvaise gestion économique l'empêche d'accomplir au grand jour, l'enrichiront presque malgré elle. Et nous-mêmes auparavant, car les sommes investies seront rendues plus vite et de façon plus importante, qu'avec le marché d'une ânesse qui porte dix mois et ne peut rapporter au plus que 10 % du capital investi.

Angélique ne pouvait s'empêcher d'être très intéressée par ces combinaisons ingénieuses.

— Et le plomb, que comptez-vous en faire ? Sert-il seulement de déguisement ou peut-il être utilisé commercialement ?

— Le plomb est d'un très bon rapport. Il en faut pour la guerre et la chasse. Il a pris encore de la valeur ces dernières années, depuis que la reine mère a fait venir des ingénieurs florentins qui complètent des installations de salles d'eau dans toutes ses demeures, ainsi que l'avait déjà fait sa belle-mère, Marie de Médicis. Vous avez dû voir le modèle d'une de ces salles au château du Plessis, avec sa baignoire romaine et tous ses tuyaux de plomb.

— Et le marquis votre maître est-il au courant de tant de projets ?

Molines eut un sourire indulgent et leva les yeux au ciel.

— Hélas ! M. le marquis du Plessis a commis l'immense erreur de suivre le prince de Condé dans sa rébellion contre le roi. Je le crois aujourd'hui détaché du parti de monsieur le Prince, lequel a été condamné par contumace à mort et continue à combattre ici et là contre les armées royales. M. du Plessis cherche à rentrer en grâce. Je le vois peu. Je veille sur ses biens et il sait que je lui ai évité de justesse de connaître la sanction infligée à M. de La Rochefoucauld dont la reine régente a fait démolir le château. Quoi qu'il en soit, l'affaire d'Argentières ne peut le concerner d'aucune façon. Il s'agit de vous et du fief héréditaire de votre famille. Or, en d'autres temps les Sancé de Monteloup ont eu suzeraineté sur les du Plessis, et non le contraire.

Angélique ressentit une brève satisfaction à voir confirmer ce détail.

— Et mon père, que sait-il de vos trafics d'or et d'argent ?

— J'ai pensé que le seul fait de savoir que des métaux espagnols passeraient sur ses terres lui serait désagréable. N'est-il pas préférable de lui laisser croire que les petits rapports qui lui permettent de vivre sont le fruit d'un labeur honnête et traditionnel ?

Angélique fut froissée par l'ironie un peu dédaigneuse de la voix du régisseur. Elle dit sèchement :

— Pourquoi ai-je droit, moi, à ce que vous me dévoiliez vos combinaisons, qui sentent les galères à dix lieues ?

— Il n'est pas question de galères, et, y aurait-il des difficultés avec des commis administratifs, que quelques écus arrangeraient les choses : voyez si Mazarin et Fouquet ne sont pas des personnages qui ont plus de crédit que les princes du sang et que le roi même. C'est parce qu'ils sont possesseurs d'une immense fortune. Quant à vous, je sais que vous vous débattrez dans les brancards tant que vous n'aurez pas compris pourquoi on vous y engage. Le problème, au fond, est simple. Le comte de Peyrac a besoin d'Argentières. Et votre père ne lui cédera sa terre qu'en établissant une de ses filles. Vous savez combien il est têtu. Il ne vendra jamais une parcelle de son patrimoine sans réaliser ce but qui lui tient le plus à cœur : vous établir. D'autre part, le comte de Peyrac, désirant se marier dans une famille de bonne noblesse, a trouvé la combinaison avantageuse.

— Et si, moi, je refusais de partager cet avis ?

— Ce serait très grave. Vous ne souhaitez pas que votre père connaisse la prison pour dettes… Votre château retombera dans des difficultés plus grandes que celles que vous avez connues jadis. Quant à vos jeunes frères et sœurs qui demeurent encore à Monteloup… Le dernier a à peine sept ou huit ans je crois. Leur éducation sera menacée comme fut la vôtre. Et je ne pourrai, hélas ! renouveler pour eux le prêt dont je disposais alors. Et quel sera votre avenir de fille sans dot ? Vous vieillirez comme vos tantes dans la pauvreté.

Voyant les yeux de la jeune fille étinceler de colère, il ajouta d'un ton patelin :

— Mais pourquoi me contraindre à brosser ce noir tableau ? Je me suis figuré que vous étiez d'une autre trempe que ces nobles qui se contentent de leur blason pour tout potage, et qui vivent des aumônes du roi… On ne sort pas des difficultés sans les saisir à pleines mains et sans payer un peu de sa personne. C'est-à-dire qu'il faut agir. Voilà pourquoi je ne vous ai rien caché, afin que vous sachiez dans quel sens porter votre effort.

Aucune parole ne pouvait atteindre plus directement Angélique. Jamais personne ne lui avait adressé un langage aussi proche de son caractère. Elle se redressa comme sous un coup de fouet. Elle revoyait Monteloup en ruine, ses jeunes frères et sœurs vautrés dans le fumier, sa mère aux doigts rouges de froid, et son père assis à son petit bureau, écrivant avec application une supplique au roi qui n'avait jamais répondu… De toute son énergie, elle luttait encore, ne pouvant accepter que tant d'efforts intelligents n'aboutissent pas. Elle conservait un doute.

Elle devait dire à Molines le fond de sa pensée. C'était difficile à faire remarquer à cet homme froid et dur, mais il n'y avait pas de raison, se dit-elle, que l'humiliation soit toujours de leur côté à elle et à son père. Molines n'aurait pas proposé cette affaire s'il n'avait pas été persuadé lui-même qu'elle pourrait lui rapporter sinon beaucoup, au moins un substantiel bénéfice.

Mesurant ses paroles, elle déclara :

— Monsieur Molines, sachez que je n'ignore pas ce que nous vous devons. Les avances que vous avez consenties jadis à mon père nous ont permis, à mes sœurs et à moi ainsi qu'à mes frères, de faire des études à Poitiers. Mais je veux penser que l'affaire que vous, un homme d'expérience, avez pu entreprendre avec l'alliance des privilèges de mon père et la mise en exploitation de ses terres, ne vous a pas été non plus, à vous, sans profits ?…

Molines eut de nouveau son mince sourire, mais cette fois sincère. Il paraissait content. Il appartenait à la Religion réformée, donc naturellement persuadé de sa propre valeur. Et ce brin d'insolence de la part d'Angélique ne lui déplaisait pas. Il répondit :

— En effet. Mais comme toute affaire, celle-ci comportait des risques… que j'ai dû accepter d'avance.

— Par exemple, lesquels ?

— Eh bien ! mais précisément, que vous ne soyez pas consentante, le moment venu, à remplir le rôle que l'on vous assignait dans l'avenir.

Angélique sursauta et le fixa, saisie.

Elle n'avait pas encore tout à fait envisagé les conséquences de sa décision.

Le régisseur poursuivit doucement :

— « Qu'arriverait-il si… ? », m'avez-vous questionné. Eh bien, je vous l'ai dit. Votre père pourrait connaître la prison pour dettes… et il se peut que ma situation ne se retrouve pas meilleure que la sienne… Il suffit de très peu de choses pour que notre bel échafaudage s'effondre car, déjà, il ne fonctionne que par la reconnaissance anticipée du don de la mine d'Argentières à M. de Peyrac… Et celui-ci n'est pas homme à se laisser gruger.

Cette fois, il n'y avait plus d'échappatoire.

Le piège se refermait sur elle… Et par sa propre reddition.

À qui pourrait-elle jamais faire comprendre les raisons de sa révolte et de l'angoisse qui l'habitait ?… Qui comprendrait de quelle sorte était le sacrifice qui lui était demandé ? Le savait-elle elle-même ?

Molines la regardait se débattre, impavide.

Elle pensa qu'elle le détestait mais ne pouvait lui en vouloir, ni à son père. Il lui avait dit la vérité. Compte tenu de tous les obstacles qu'ils avaient dû franchir au cours des années, il fallait reconnaître que c'était une affaire très bien menée et, sous des apparences suspectes, finalement honnête car avantageuse pour tout le monde.

Et maintenant, ce qui lui apparaissait, c'est que tout dépendait d'elle. D'elle seule dépendait que son père, si courageux et si probe, puisse enfin voir le résultat de ses efforts, c'est-à-dire, Monteloup sauvé à jamais… Et ce qui était plus inconcevable encore, d'elle seule dépendait que l'habile et industrieux Molines ait gagné ou perdu, lui aussi, dans ce pari qu'il avait lancé au pays de la réussite des mulets et de l'exploitation de la mine abandonnée…

Le régisseur huguenot les avait jadis sauvés de la misère.

Le moment était venu de payer.

Angélique se leva.

— C'est entendu, monsieur Molines, dit-elle d'une voix blanche. J'épouserai le comte de Peyrac.

Chapitre dix-septième

ANGÉLIQUE AURAIT SOUHAITÉ se remettre en selle aussitôt. Mais par politesse vis-à-vis de son hôte et aussi éprouvant le besoin de reprendre des forces, elle avait succombé à la tentation de croquer quelques petits gâteaux et de boire un « doigt de vin ».

Puis, naturellement, Mme Molines, empressée, était venue la convier à partager le repas de midi dont l'heure était déjà bien passée. Familière, maternelle, tout enveloppée des effluves de sa tarte magnifiquement réussie, Mme Molines dispensait un climat de bienveillance et de réconfort. Elle parla, en essuyant une larme au coin de l'œil, de la disparition de Mme la baronne de Sancé qui l'avait beaucoup peinée ainsi que les habitants de la région.

Angélique émue s'étonnait en secret, car ne disait-on pas que les adeptes de la Religion réformée étaient de caractère froid et manquaient de cœur ? Or ces personnes lui étaient proches par l'intérêt qu'elles avaient toujours porté à sa famille. Aussi une question lui vint-elle spontanément aux lèvres.

— Monsieur Molines, pouvez-vous me renseigner sur ce que devient mon frère Gontran ?

— Hélas ! non, mademoiselle. Il est parti voici bientôt plus de quatre ans, refusant d'aller se mettre au service du roi, alors qu'à l'époque les affaires de M. le baron auraient pu lui permettre de le nantir d'un équipement militaire restreint peut-être, mais suffisant… À lui, par la suite, de se faire apprécier par son zèle et par son courage. Mais il ne voulait rien entendre. Il disait qu'il voulait être peintre.

— Peintre ? Un artisan ?…

— Oui ! Cette attitude a beaucoup affecté M. le baron ainsi que madame votre mère.

Ainsi, comme l'aîné Josselin, Gontran était parti, refusant d'être retenu par les liens de sa naissance. D'une façon fugitive, tandis que Molines parlait, Angélique éprouva un frisson. Elle ne pouvait s'empêcher de penser que ses deux frères, par le choix de la rupture, s'étaient condamnés à un destin fatal.

Son cœur se serra plus encore.

Maintenant elle revenait par les chemins embaumés, mais ne voyait rien, tout à ses pensées. Nicolas la suivait sur son mulet. Elle ne prêtait plus attention au jeune valet. Elle essayait cependant de ne point préciser le vague effroi qui continuait à s'agiter en elle. Sa résolution était prise. Quoi qu'il advînt, elle ne retournerait pas en arrière. Alors, le mieux était de regarder en avant et de rejeter impitoyablement tout ce qui pourrait la faire chanceler dans l'exécution de ce programme si bien tracé.

Tout à coup, une voix mâle l'interpella :

— Mademoiselle ! Mademoiselle Angélique !

Machinalement, elle tira sur ses rênes, et le cheval qui, depuis quelques minutes, marchait lentement, s'arrêta. En se retournant, Angélique vit que Nicolas avait mis pied à terre et lui faisait signe de le rejoindre.

— Que se passe-t-il ? interrogea-t-elle.

Assez mystérieusement, il chuchota :

— Descendez, je veux vous montrer quelque chose.

Le valet ayant passé les brides des deux bêtes au tronc d'un jeune bouleau précéda Angélique, sous le couvert d'un petit bois. Elle le suivit. La lumière printanière, à travers les feuilles toutes neuves, était couleur d'angélique. Un oiseau sifflait sans répit dans les halliers.

Le front penché, Nicolas marchait en regardant avec attention autour de lui. Il s'agenouilla enfin, puis, se relevant, tendit, dans ses deux paumes ouvertes, des fruits rouges et parfumés.

— Les premières fraises, murmura-t-il tandis que la malice de son sourire allumait une flamme dans ses yeux marron.

— Oh ! Nicolas, il ne faut pas, protesta Angélique.

Son émotion lui amena des larmes subites au bord des cils, car, dans ce geste, c'était tout le charme de son enfance qu'il lui rendait, le charme de Monteloup, des courses dans les bois, des rêves grisés d'aubépines, la fraîcheur des canaux où Valentin l'entraînait, des ruisseaux où l'on pêchait l'écrevisse, Monteloup qui ne ressemblait à aucun lieu sur terre parce que s'y mêlaient le mystère douceâtre des marais, l'âcre mystère des forêts…

— Te rappelles-tu, murmura-t-il, comme nous te nommions : marquise des Anges…

— Tu es sot, fit-elle d'une voix fragile, tu ne devrais pas, Nicolas…

Mais déjà, retrouvant un geste familier, elle picorait dans les mains tendues les fruits menus et délicieux.

Nicolas se tenait tout près d'elle comme au temps jadis, mais maintenant le garçonnet maigre et preste, au visage d'écureuil, la dominait de toute sa taille et, par l'échancrure de sa chemise ouverte, elle respirait l'odeur rustique de cette chair d'homme, hâlée et velue de poils noirs. Elle voyait la poitrine puissante respirer à coups lents, et cela la troublait au point qu'elle n'osait plus relever la tête, trop sûre du regard audacieux et brûlant qu'elle rencontrerait. Elle continua de goûter les fraises, s'absorbant dans sa délectation, et, en vérité, elle y accordait un prix infini.

« Une dernière fois Monteloup ! se disait-elle. Une dernière fois que je le savoure ! Tout ce qu'il a eu de meilleur pour moi est contenu dans ces mains-là, les mains brunes de Nicolas. »

Le tiède parfum des fraises avait quelque chose de consolant. Les cueillant une à une dans ces mains, Angélique commençait d'oublier la tension de cette matinée, les discours de son père qui avaient gâché la promenade qu'elle se réjouissait de faire avec lui, puis ce moment de discussion âpre et serré avec l'intendant huguenot, méthodique et implacable sous ses airs doucereux.

Elle se détendit. Enfin elle retrouvait Monteloup avec tout ce qu'il en restait de doux pour elle, de familier, de nécessaire.

Nicolas semblait deviner ce qui se passait en elle.

Cela ne déplaisait pas à Angélique qu'il la devinât, qu'il fût conscient de sa faiblesse, de cette sorte de vertige qui la faisait osciller vers lui. Lui, c'était Monteloup, et ses saveurs et ses langueurs et ses mystères.

Elle vacillait.

L'intendant Molines l'avait chargée d'un fardeau dont sa jeunesse, encore adolescente, n'était pas prête à supporter le poids. Il était encore temps pour elle de refuser ce fardeau.

Soudain, en cet instant embrumé, elle se sentit libre et comme allégée de ce poids.

Et s'il ne s'était rien passé ?... Si elle n'avait pris aucune décision déchirante ?... Rester !... Se mettre à revivre à Monteloup !... Ce serait si simple de suivre à nouveau le courant des eaux vertes, presque immobiles, ou le sentier sinuant entre mousses et racines, en la forêt profonde ! Se noyer en Monteloup ! S'abandonner à ses découvertes infinies, comme au fil des eaux sous le vélum des branches feuillues... Et n'avait-elle pas au sein de cette nature exubérante, une tâche à remplir, une mission dont elle n'avait cessé d'entendre l'appel ?...

La présence obsédante de Nicolas ajoutait à cette impression d'envoûtement qui la gagnait, annihilant sa volonté de consentement qu'avait obtenu Molines. Il n'y avait plus de fraises dans les mains de Nicolas, mais elle ne bougeait pas.

De ce ton secret et mystérieux qu'il avait adopté afin de mieux la séduire, et réellement elle pensa qu'il la connaissait bien, ce compagnon berger de son enfance, il chuchota la nouvelle capable de la retenir à jamais.

— Il y a une autre sorcière dans la grotte de la falaise. Et elle est différente de la première, mais les gens du pays l'ont appelée Mélusine.

Angélique sursauta… et ressentit la douleur comme d'un coutelas qui la frappait brusquement dans la région du cœur.

Elle se ressaisit. Il avait eu tort de lui rappeler la sorcière Mélusine.

Mélusine, pendue aux branches d'un chêne de sa forêt par la sottise des hommes. Il lui parut que Mélusine l'appelait et en même temps lui interdisait de revenir.

Le verdict tomba sur elle. Une voix venue de très loin, des confins du bocage, criait : « Va-t'en ! »

Elle fixait le visage de Nicolas et celui-ci, sous le coup de la déception, prenait une expression brutale.

Non ! Monteloup ne pouvait pas renaître. Les liens avaient été tranchés jadis. Et elle-même, Angélique, venait d'en décider, tout à l'heure, chez Molines. Elle ferma brusquement les yeux et appuya sa tête en arrière contre le tronc d'un arbre.

— Écoute, Nicolas…

— Je t'écoute, répondit-il en patois.

Et elle sentit sur sa joue son souffle chaud, au goût de cidre. Il était si proche, presque collé à elle, qu'il l'enveloppait toute du rayonnement de sa massive présence. Pourtant il ne la touchait pas et subitement, en le regardant, elle vit qu'il avait mis ses mains au dos pour résister à la tentation de la saisir, de l'étreindre. Elle reçut le choc du regard redoutable, dépourvu de tout sourire, assombri d'une prière qui ne laissait place à aucune équivoque. Jamais Angélique n'avait capté ainsi l'attirance de l'homme, n'avait entendu confession plus nette sur les désirs qu'inspirait sa beauté. Le caprice du page de Poitiers n'avait été qu'un jeu, une acide expérience de jeunes bêtes qui essaient leurs griffes.

Là, c'était autre chose, c'était puissant et dur, vieux comme le monde, comme la terre, comme l'orage. La jeune fille s'en effraya. Plus expérimentée elle n'eût pu résister à un tel appel. Sa chair s'émouvait, ses jambes tremblaient, mais elle recula telle la biche devant le chasseur.

L'inconnu de ce qui l'attendait et la violence contenue du jeune homme l'apeurèrent.

— Ne me regarde pas ainsi, Nicolas, fit-elle en essayant de raffermir sa voix, je veux te dire…

— Je sais ce que tu veux me dire, interrompit-il d'une voix sourde. Je le lis dans tes yeux et dans la façon dont tu redresses la tête. Tu es Mlle de Sancé et moi je suis un valet… Et maintenant, c'est fini pour nous de nous regarder même en face. Moi, je dois rester tête basse ! Bien, mademoiselle ; oui, mademoiselle… Et toi, ce sont tes yeux qui passent par-dessus moi, sans me voir… Pas plus qu'une bûche, moins qu'un chien. Il y a des marquises dans leurs châteaux qui se font laver par leur laquais, parce qu'un laquais, ça ne tire pas à conséquence qu'on se montre nue devant lui… Un laquais, ça n'est point un homme, c'est un meuble… un meuble à servir. Est-ce ainsi que tu me traiteras maintenant ?

— Tais-toi.

— Oui, je vais me taire.

Il respirait violemment, mais bouche close comme une bête malade.

— Je vais te dire une dernière chose avant de me taire, reprit-il, c'est qu'il n'y avait que toi dans ma vie. Je ne l'ai compris que lorsque tu es partie, et pendant plusieurs jours je suis devenu comme fou. C'est vrai que je suis paresseux, trousseur de filles, et que j'ai le dégoût de la terre et des bêtes. Je suis comme quelque chose qui n'est pas à sa place et qui se promènera toujours ici et là sans savoir. Ma seule place, c'était toi. Lorsque tu es revenue, je n'ai pas pu attendre pour savoir si tu étais toujours à moi, si je t'avais perdue. Oui, je suis hardi et sans gêne. Oui, si tu avais voulu, je t'aurais prise, là, sur la mousse, dans ce petit bois qui est à nous, sur cette terre de Monteloup qui est à nous, rien qu'à nous deux comme autrefois ! cria-t-il.

Les oiseaux effrayés s'étaient tus dans les ramées.

— Tu divagues, mon pauvre Nicolas, dit doucement Angélique.

— Pas cela, fit le jeune homme en pâlissant sous son hâle.

Elle secoua ses longs cheveux, qu'elle portait encore épandus sur les épaules, et une pointe de colère l'anima.

— Quel langage veux-tu que je te tienne ? fit-elle, employant à son tour le patois. Que je le veuille ou non, je ne suis plus libre d'écouter les propos galants d'un berger. Je dois épouser prochainement le comte de Peyrac.

— Le comte de Peyrac ! répéta Nicolas avec stupeur.

Il recula de quelques pas et la considéra en silence.

— Alors c'est vrai ce qu'on racontait dans le pays ? souffla-t-il. Le comte de Peyrac. Vous !… Vous ! Vous allez épouser cet homme-là ?

— Oui.

Elle ne voulait pas poser de question ; elle avait dit oui, c'était suffisant. Elle dirait oui, aveuglément, jusqu'au bout.

Elle prit le petit sentier qui la ramenait vers la route, et sa cravache abattait un peu nerveusement les pousses tendres en bordure du chemin.

Le cheval et le mulet broutaient de concert à la lisière du bois. Nicolas les détacha. Les yeux baissés, il aida Angélique à s'asseoir sur la selle. Ce fut elle qui retint tout à coup la main rude du valet.

— Nicolas… dis-moi, le connais-tu ?

Il leva les yeux vers elle et elle y vit briller une ironie méchante.

— Oui… je l'ai vu… Il est venu bien des fois au pays. C'est un homme si laid que les filles s'enfuient quand il passe sur son cheval noir. Il est boiteux comme le Maudit, mauvais comme lui… On dit que, dans son château de Toulouse, il attire les femmes par des philtres et des chants étranges… Celles qui le suivent, on ne les revoit plus, ou bien elles deviennent folles… Ah ! ah ! ah ! que voilà un bel époux, mademoiselle de Sancé !…

— Tu dis qu'il est boiteux ? répéta Angélique, dont les mains se glaçaient.

— Oui, boiteux ! BOITEUX ! Demandez à chacun, on vous répondra : c'est le Grand Boiteux du Languedoc.

Il se mit à rire et marcha vers son mulet en imitant une claudication accentuée.

Angélique cravacha sa bête, la lança à corps perdu. À travers les buissons d'aubépine, elle fuyait la voix ricanante qui répétait : « Boiteux ! BOITEUX !… »

❦

Elle arrivait dans la cour de Monteloup lorsqu'un cavalier, derrière elle, franchit le vieux pont-levis. À son visage suant et poussiéreux et à ses hauts-de-chausses renforcés de cuir, on vit aussitôt que c'était un messager.

Tout d'abord, personne ne comprit rien à ce qu'il demandait, car son accent était si extraordinaire qu'il fallut un certain temps pour s'apercevoir qu'il parlait français. À M. de Sancé accouru, il remit un pli tiré de sa petite boîte de fer.

— Mon Dieu, c'est M. d'Andijos qui arrive demain, s'écria le baron très agité.

— Qui est-ce encore ? interrogea Angélique.

— C'est un ami du comte. M. d'Andijos doit t'épouser…

— Tiens, celui-là aussi ?

— … par procuration, Angélique. Laisse-moi achever mes phrases, mon enfant. Ventre-saint-gris, comme disait ton grand-père, je me demande ce que les religieuses t'ont appris si elles ne t'ont même pas inculqué le respect que tu me dois. Le comte de Peyrac envoie son meilleur ami pour le représenter à la première cérémonie nuptiale, qui aura lieu ici, dans la chapelle de Monteloup. La seconde bénédiction se donnera à Toulouse. À celle-ci, hélas ! ta famille ne pourra assister. Le marquis d'Andijos t'escortera durant ton voyage jusqu'au Languedoc. Ces gens du Sud sont rapides. Je les savais en route, mais ne les attendais pas de sitôt.

— Je vois qu'il était temps pour moi d'accepter, murmura Angélique avec amertume.

Le lendemain, un peu avant midi, la cour s'emplit du bruit des roues des carrosses grinçants, des hennissements de chevaux, de cris sonores et de discours volubiles. Le Midi débarquait à Monteloup.

Le marquis d'Andijos, très brun, la moustache en pointe de poignard, l'œil de feu, portait une rhingrave de soie jaune et orange qui dissimulait avec grâce son embonpoint de joyeux vivant. Il présenta également ses compagnons. Deux d'entre eux seraient témoins au mariage, le comte de Carbon-Dorgerac et le petit baron Cerbalaud.

Dans la cour, la famille de Sancé avait disposé des gobelets d'étain et des pichets de vin du coteau de Chaillé. Les arrivants mouraient de soif. Mais, après avoir bu, le marquis d'Andijos se retourna et cracha à terre avec précision.

— Par saint Paulin, baron, vos vins du Poitou me révoltent la langue ! Ce que vous venez de me verser là est un grince-dents du dernier sur. Holà ! les Gascons, apportez les barriques !

Sa simplicité sans détour, son accent chantant, l'ail de son haleine, loin de déplaire au baron de Sancé, l'enchantèrent.

Il avait connu un temps où, même chez les princes, on parlait franc et agissait sans manières. Ainsi, au Louvre à Paris ou à Poitiers, alors qu'il faisait son temps de service auprès du roi Louis XIII, on avait vu celui-ci, choqué par le décolleté indécent d'une jeune femme, prendre un verre de vin rouge et le jeter dans ce qu'il nomma « le bénitier du diable ». Pendant que la pauvre jeune fille, trempée, se pâmait, le père Wassaut, ce jésuite aumônier de la reine, avait fait remarquer d'une mine sérieuse que « cette gorge valait bien une gorgée », ce qui prouvait que même un jésuite pouvait se montrer pince-sans-rire.

— On connaît cette histoire par cœur ! chuchota la jeune Marie-Agnès en donnant un coup de coude à Angélique.

Mais celle-ci n'avait même pas la force de sourire.

Depuis la veille elle s'était tellement démenée avec la tante Pulchérie et la nourrice pour donner au vieux château un aspect présentable, qu'elle se sentait rompue et ankylosée.

C'était mieux ainsi : Angélique ne pouvait même plus penser. Elle avait enfilé sa robe la plus élégante, faite à Poitiers, mais qui était grise encore avec cependant quelques petits nœuds bleus sur le corsage, sarcelle grise parmi les seigneurs chatoyants de rubans. Elle ne savait pas que son chaud visage, d'une fermeté, d'une finesse de fruit à peine mûr, émergeant d'un grand col de dentelle bien raide, était à lui seul une parure éblouissante. Les regards des trois seigneurs revenaient sans cesse vers elle avec une admiration que leur tempérament ne leur permettait guère de dissimuler. Ils commencèrent à lui faire de nombreux compliments. Elle ne les comprenait qu'à demi, à cause de leur langage rapide, de cet accent invraisemblable qui faisait rebondir le mot le plus plat dans une gerbe de soleil.

« Faudra-t-il que j'entende parler ainsi toute ma vie ? », se dit-elle avec ennui.

Cependant les laquais roulaient de grandes barriques qu'on hissa sur des tréteaux et qu'on mit en perce aussitôt. À peine le trou fut-il fait qu'on y enfonça un robinet de bois, mais le premier jet laissait à terre de grandes flaques aux transparences roses ou mordorées.

— Saint-émilion, disait le comte de Carbon-Dorgerac qui était bordelais, sauternes, médoc…

Il expliqua que, pour éviter au nectar des dieux les cahots d'un long voyage, les barriques avaient été embarquées à Bordeaux même, conduites bien arrimées dans les cales d'un confortable navire jusqu'aux abords de l'embouchure de la Sèvre niortaise. À Marcus, joli port, les « plates » du marais poitevin, manœuvrées à la pigouille, avaient remonté la rivière et ses méandres, parmi les îlots et les rives de la Venise verte, rencontrant demeures et châteaux les pieds dans l'eau et le front dans la verdure, où l'on avait laissé aux hôtes accueillants quelques gages des pays du soleil qui éclaireraient d'une lumière nouvelle le charme lacustre de leurs saisons. Parvenus à Niort, et désormais proches du but de leur navigation, les accompagnateurs de barriques bordelaises avaient fait jonction avec la caravane montée du Languedoc et conduite par M. d'Andijos. Volubile et avec beaucoup de gestes fougueux, celui-ci prit la suite du récit, expliquant que, sur le quai même du débarquement à Niort, ils avaient loué un entrepôt avec gardien dûment rétribué et gratifié pour y faire dépôt d'une partie de l'arrivage et d'où M. le baron de Sancé pourrait, tout au long de l'année, renouveler ses provisions de vins princiers afin de pouvoir puiser en leur vivifiante compagnie la force et le courage de supporter le chagrin de perdre sa fille, enlevée dans un pays lointain.

Ainsi en avait décidé le comte de Peyrac, soucieux de soutenir son futur beau-père dans son épreuve et ne connaissant pas meilleur remède au chagrin que quelques franches libations d'un vin sans défaut, et maintenant qu'à la vue de la mariée, eux tous, seigneurs et gens du Sud, avaient compris l'ampleur du sacrifice consenti par les siens, ils se réjouissaient que ces bonnes dispositions voulues par M. de Peyrac leur permettent de laisser cette famille entre de bonnes mains – si l'on pouvait dire ainsi –, les mains du dieu Bacchus !

Saoulés par ces paroles avant de l'être par l'effet des boissons, les habitants du château de Monteloup ne goûtèrent qu'avec circonspection aux différents crus annoncés.

Mais bientôt Denis et les trois derniers devinrent trop gais. L'odeur capiteuse montait au cerveau. Angélique voyait son père rire, ouvrir son justaucorps à l'ancienne mode sans souci de son linge usé. Et déjà les seigneurs du Midi dégrafaient leurs courtes vestes sans manches. L'un d'eux ôtait sa perruque pour s'essuyer le front. Toute la compagnie se retrouvait dans la grande salle. Sur la nappe qu'Angélique et Pulchérie avaient tendue de leur mieux, fleurissaient tout à coup de grands et beaux verres, retirés promptement par des mains habiles de grands coffres pleins de paille. L'on y versait, et l'on y reversait le reflet de toutes les splendeurs : or, rubis, ambre chaleureux.

— Buvez ! Buvez ! insistaient des voix.

Angélique pensa à faire apporter des gâteaux et des petits pâtés qu'elle avait enfournés la veille avec sa tante.

Elle put constater que leurs hôtes se jetaient dessus de grand cœur. Préoccupés du sort des boissons précieuses qu'ils convoyaient vers la future épousée, et partis de Niort depuis l'aube, ils avaient dû oublier de se restaurer en chemin.

Et sans cesse arrivaient et s'ouvraient de nouveaux coffres débordant de choses surprenantes. Pour les enfants : des sacs de billes de verre, des chapeaux à plumes, des harnais à clochettes pour leurs montures préférées, une épée superbe avec son fourreau damasquiné et un baudrier de cuir précieux et rubans de satin bleu pour Denis, ébloui, qui la prit et la tint comme un cierge.

Accompagnant ses gestes de propos galants, le cordial Andijos accrochait aux épaules grasses de tante Jeanne, aux maigres épaules de la bonne Pulchérie plusieurs rangs de colliers dont il annonçait qu'ils étaient composés de pierres des Pyrénées, cristal chatoyant aux reflets mauves, et de précieux grenat. En se voyant ainsi parée comme reine régente dans le miroir qu'un page lui présentait, la tante Jeanne ne put retenir un énorme sourire.

Au sein de ce déferlement de cadeaux dont jamais la famille de Sancé dans ses rêves les plus fous n'aurait osé se croire un jour comblée, la grisaille que son cœur roulait en elle comme un brouillard interdisait à Angélique de participer à l'enthousiasme général. Mais elle avait à faire à forte partie. Quelqu'un porta un verre à ses lèvres et l'oubli la gagna. Autour d'elle Monteloup se transformait.

Aux cuisines Fantine Lozier avait accueilli avec une solide soupe et quelques charcuteries et quartiers de venaison ceux qu'elle appelait, non sans hauteur, « la valetaille », mais très vite son naturel expansif cédait à la bruyante cordialité des arrivants.

D'un chariot était descendu un groupe de musiciens : deux violons et une flûte. Ils s'installèrent d'office dans un coin de la cour et commencèrent à donner l'aubade avec résolution.

Marie-Agnès, cramponnée au bras de sa sœur aînée, lui criait dans l'oreille d'une voix aiguë :

— Angélique, mais viens donc ! Angélique, viens voir là-haut, dans ta chambre, des merveilles…

Elle se laissa entraîner.

Dans la vaste pièce où elle avait si longtemps dormi avec Hortense et Madelon, on avait apporté de grands coffres de fer et de cuir bouilli qu'on appelait alors « garde-robe ».

Des valets et des servantes les avaient ouverts et étalaient leur contenu sur le plancher et sur quelques fauteuils boiteux.

Sur le lit monumental, Angélique aperçut une robe de taffetas vert de la même teinte que ses yeux. Une dentelle d'une finesse extraordinaire en garnissait le corsage baleiné, et le plastron de la busquière était entièrement rebrodé de diamants et d'émeraudes assemblés en forme de fleurs. Le même dessin de fleurs se reproduisait dans le velours ciselé du manteau de robe qui était d'un noir soutenu. Des agrafes de diamants le tenaient relevé sur les côtés de la jupe.

— Votre robe de noces, dit le marquis d'Andijos, qui avait suivi les jeunes filles. Le comte de Peyrac a longuement cherché, parmi des étoffes qu'il a fait venir de Lyon, une couleur assortie à vos yeux.

— Il ne les avait jamais vus, protesta-t-elle.

— Le sieur Molines les lui a décrits avec soin : la mer, a-t-il dit, telle qu'on l'aperçoit du rivage alors que le soleil plonge dans ses profondeurs jusqu'au sable.

— Sacré Molines ! s'écria le baron. Vous ne me ferez pas croire qu'il est poète à ce point ! Je vous soupçonne, marquis, de broder sur la vérité afin de voir sourire les yeux d'une jeune épousée, flattée d'une telle attention de la part de son mari.

— Et cela ! Et cela ! Regarde, Angélique ! répétait Marie-Agnès dont la frimousse de petite souris avisée brillait d'excitation.

Avec ses deux jeunes frères Albert et Jean-Marie, elle soulevait des lingeries fines, ouvrait des boîtes où dormaient des rubans et des parures de dentelles, ou encore des éventails de parchemin et de plumes. Il y avait un ravissant nécessaire de voyage de velours vert doublé de damas blanc, ferré d'argent doré, et garni de deux brosses, d'un étui d'or à trois peignes, de deux petits miroirs italiens, d'un carrelet à mettre les épingles, de deux bonnets et d'une chemise de nuit de fin linon, d'un bougeoir d'ivoire et d'un sac de satin vert contenant six bougies de cire vierge. Il y avait encore des robes plus simples, mais fort élégantes, des gants, des ceintures, une petite montre en or et une infinité de choses dont Angélique ne soupçonnait même pas l'utilité, telle une petite boîte de nacre dans laquelle se trouvait un choix de mouches de velours noir sur taffetas gommé.

— Il est de bon ton, expliqua le comte de Carbon, de fixer ce petit grain de beauté en quelque emplacement de votre visage.

— Je n'ai pas le teint assez blanc pour qu'il y ait quelque nécessité de le souligner, dit-elle en refermant la boîte.

Comblée, elle hésitait au bord d'une joie enfantine, d'un ravissement de femme qui, ayant le goût instinctif de la parure et de sa beauté, en prend conscience pour la première fois.

— Et ceci, demanda le marquis d'Andijos, votre teint refuse-t-il aussi d'en partager l'éclat ?

Il ouvrit un écrin plat, et il y eut dans la pièce où s'entassaient servantes, laquais et valets de ferme, un cri, puis des murmures d'admiration.

Sur le satin blanc brillait un triple rang de perles d'une lumière très pure, un peu dorée. Rien ne pouvait mieux convenir à une jeune mariée. Des boucles d'oreilles complétaient l'ensemble, ainsi que deux rangs de perles plus petites, qu'Angélique prit d'abord pour des bracelets.

— Ce sont des garnitures de cheveux, expliqua le marquis d'Andijos qui, malgré sa bedaine et ses façons de guerrier, paraissait très à la page sur les nuances de l'élégance. Vous relevez ainsi votre chevelure. À vrai dire, je ne saurais trop vous indiquer de quelle façon.

— Je vais vous coiffer, madame, intervint une grande et forte servante en s'approchant.

Plus jeune, elle ressemblait étrangement à la nourrice Fantine Lozier. La même flamme sarrasine, venue des lointaines invasions, leur avait brûlé la peau. L'une et l'autre se lançaient déjà des regards ennemis d'un œil également sombre.

— C'est Marguerite, la sœur de lait du comte de Peyrac. Cette femme a servi les grandes dames de Toulouse et a suivi longtemps ses maîtres à Paris. Elle sera désormais votre femme de chambre.

Avec habileté, la servante relevait la lourde chevelure mordorée et l'emprisonnait dans l'entrelacs des perles. Puis, d'une main sans rémission, elle détachait des oreilles d'Angélique les petites pierres modestes que le baron de Sancé avait offertes à sa fille pour sa première communion, et agrafait les somptueux bijoux. Ce fut le tour du collier.

— Ah ! il faudrait une poitrine plus dégagée, s'écria le petit baron Cerbalaud dont l'œil, noir comme des mûres des bois après la pluie, cherchait à deviner les formes gracieuses de la jeune fille.

Le marquis d'Andijos lui envoya sans façon un coup de canne sur la tête.

— De la décence, baron !

Un page se précipitait, portant un miroir.

Angélique se vit en son éclat nouveau. Tout en elle lui paraissait briller, jusqu'à sa peau lisse, à peine teintée de rose aux pommettes. Un soudain plaisir se fit jour en elle, monta jusqu'à ses lèvres, qui s'épanouirent dans un sourire charmant.

« Je suis belle », se dit-elle. Mais déjà tout se brouillait de nouveau et, des profondeurs du miroir, il lui semblait entendre monter l'affreux ricanement. « Boiteux ! Boiteux ! Et plus laid que le diable. Ah ! quel bel époux vous aurez là, mademoiselle de Sancé ! »

Le mariage par procuration devait avoir lieu trois jours plus tard. Une simple bénédiction en fin de journée dans la chapelle du château qui serait suivie d'un grand banquet, présidé par les mariés, réunissant parenté, notables et châtelains des alentours ou invités venus de loin.

Mais déjà l'on commença de faire la fête dans toute la contrée. Les réjouissances pour ce grand événement devaient durer plusieurs jours, se prolongeant d'obligation bien au-delà du départ de la mariée. Et l'on tirerait des pétards et des fusées à Monteloup. Aux abords du château et jusqu'aux prés voisins furent dressées de grandes tables garnies de pichets de vin et de cidre, et de toutes sortes de viandes et de fruits que les paysans venaient manger tour à tour, s'ébaudissant sur ces Gascons et ces Toulousains dont les tambours de basques, les luths, les violons et les voix de rossignol faisaient la nique aux ménétriers du pays, à leurs vielles et aux joueurs de chalumeaux. Mais ceux-ci n'en dressèrent pas moins leurs estrades en différents carrefours où accoururent les danseurs endiablés de branle et de bourrée.

Le dernier soir avant le départ de la mariée pour le lointain pays du Languedoc, eut lieu ce festin dans la cour du château, réunissant les notables et les châtelains des environs.

Dans la grande chambre où tant de fois, la nuit, elle avait écouté grincer les girouettes du vieux château, Angélique attendait que la nourrice revînt pour achever de l'aider à s'habiller pour la cérémonie.

On avait hissé jusqu'à cette pièce un grand miroir où elle pouvait voir le reflet de toute sa personne. Le baron avait murmuré : « De telles glaces ne se trouvent que dans l'appartement d'un roi… »

Le jour déclinant annonçait le soir par des lueurs cuivrées. La nourrice avait longuement brossé avec amour ses cheveux superbes. « Des cheveux superbes ! », n'avait-on cessé de répéter ou de s'extasier autour d'elle.

Angélique prit sa chevelure à deux mains, la soulevant, la gonflant et cela lui fit comme une auréole, éclairant aussi son visage dont les traits lui apparurent comme ceux d'une image peinte offerte à l'admiration des foules dans une pénombre sainte.

C'était ce visage que Nicolas avait contemplé avec avidité l'autre jour dans le petit chemin. Lui était beau aussi.

Angélique secoua la tête avec impatience à ce souvenir et ses cheveux s'épandirent en cape dorée sur ses épaules. Elle était belle, on le lui répétait assez. Et parce qu'elle était belle, elle pouvait sauver sa famille. Elle en ressentit à nouveau de la fierté. Une fierté mêlée d'angoisse. Et aussi une certaine joie parce qu'elle les aimait. Mais dominant tout, elle était révoltée… révoltée jusqu'à l'envie de fuir.

Fantine entra, portant avec solennité des flots de soie de tous les verts.

— Voici la robe de tes épousailles !

La nourrice avait toujours eu le choix des mots. Épousailles ! C'était bien celui qui convenait pour une cérémonie qui ne visait qu'à consacrer des liens officiels, garantir des signatures de contrats. La bénédiction entre deux mariés postiches serait rapide, donnée par le curé du village avec pour seul public la famille et les témoins. Cependant quand Angélique irait s'asseoir pour présider le banquet, elle serait désormais la comtesse de Peyrac.

Fantine lui présenta le corsage turquoise, agrafa la pièce d'estomac ornée de joyaux.

— Que tu es belle ! Ah ! que tu es belle, ma gazoute ! soupirait-elle d'un air navré. Ta poitrine est si ferme qu'elle n'aurait pas besoin d'être soutenue par tous ces corsets. Veille que les plastrons ne t'écrasent pas les seins. Laisse-les bien libres.

— Est-ce que je ne suis pas trop décolletée, Nounou ?

— Une grande dame doit montrer ses seins. Comme tu es belle ! Et pour qui donc, grands dieux ! soupira-t-elle d'une voix étouffée.

Angélique vit que le visage de l'accorte Poitevine était tout sillonné de larmes.

— Ne pleure pas, Nounou, tu vas m'ôter mon courage.

— Il t'en faudra, hélas ! ma fille. Penche la tête que j'agrafe ton collier. Pour les perles des cheveux, on laissera faire la Margot ; je ne comprends rien à ces entortillements ! Ah ! ma gazoute, quel crève-cœur ! Quand je pense que ce sera cette grande bringue qui pue l'ail et le romarin à vous étourdir, qui te lavera et te rasera le soir de tes noces ! Ah ! quel crève-cœur !

Elle s'agenouilla pour arranger au sol la traîne du manteau de robe. Angélique l'entendit sangloter.

Elle ne s'était pas imaginé un si grand désespoir chez celle qu'elle avait toujours connue plus prompte à se réjouir à l'annonce de belles noces, et l'anxiété qui lui poignait le cœur s'en trouva décuplée.

Toujours à terre, Fantine Lozier murmura :

— Pardonne-moi, ma fille, de n'avoir pas su te défendre, moi qui t'ai nourrie de mon lait. Mais depuis trop de jours que j'entends parler de cet homme, je ne peux plus fermer l'œil.

— Que dit-on de lui ?

La nourrice se redressa ; elle retrouvait déjà son regard nocturne et fixe de prophétesse.

— De l'or ! De l'or plein son château…

— Ce n'est pas un péché de posséder de l'or, Nourrice. Regarde tous les présents qu'il m'a faits. J'en suis ravie.

— Ne t'y trompe pas, ma fille. Cet or est maudit. C'est avec ses cornues, ses philtres qu'il le crée. Un des pages, celui qui joue si bien du tambourin, Henrico, m'a dit que dans son palais de Toulouse, un palais rouge comme le sang, il y a tout un bâtiment où personne ne doit aller. Celui qui garde l'entrée est un homme complètement noir, aussi noir que le fond de mes marmites. Un jour que le gardien s'était absenté, Henrico a vu par une porte entrebâillée une grande salle pleine de boules de verre, de cornues et de tuyaux. Et ça sifflait, et ça bouillait ! Et tout à coup, il y a eu une flamme et un bruit de tonnerre. Henrico s'est enfui.

— Ce gamin est imaginatif, c'est ce qu'on dit des gens du Sud.

— Hélas ! Il y avait un accent de vérité et de frayeur dans sa voix auquel on ne se trompe pas. Ah ! c'est un homme qui a cherché puissance et richesse au prix du Malin que ce comte de Peyrac. Un Gilles de Retz, voilà ce qu'il est, un Gilles de Retz qui n'est même pas poitevin !

— Ne dis pas de sottises, fit durement Angélique. Personne n'a jamais raconté qu'il mangeait les petits enfants.

— Il attire les femmes, chuchota la nourrice, par des charmes bizarres. Dans son palais, il y a des orgies. Il paraît que l'archevêque de Toulouse l'a dénoncé en chaire publiquement, a crié au scandale et au démon. Et ce païen de valet, qui me racontait la chose, hier, dans ma cuisine en riant comme un fou, disait qu'à la suite du sermon le comte de Peyrac a donné l'ordre à ses gens de rosser les pages et les porteurs de l'archevêque, et qu'il y a eu des batailles jusque dans la cathédrale. Crois-tu que de telles abominations se verraient chez nous ? Et tout cet or qu'il possède, où va-t-il le chercher ? Ses parents ne lui ont laissé que des dettes et des terres hypothéquées. C'est un seigneur qui ne fait pas sa cour au roi, ni aux grands. On dit que, lorsque M. d'Orléans, qui est gouverneur du Languedoc, vint à Toulouse, le comte refusa de ployer le genou devant lui sous prétexte que cela le fatiguait et, comme Monsieur lui faisait remarquer, sans se fâcher, qu'il pourrait lui obtenir de grands bienfaits en haut lieu, le comte de Peyrac a répondu que…

Fantine s'interrompit et s'affaira à planter quelques épingles ici et là dans la jupe, pourtant bien ajustée.

— Il a répondu quoi ?

— Que… que d'avoir le bras long ne lui ferait pas la jambe moins courte. C'est d'une insolence !

Angélique se regardait dans le petit miroir rond de son nécessaire de voyage, lissait du doigt ses sourcils soigneusement épilés par la servante Marguerite.

— C'est donc vrai ce qu'on raconte, qu'il est boiteux ? dit-elle, s'efforçant de donner à sa voix une inflexion indifférente.

— C'est vrai, hélas ! ma gazoute. Ah ! Jésus ! Toi si belle !

— Tais-toi, Nourrice. Tu me lasses avec tes soupirs. Va appeler Margot pour qu'elle me coiffe.

Mais Fantine n'avait pas encore transmis l'ensemble des renseignements qu'elle avait recueillis.

— Je le dois, dit-elle avec force. Je dois t'avertir. Ils racontent que tout en haut de son palais il y a une chambre où lui seul pénètre avec une clé d'or qu'il a fait forger tout exprès.

— Et derrière cette porte, comme dans la légende, il y a les dépouilles de ses épouses qu'il a assassinées ?

— Qui sait ? soupira Fantine d'un ton lugubre.

— Mais réfléchis ! Le comte de Peyrac n'a jamais eu d'autres épouses. Je serai la première.

— Qu'en sait-on ?

Fantine hocha la tête à plusieurs reprises. Tout ce qui venait de ces horizons lui paraissait noyé dans une brume dont on n'écarterait jamais assez les voiles.

— Ils en racontent ! Ils en racontent ! En tout cas l'histoire est bien connue d'un grand prévôt de ce pays-là, qui fit mourir de nobles dames à l'aide d'un démon familier, son complice.

Angélique, qui s'évertuait à n'écouter que d'une oreille, jeta un cri d'effroi.

— Lui ?

— Non ! mais un de ses ancêtres. Et il n'y a pas si loin…

— Assez, Nourrice, s'écria Angélique avec colère. Assez ! Il n'est plus temps de m'avertir de ces horribles racontars ! Appelle Margot ! Et ne parle plus du comte de Peyrac comme tu viens de le faire. N'oublie pas qu'il va être désormais mon époux.

❦

Dans la cour, la nuit venue, des torches allumées éclairaient comme en plein jour.

Groupés sur le perron, les musiciens du Sud accompagnaient avec entrain le brouhaha des conversations qui s'élevaient de plus en plus bruyantes.

Angélique avait gagné sa place, au côté du marquis d'Andijos, dans une impression de mauvais rêve. Quoiqu'elle s'en défendît, les paroles de la nourrice qui avait été pour elle, enfant, une sorte d'oracle, l'avaient bouleversée.

Et maintenant c'en était fait ! Elle était mariée ! Certes il fallait admettre que Fantine Lozier restât la même. Entre les versions diverses, elle aurait toujours une propension à choisir la plus tragique. Mais les bruits qu'elle venait de lui rapporter rejoignaient les mots inquiétants lancés par Nicolas. S'effaçaient derrière ces sombres visions les paroles benoîtes et raisonnables de l'intendant Molines. Lui, en tout cela, ne s'était préoccupé que de monter une bonne affaire. Quant à elle, le soulagement de pouvoir sauver sa famille du malheur lui avait donné la force d'accepter le marché. Mais cela s'effaçait aussi. Il ne restait plus que la peur.

Il était là, le sieur Molines, venu avec sa femme et sa fille.

Cependant Angélique constatait qu'elle ne connaissait ou ne reconnaissait pas la plupart des convives qui s'agitaient à ces tables bien garnies et qui paraissaient si joyeux de fêter ses noces. Elle demanda tout à coup qu'on aille chercher le ménétrier du village qui faisait danser les manants dans un grand pré, au pied du château. Son oreille n'était pas habituée à cette musique un peu mièvre, faite pour les gens de cour et les réunions de seigneurs en dentelles. Une fois encore, elle voulait entendre les douces musettes ou les criardes cornemuses, et le son hardi du chalumeau scandant le battement sourd des sabots paysans.

Sa demande se perdit, soit que sa voix ne pût s'élever aussi péremptoire qu'elle le souhaitait, soit que, dans ce désordre des propos qui s'instauraient dans l'agréable liberté qui naît de la bonne chère partagée entre amis, personne n'en comprît la raison.

Le ciel était étoilé, mais feutré d'un léger brouillard qui mettait un halo doré à la lune. Les plats et les bons vins défilaient sans cesse. Une panerée de petits pains ronds encore chauds fut posée devant Angélique et resta là jusqu'à ce que la jeune femme levât les yeux sur celui qui la présentait. Elle vit un homme grand, assez massif, vêtu d'un habit cossu en ce gris clair que portent les meuniers. Ayant la farine à peu de frais, ses cheveux étaient poudrés aussi abondamment que ceux des châtelains. Son rabat et ses « canons » de bas étaient de linge fin.

— Voici Valentin, le fils du meunier, qui vient porter son hommage à l'épousée, s'écria le baron Armand.

— Valentin, dit en souriant Angélique, je ne t'avais pas vu depuis mon retour au pays. Est-ce que tu vas toujours dans les chenaux, avec ta barque, cueillir de l'angélique pour les moines de Nieul ?

Le jeune homme s'inclina très bas, sans répondre. Il attendit qu'elle se fût servie, puis relevant sa corbeille la passa à la ronde. Il se perdit dans la foule et la nuit.

« Si tous ces gens se taisaient, j'entendrais à cette heure les crapauds des marais, pensait Angélique. Si je reviens, des années plus tard, peut-être ne les entendrai-je plus, car les eaux auront reculé devant les travaux. »

— Goûtez cela, il le faut absolument, disait à son oreille la voix du marquis d'Andijos.

Il lui présentait un plat d'aspect peu engageant, mais dont l'odeur était très fine.

— C'est un ragoût de truffes vertes, madame, venues toutes fraîches du Périgord. Sachez que la truffe est divine et magique. Il n'y a pas de mets plus recherché pour préparer le corps d'une jeune épousée à recevoir les hommages de son mari. La truffe fait l'entraille chaleureuse, le sang vif et rend la peau facilement émue aux caresses.

— Eh bien ! je ne vois pas la nécessité d'en manger ce soir, dit froidement Angélique en repoussant la marmite d'argent. Étant donné que je ne rencontrerai pas mon mari avant plusieurs semaines…

— Mais il faut vous y préparer, madame. Croyez-moi, la truffe est la meilleure amie de l'hyménée. À son régime délicieux, vous ne serez que tendresse le soir de vos noces.

— Dans mon pays, dit Angélique en le regardant en face avec un petit sourire, avant la Noël on gave les oies de fenouil afin que leur chair soit plus savoureuse pour la nuit où on les mangera rôties…

Le marquis, à demi gris, éclata de rire.

— Ah ! que j'aimerais être celui qui croquera cette petite oie que vous êtes ! fit-il en se penchant si près que sa moustache lui effleura la joue. Dieu me damne ! ajouta-t-il en se redressant, une main sur le cœur, si je me laisse aller à prononcer d'autres paroles malséantes. Hélas ! je ne suis pas entièrement coupable, car j'ai été trompé. Lorsque mon ami Joffrey de Peyrac m'a demandé de remplir près de vous le rôle et les formalités d'un mari sans en avoir les droits charmants, je lui ai fait jurer que vous étiez bossue et bigle, mais je vois qu'une fois de plus il ne se souciait pas de m'épargner des tourments. Vraiment vous ne voulez pas de ces truffes ?

— Non, merci.

— Je les mangerai donc, fit-il avec une grimace piteuse qui, en toute autre circonstance, eût égayé la jeune femme, bien que je sois un faux mari, et célibataire par surcroît. Et j'espère que la nature me sera favorable en guidant vers moi dans cette nuit de fête quelques dames ou filles moins cruelles que vous.

Elle fit effort pour sourire à ces folies.

Les torches et les flambeaux dégageaient une chaleur insupportable. Il n'y avait pas un souffle d'air. On chantait, on buvait. L'odeur des vins et des sauces était lourde.

Angélique passa un doigt sur ses tempes et les trouva moites. « Qu'est-ce que j'ai ? pensa-t-elle. Il me semble que je vais éclater brusquement, leur crier des paroles de haine. Pourquoi ?… Père est heureux. Il me marie presque princièrement. Les tantes jubilent. Le comte de Peyrac leur a envoyé de grands colliers de roches des Pyrénées, et toutes sortes de colifichets. Mes frères et sœurs seront bien élevés. Et moi, pourquoi me plaindre ? On nous a toujours mis en garde, au couvent, contre les rêveries romanesques. Un époux riche et bien titré, n'est-ce pas le premier but pour une femme de qualité ? »

Un tremblement pareil à celui des chevaux fourbus la saisissait. Pourtant elle n'était point lasse. C'était une réaction nerveuse, une révolte physique de tout son être, qui, au moment le plus inattendu, cédait.

« Est-ce la peur ? Encore ces histoires de Nourrice qui jubile de voir le diable partout. Pourquoi irais-je la croire ? Elle a toujours exagéré. Ni Molines ni mon père ne m'ont caché que ce comte de Peyrac était un savant. De là à imaginer je ne sais quelles orgies démoniaques, il y a une marge. Si Nourrice croyait vraiment que je puisse tomber entre les mains d'un tel être, elle ne me laisserait pas partir. Non, je n'ai pas peur de cela. Je n'y crois pas. »

Près d'elle, le marquis d'Andijos, serviette au menton, levait d'une main une truffe juteuse, de l'autre son verre de vin de Bordeaux. Il déclamait d'une voix légèrement éraillée où son accent sombrait de temps à autre dans un hoquet satisfait :

— Ô truffe divine, bienfait des amants ! Verse en mes veines le joyeux entrain de l'amour ! Je caresserai ma mie jusqu'à l'aube !…

« C'est cela, pensa tout à coup Angélique, c'est cela que je refuse, que je ne pourrai jamais supporter. »

Elle eut la vision du seigneur affreux et difforme, dont elle allait être la proie livrée. Dans le silence des nuits de ce lointain Languedoc, l'homme inconnu aurait tous les droits sur elle. Elle pourrait appeler, crier, supplier. Personne ne viendrait. Il l'avait achetée ; on l'avait vendue. Et ce serait ainsi jusqu'à la fin de sa vie !

« Voilà ce qu'ils pensent tous et qu'on ne se dit pas, qu'on ne se chuchote peut-être qu'aux cuisines, entre valets et servantes. Voilà pourquoi il y a une sorte de pitié pour moi dans les yeux des musiciens du Sud, de ce joli Henrico aux cheveux frisés qui bat si habilement le tambourin. Mais l'hypocrisie est plus grande que la pitié. Une seule personne de sacrifiée et tant de gens contents ! L'or et le vin coulent à flots. Est-ce que cela compte ce qui se passera entre leur maître et moi ? Ah ! je le jure, jamais il ne posera ses mains sur moi… »

Elle se leva, car elle était envahie d'une colère terrible, et l'effort qu'elle faisait pour se dominer la rendait presque malade. Debout, dressée, dans la rumeur grondante des tablées qui recouvrait et engloutissait jusqu'aux éclats de la musique, elle crut qu'elle allait se mettre à crier, à hurler, à les injurier tous. Trop tard ! Scandale inutile ! Ses hôtes ne verraient peut-être dans cette manifestation que l'explosion de sa joie et qu'elle donnait le signal pour les danses et les farandoles !…

Et voici qu'elle apercevait les joueurs de cornemuse et de chalumeau survenus enfin, discutant sur le perron avec les musiciens occupés à se rafraîchir le gosier. Trop tard ! Trop tard ! À rien ne lui servirait d'entendre une fois encore la musique champêtre de son enfance. Elle était piégée ! Condamnée !

Tout à coup, elle sut ce qu'elle devait faire pour se venger de la contrainte qui lui avait été imposée, pour échapper au moins à ses propres yeux à ce rôle humiliant de victime. Ce ne serait pas le Gilles de Retz du Sud qui l'aurait le premier.

Elle commença à s'écarter de la table et dans le brouhaha personne ne fit attention à son départ. Ce qu'elle voulait, ce qu'elle voulait éperdument, c'était se donner avant l'autre à un homme jeune et beau.

Avisant le maître d'hôtel que son père avait engagé à Niort, un nommé Clément Tonnel, elle lui demanda où était le valet Nicolas.

— Il est aux granges et remplit les bouteilles, madame.

La jeune femme poursuivit son chemin. Elle marchait comme un automate. Depuis la scène du petit bois, Nicolas n'avait jamais plus levé les yeux sur elle, se bornant à accomplir son service de laquais avec une conscience mêlée de nonchalance. Elle le trouva dans le cellier, où il versait le vin des barriques dans les cruches et carafons que lui apportaient sans cesse les petits valets et les pages. Il était revêtu d'une livrée de maison jaune bouton-d'or à revers galonnés, que M. de Sancé avait louée pour la circonstance. Loin de paraître gauche dans cette défroque, le jeune paysan ne manquait pas d'allure. Il se redressa en voyant Angélique et fit un profond salut dans le style que le maître d'hôtel Clément avait enseigné pendant quarante-huit heures à tous les gens de la maison.

— Je te cherchais, Nicolas.

— Madame la comtesse…

Elle jeta un regard sur les chambrillons qui attendaient, leurs pichets en main.

— Mets un garçon à ta place pour quelques instants et suis-moi.

Dehors, elle passa encore la main sur son front.

L'exaltation se répandait en elle et l'envahissait avec l'odeur capiteuse des flaques de vin répandues sur le sol. Elle poussa la porte d'une grange voisine. Là aussi l'encens lourd du vin continuait de flotter. On y avait rempli les bouteilles une partie de la nuit. Maintenant les barriques étaient vides et la grange déserte. Il faisait noir et chaud.

Angélique posa ses mains sur la forte poitrine de Nicolas. Et tout à coup elle s'abattit contre lui, secouée de sanglots secs.

— Nicolas, gémissait-elle, mon compagnon, dis-moi que ce n'est pas vrai. Ils ne vont pas m'emmener, ils ne vont pas me donner à lui. J'ai peur, Nicolas. Serre-moi, serre-moi fort !

— Madame la comtesse…

— Tais-toi ! cria-t-elle. Ah ! ne sois pas méchant toi aussi.

Elle ajouta d'une voix rauque et haletante qu'elle reconnut à peine pour la sienne :

— Serre-moi ! Serre-moi fort ! C'est tout ce que je te demande.

Il parut hésiter, puis ses bras noueux de laboureur se refermèrent sur la taille menue.

La grange était noire. La chaleur du foin amoncelé dégageait une sorte de tension frémissante pareille à celle de l'orage. Angélique, folle, saoulée, roulait son front contre l'épaule de Nicolas. De nouveau, elle se sentait environnée par le désir sauvage de l'homme, mais cette fois elle s'y abandonnait.

— Ah ! tu es bon, soupirait-elle. Toi, tu es mon ami. Je voudrais que tu m'aimes… Une seule fois je veux être aimée par un homme jeune et beau. Comprends-tu ?

Elle noua ses bras autour de la nuque massive, le contraignit à pencher son visage vers elle. Il avait bu et son souffle avait l'arôme du vin brûlant.

Il soupira.

— Marquise des Anges…

— Aime-moi, chuchota-t-elle, les lèvres contre ses lèvres. Une seule fois. Après je partirai… Ne veux-tu pas ? Est-ce que tu ne m'aimes plus ?

Il répondit par un grognement sourd et, l'enlevant entre ses bras, il tituba dans l'ombre et alla s'abattre avec elle sur le tas de foin.

Angélique se sentait à la fois étrangement lucide et comme détachée de toutes contingences humaines. Elle venait de pénétrer dans un autre monde, elle flottait au-dessus de ce qui avait été sa vie jusqu'alors. Étourdie par l'obscurité totale de la grange, par la chaleur et l'odeur confinée, par la nouveauté de ces caresses à la fois brutales et habiles, elle essayait surtout de dominer sa pudeur qui se rétractait malgré elle. De toute sa volonté, elle voulait que ce fût fait et vite, car on pouvait les surprendre. Les dents serrées, elle se répétait que ce ne serait pas l'autre qui la prendrait le premier. Ce serait la réponse jetée à l'or, qui croyait pouvoir tout acheter. Elle voulait, elle voulait vraiment que cet acte s'accomplisse. Mais, à plusieurs reprises, elle se retint de repousser ce corps pesant dont une soudaine folie s'emparait.

Il y eut un brusque éclat de lanterne à travers la grange et, de la porte, un cri de femme horrifiée s'éleva.

Nicolas, d'un bond, s'était rejeté de côté. Angélique vit une forme massive se ruer sur le valet. Elle reconnut le vieux Guillaume et s'agrippa à lui au passage, de toute sa force. Prestement Nicolas avait déjà gagné les poutres du toit, ouvert une lucarne. On l'entendit sauter au-dehors et s'enfuir.

La femme sur le seuil continuait à pousser des hurlements. C'était la tante Jeanne, un flacon d'une main, l'autre posée sur son ample sein palpitant.

Angélique lâcha Guillaume pour se précipiter sur elle, lui enfoncer dans le bras ses ongles comme des griffes.

— Allez-vous vous taire, vieille folle ?… Vous tenez donc à ce qu'un scandale éclate, que le marquis d'Andijos plie bagage avec cadeaux et promesses ? Finies vos roches des Pyrénées et vos petites douceurs. Taisez-vous ou je vous enfonce mon poing dans votre vieille bouche édentée.

Des granges voisines, paysans et domestiques se rapprochaient, curieux. Angélique vit venir la nourrice, puis son père, qui, malgré de copieuses libations et une démarche incertaine, continuait à veiller, en bon maître de maison, à l'ordonnance du festin.

— Est-ce vous, Jeanne, qui poussez ces cris de dame chatouillée par le diable ?

— Chatouillée ! clama la vieille demoiselle en perdant le souffle. Ah ! Armand, je me meurs.

— Et pourquoi, ma bonne ?

— Je suis venue ici chercher un peu de vin. Et, dans cette grange, j'ai vu… j'ai vu…

— Tante Jeanne a vu une bête, interrompit Angélique, elle ne sait pas s'il s'agit d'un serpent ou d'une fouine, mais vraiment, ma tante, il n'y a pas de quoi vous émouvoir ainsi. Vous feriez mieux de retourner à table, on va vous apporter votre vin.

— C'est ça, c'est ça, approuva le baron d'une voix pâteuse. Pour une fois, Jeanne, que vous essayez de rendre service, cela dérange bien du monde.

« Elle n'a pas essayé de rendre service, pensait Angélique. Elle m'a guettée, elle m'a suivie. Depuis le temps qu'elle vit au château, assise devant sa tapisserie comme une araignée au milieu de sa toile, elle nous connaît tous mieux que nous-mêmes, elle nous sent, elle nous devine. Elle m'a suivie. Et elle a demandé au vieux Guillaume de lui tenir sa lanterne. »

Ses doigts s'enfonçaient toujours dans les avant-bras gélatineux de la grosse femme.

— Vous m'avez bien comprise ? chuchota-t-elle. Pas un mot à quiconque avant mon départ, sans cela, je vous le jure, je vous empoisonnerai avec des herbes spéciales que je connais.

Tante Jeanne poussa un dernier gloussement et ses yeux chavirèrent. Mais l'allusion à son collier, plus encore que la menace, l'avait matée. Pinçant les lèvres, mais silencieuse, elle suivit son frère.

Une main rude retint Angélique en arrière. Sans douceur, le vieux Guillaume lui enleva de ses cheveux et de sa robe les brins d'herbes sèches qui y restaient accrochés. Elle leva les yeux vers lui, essaya de deviner l'expression de son visage.

— Guillaume, murmura-t-elle, je voudrais que tu comprennes…

— Je n'ai point besoin de comprendre, madame, répondit-il en allemand avec une hauteur qui la souffleta. Ce que j'ai vu me suffit.

Il tendit le poing vers l'ombre en grommelant une injure.

Angélique redressa la tête et rejoignit l'endroit du festin. En s'asseyant elle chercha des yeux le marquis d'Andijos, et le découvrit écroulé sous son escabeau et dormant de bon cœur. La table ressemblait à un plateau de cierges d'église lorsque les dernières cires achèvent de s'effondrer. Quelques invités étaient partis ou endormis. Mais on dansait encore dans les prés.

Raidie, Angélique continuait à présider sans sourire son repas de noces. L'irritation de cet acte inachevé, de cette vengeance qu'elle s'était promise et qu'elle n'avait pu accomplir, la faisait souffrir jusqu'au bout des ongles.

La colère et la honte se disputaient son cœur.

Elle avait perdu le vieux Guillaume.

Monteloup la rejetait.

Elle n'avait plus qu'à rejoindre son époux boiteux.

Table

Deuxième partie

Le vent du monde

Troisième partie

Les dieux de l'Olympe

Quatrième partie

À l'ombre de Notre-Dame la Grande

DU MÊME AUTEUR
CHEZ LE MÊME ÉDITEUR

Anne Golon
ANGÉLIQUE
** *La Fiancée vendue*

1654. Angélique de Sancé, dix-sept ans, a quitté les siens. Un carrosse l'emmène vers Toulouse où le comte Joffrey de Peyrac prendra livraison de sa fiancée. De son futur époux, la jeune fille ne connaît que la réputation : sulfureuse et effrayante.

À Toulouse, malgré la richesse et la beauté des lieux, le cœur d'Angélique s'emplit de désespoir : comment vivre avec ce mari qui l'effraie ? Le caractère original de Joffrey, son goût pour les sciences et les arts suffiront-ils à la séduire ?

À la veille du mariage de Louis XIV avec l'infante d'Espagne, Angélique découvre un Midi où l'odeur des bûchers cathares plane encore au-dessus des cours d'amour et des fêtes que donne en son palais le comte de Peyrac…

« Angélique est revenue, bien décidée à séduire le XXIe *siècle par sa beauté, son intelligence et son audace. »* (Historia)

ISBN 978-2-35287-160-6 / H 50-7040-4 / 352 pages / 7,50 €

CHEZ LE MÊME ÉDITEUR

1. Roger CARATINI, Hocine RAÏS, *Initiation à l'islam.*
2. Antoine BIOY, Benjamin THIRY, Caroline BEE, *Mylène Farmer, la part d'ombre.*
3. Pierre MIQUEL, *La France et ses paysans.*
4. Gerald MESSADIÉ, *Jeanne de l'Estoille.* I. *La Rose et le Lys.*
5. Gerald MESSADIÉ, *Jeanne de l'Estoille.* II. *Le Jugement des loups.*
6. Gerald MESSADIÉ, Jeanne de l'Estoille. III. *La Fleur d'Amérique.*
7. Alberto GRANADO, *Sur la route avec Che Guevara.*
8. Arièle BUTAUX, *Connard !*
9. James PATTERSON, *Pour toi, Nicolas.*
10. Amy EPHRON, *Une tasse de thé.*
11. Andrew KLAVAN, *Pas un mot.*
12. Colleen MCCULLOUGH, *César Imperator.*
13. John JAKES, *Charleston.*
14. Evan HUNTER, *Les Mensonges de l'aube.*
15. Anne MCLEAN MATTHEWS, *La Cave.*
16. Jean-Jacques EYDELIE, *Je ne joue plus !*
17. Philippe BOUIN, *Mister Conscience.*
18. Louis NUCÉRA, *Brassens, délit d'amitié.*
19. Olivia GOLDSMITH, *La Femme de mon mari.*
20. Paullina SIMONS, *Onze heures à vivre.*
21. Jane AUSTEN, *Raison et Sentiments.*
22. Richard DOOLING, *Soins à hauts risques.*
23. Tamara MCKINLEY, *La Dernière Valse de Mathilda.*
24. Rosamond SMITH *alias* Joyce Carol OATES, *Double diabolique.*
25. Édith PIAF, *Au bal de la chance.*
26. Jane AUSTEN, *Mansfield Park.*

27. Gerald MESSADIÉ, *Orages sur le Nil.*
I. *L'Œil de Néfertiti.*
28. Jean HELLER, Mortelle Mélodie.
29. Steven PRESSFIELD, *Les Murailles de feu.*
30. Jean-Louis CRIMON, Thierry SÉCHAN,
Renaud raconté par sa tribu.
31. Gerald MESSADIÉ, *Orages sur le Nil.*
II. *Les Masques de Toutankhamon.*
32. Gerald MESSADIÉ, *Orages sur le Nil.*
III. *Le Triomphe de Seth.*
33. Choga Regina EGBEME, *Je suis née au harem.*
34. Alice HOFFMAN, *Mes meilleures amies.*
35. Bernard PASCUITO, *Les Deux Vies de Romy Schneider.*
36. Ken MCCLURE, *Blouses blanches.*
37. Colleen MCCULLOUGH, *La Maison de l'ange.*
38. Arièle BUTAUX, *Connard 2.*
39. Kathy HEPINSTALL, *L'Enfant des illusions.*
40. James PATTERSON, *L'amour ne meurt jamais.*
41. Jean-Pierre COLIGNON, Hélène GEST, *101 jeux de logique.*
42. Jean-Pierre COLIGNON, Hélène GEST,
101 jeux de culture générale.
43. Jean-Pierre COLIGNON, Hélène GEST,
101 jeux de langue française.
44. Nicholas DAVIES, *Diana,*
la princesse qui voulait changer le monde.
45. Jeffrey ROBINSON, *Rainier et Grace.*
46. Alexandra CONNOR, *De plus loin que la nuit.*
47. BARBARA, *Ma plus belle histoire d'amour.*
48. Jeffery DEAVER, *New York City Blues.*
49. Philippe BOUIN, *Natures mortes.*
50. Richard NORTH PATTERSON, *La Loi de Lasko.*
51. Luanne RICE, *Les Carillons du bonheur.*
52. Manette ANSAY, *La Colline aux adieux.*
53. Mende NAZER, *Ma vie d'esclave.*

54. Gerald MESSADIÉ, *Saint-Germain, l'homme qui ne voulait pas mourir.* I. *Le Masque venu de nulle part.*
55. Gerald MESSADIÉ, *Saint-Germain, l'homme qui ne voulait pas mourir.* II. *Les Puissances de l'invisible.*
56. Carol SMITH, *Petits Meurtres en famille.*
57. Lesley PEARSE, *De père inconnu.*
58. Jean-Paul GOUREVITCH, *Maux croisés.*
59. Michael TOLKIN, *Accidents de parcours.*
60. Nura ABDI, *Larmes de sable.*
61. Louis NUCÉRA, *Sa Majesté le chat.*
62. Catherine COOKSON, *Jusqu'à la fin du jour.*
63. Jean-Noël BLANC, *Virage serré.*
64. Jeffrey FOX, *Les 75 Lois de Fox.*
65. Gerald MESSADIÉ, *Marie-Antoinette, la rose écrasée.*
66. Marc DIVARIS, *Rendez-vous avec mon chirurgien esthétique.*
67. Karen HALL, *L'Empreinte du diable.*
68. Jacky TREVANE, *Fatwa.*
69. Marcia ROSE, *Tout le portrait de sa mère.*
70. Jorge MOLIST, *Le Rubis des Templiers.*
71. Colleen MCCULLOUGH, *Corps manquants.*
72. Pierre BERLOQUIN, *100 jeux de chiffres.*
73. Pierre BERLOQUIN, *100 jeux de lettres.*
74. Pierre BERLOQUIN, *100 jeux de déduction.*
75. Stuart WOODS, *Un très sale boulot.*
76. Sa Sainteté le DALAÏ-LAMA, *L'Art de la sagesse.*
77. Andy MCNAB, *Bravo Two Zero.*
78. Tariq RAMADAN, *Muhammad, vie du Prophète.*
79. Louis-Jean CALVET, *Cent ans de chanson française.*
80. Patrice FRANCESCHI, *L'Homme de Verdigi.*
81. Alexandra CONNOR, *La Faute de Margie Clements.*
82. John BERENDT, *La Cité des anges déchus.*

83. Edi VESCO, *Le Guide magique du monde de Harry Potter.*
84. Peter BLAUNER, *Vers l'abîme.*
85. Gérard DELTEIL, *L'Inondation.*
86. Stéphanie LOHR, *Claude François.*
87. Jacqueline MONSIGNY, *Floris.*
    I. *Floris, fils du tsar.*
88. Jacqueline MONSIGNY, *Floris.*
    II. *Le Cavalier de Pétersbourg.*
89. Arièle BUTAUX, *La Vestale.*
90. Tami HOAG, *Meurtre au porteur.*
91. Arlette AGUILLON, *Rue Paradis.*
92. Christopher REICH, *Course contre la mort.*
93. Brigitte HEMMERLIN, Vanessa PONTET, *Grégory, sur les pas d'un ange.*
94. Dominique MARNY, *Les Fous de lumière.*
    I. *Hortense.*
95. Dominique MARNY, *Les Fous de lumière.*
    II. *Gabrielle.*
96. Yves AZÉROUAL, Valérie BENAÏM, *Carla Bruni-Sarkozy.*
97. Philippa GREGORY, *Deux sœurs pour un roi.*
98. Jane AUSTEN, *Emma.*
99. Gene BREWER, *K-pax.*
100. Philippe BOUIN, *Comptine en plomb.*
101. Jean-Pierre COLIGNON, Hélène GEST, *101 jeux Cinéma-Télé.*
102. Jean-Pierre COLIGNON, Hélène GEST, *101 jeux Histoire.*
103. Jean-Pierre COLIGNON, Hélène GEST, *101 jeux France.*
104. Jacqueline MONSIGNY, *Floris.*
    III. *La Belle de Louisiane.*
105. Jacqueline MONSIGNY, *Floris.*
    IV. *Les Amants du Mississippi.*
106. Alberto VÁSQUEZ-FIGUEROA, *Touareg.*
107. James CAIN, *Mort à la plage.*

108. Hugues ROYER, *Mylène*.
109. Eduardo MANET, *La Mauresque*.
110. Jean CONTRUCCI, *Un jour tu verras*.
111. Alain DUBOS, *La Rizière des barbares*.
112. Jane HAMILTON, *Les Herbes folles*.
113. Senait MEHARI, *Cœur de feu*.
114. Michaël DARMON, Yves DERAI, *Belle-Amie*.
115. Ed MCBAIN, *Le Goût de la mort*.
116. Joan COLLINS, *Les Larmes et la Gloire*.
117. Roger CARATINI, *Le Roman de Jésus*, t. I.
118. Roger CARATINI, *Le Roman de Jésus*, t. II.
119. Frantz LISZT, *Chopin*.
120. James W. HOUSTON, *Pluie de flammes*.
121. Rosamond SMITH *alias* Joyce Carol OATES, *Le Sourire de l'ange*.
122. Nicholas MEYER, *Sherlock Holmes et le fantôme de l'Opéra*.
123. Pierre LUNEL, *Ingrid Betancourt, les pièges de la liberté*.
124. Tamara MCKINLEY, *Éclair d'été*.
125. Ouarda SAILLO, *J'avais 5 ans*.
126. Margaret LANDON, *Anna et le Roi*.
127. Anne GOLON, *Angélique*.
 I. *Marquise des Anges*.
128. Anne GOLON, *Angélique*.
 II. *La Fiancée vendue*.
129. Jacques MAZEAU, *La Ferme de l'enfer*.
130. Antonin ANDRÉ, Karim RISSOULI, *Hold-uPS, Arnaques et Trahisons*.

Cet ouvrage a été composé
par Atlant'Communication
au Bernard (Vendée)

Impression réalisée par
Rosés
en février 2010
pour le compte des Éditions Archipoche

Imprimé en Espagne
N° d'édition : 127
Dépôt légal : mars 2010